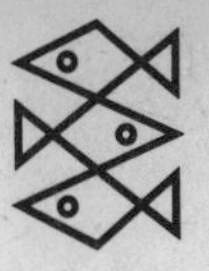

Luise Rinser

Über dieses Buch

Nach den Bänden ›Baustelle‹ und ›Grenzübergänge‹ legt Luise Rinser mit ›Kriegsspielzeug‹ ihr drittes Tagebuch vor, das diesmal die Jahre 1972 bis 1978 umspannt. Für die Autorin waren die siebziger Jahre die schmerzlichsten der Nachkriegszeit. In der allgemeinen Hysterie des Herbstes 1977, nach der Entführung des Arbeitgeberpräsidenten Schleyer, war sie von einem Teil der öffentlichen Meinung in die Nähe von Gewalttätern gerückt worden. Es gab sogar Stimmen, die die Entfernung ihrer Texte aus den Schullesebüchern verlangten. Luise Rinser, die Zeit ihres Lebens für Gewaltlosigkeit und Toleranz eingetreten ist, sah sich plötzlich an Zeiten erinnert, in denen sie gegen Ende des Dritten Reiches wegen Defätismus denunziert worden war und auf ihre Hinrichtung wartete. Das Kriegsende bewahrte sie davor. Viele der Tagebucheintragungen handeln von dieser antigeistigen Pogromstimmung in unserem Land. Freilich machte die Autorin auch positive Erfahrungen mit Lesern, die sich öffentlich und jetzt erst recht zu ihr bekannten. Außerdem enthalten die Tagebücher Notizen von Reisen in die USA, auf eine indonesische Lepra-Insel, nach Korea, Spanien und Chile. Daneben finden sich Impressionen aus ihrem römischen Alltag, von Diskussionen mit Schülern, von ihren Predigten in einer Luzerner Kirche. Schließlich gibt Luise Rinser Einblicke in ihre Korrespondenz. Bei allen Gelegenheiten erweist sie sich als Kämpferin gegen Elend, Gewalt und Unrecht – als radikal im besten, im ursprünglichen Sinne des Wortes.

Die Autorin

Luise Rinser wurde 1911 in Pitzling/Oberbayern geboren. 1940 erschien ihr erster Roman ›Die gläsernen Ringe‹. Es folgten Berufsverbot und 1944 Verhaftung. Die Erlebnisse dieser Zeit schildert sie in ›Gefängnistagebuch‹ (1949). Luise Rinser lebt heute als freie Schriftstellerin in Rocca di Papa bei Rom. 1979 erhielt sie den Literaturpreis der Stadt Bad Gandersheim, die Roswitha-Gedenkmedaille.
Im Fischer Taschenbuch Verlag sind außerdem erschienen: ›Mitte des Lebens‹ (256), ›Die gläsernen Ringe‹ (393), ›Der Sündenbock‹ (469), ›Hochebene‹ (532), ›Abenteuer der Tugend‹ (1027), ›Daniela‹ (1116), ›Die vollkommene Freude‹ (1235), ›Gefängnistagebuch‹ (1327), ›Ich bin Tobias‹ (1551), ›Ein Bündel weißer Narzissen‹ (1612), ›Septembertag‹ (1695), ›Der schwarze Esel‹ (1741), ›Baustelle. Eine Art Tagebuch‹ (1820), ›Grenzübergänge‹ (2043), ›Bruder Feuer‹ (2124), ›Mein Lesebuch‹ (2207), ›Jan Lobel aus Warschau‹ (5134).

LUISE RINSER

KRIEGSSPIELZEUG

Tagebuch
1972 bis 1978

FISCHER TASCHENBUCH VERLAG

Fischer Taschenbuch Verlag
1.–20. Tausend Juli 1980
21.–30. Tausend November 1980
31.–50. Tausend Mai 1981
Ungekürzte Ausgabe

Umschlagentwurf: Jan Buchholz / Reni Hinsch
unter Verwendung eines Fotos (Foto Harro Wolter)

Fischer Taschenbuch Verlag GmbH, Frankfurt am Main
Lizenzausgabe mit freundlicher Genehmigung
des S. Fischer Verlages GmbH, Frankfurt am Main

Gesamtherstellung: Hanseatische Druckanstalt GmbH, Hamburg
Printed in Germany
680-ISBN-3-596-22247-8

Sooft ich rede, muß ich aufschreien. Gewalt und Unterdrückung muß ich rufen. Sage ich aber: ich will nicht mehr reden, so wird es in meinem Innern wie brennendes Feuer ...

Jeremias 20/7

Du danke Gott, wenn er dich preßt
Und dank ihm, wenn er dich wieder entläßt.

Goethe, ›Westöstlicher Divan‹

In ihren schlimmsten Krisen werden Kirchen von ihren Ketzern gerettet.

Rudolf Bahro

Was ich gelernt habe im letzten Jahrsiebt. Ich kann es am besten erklären an Hand der südkoreanischen Flagge: Der Untergrund ist weiß. Ist Weiß eine Farbe. Ist es nicht gerade die Abwesenheit von Farbe? Tatsächlich aber ist Weiß die Summe aller Farben. Indem es alle Farben enthält, ist Weiß die Fülle. Indem es keine Farbe hat, ist es die Leere. Weiß ist die Farbe für ALLES und die Farbe für NICHTS. So ist es beides: die Fülle UND die Leere. Und so ist es das GANZE und das EINE. Weiß ist die Farbe der Einheit, der Versöhnung, des Friedens. Auf diese weiße Grundfläche ist ein Kreis gesetzt. Der Kreis ist das in sich geschlossene Ganze, das weder Anfang noch Ende hat und an jedem seiner Punkte gleich ist und gleich gilt. Der Kreis ist das Rad. Das Rad ist das Symbol für Bewegung. Das schnell sich drehende Rad erscheint als weiße Kreisfläche.

Die Kreisfläche ist zweigeteilt. Die Teile sind fischartig und dekkungsgleich. Ein Teil ist rot, der andre blau. Rot ist die Symbolfarbe für das Männliche, Blau die fürs Weibliche. In der Sprache des alten China: Blau ist das Yin, Rot das Yang. Yin und Yang sind die Grundprinzipien des Lebens. Es sind die Pole, zwischen denen alles Seiende liegt. Alles, was ist, ist entweder das eine oder das andre. Aber: keines kann sein, was es ist, ohne daß das andre wäre. Beides zusammen ist das Ganze. Eines ist nur durch das andre, was es ist. Der Tag ist Tag, weil es die Nacht gibt. Das Leben ist Leben, weil es den Tod gibt. Was ist wichtiger und mehr wert: der Tag oder die Nacht? Das Leben oder der Tod? Alle Wertungen sind nur-menschlich, nur vorübergehend, treffen nicht die Wahrheit. Die Wahrheit ist das GANZE.

Yang und Yin erscheinen als Gegensätze, jedoch sie sind es nicht. Der Tag ist nicht der Gegensatz zur Nacht, er ist vielmehr die notwendige Ergänzung, der andre Pol. Der negative Pol des Magneten ist nicht der Feind des positiven. Mit ihm zusammen erst ist er, was er ist: Magnet. Aller Dualismus ist scheinbar und nicht wirklich. Es gibt nur Polaritäten.

Mit Ausdrücken der westlichen Philosophie gesprochen: es gibt nur Dialektik. Die These heißt: Alles ist EINS. Die Antithese heißt: Alles muß ZWEI sein, weil alles zwei Pole braucht, denn ohne Polarität ist keine Spannung, ohne Spannung kein Leben. Die Synthese heißt: indem etwas zwei Pole hat, ist es EINS und ein GANZES.

In der mittelalterlichen Philosophie sprach man von der coincidentia oppositorum: dem Zusammenfallen der Widersprüche in EINEM (nämlich dem, was man Gott nennt). Die Alchymisten sprachen von der coniunctio oppositorum, der Hochzeit der Widersprüche.

Jedes Seiende hat seinen andern Pol in sich. Aus einem wird das andre. Alles, was ist, ist in unaufhörlicher Bewegung, alles fließt, alles verwandelt sich in sein »Gegenteil«. Bei der Geburt beginnt die Verwandlung des Lebens in den Tod, am Morgen beginnt der Abend, in der faulenden Frucht ist der Keim zu neuem Leben. Eulenspiegel weint, wenn er bergab geht, weil er weiß, er muß dann bergauf steigen. Beim Bergaufsteigen lacht er, denn er denkt ans bequeme Bergabsteigen. Nichts ist, was es scheint, nichts bleibt, was es ist.

Und ist diese Erkenntnis nicht tragisch? Ist es nicht ein Sisyphusleben, nichts behalten zu dürfen, was man errafft hat mit Mühe? Nein: nur wer meint, festhalten zu können, leidet. Wer sich in den Strom wirft, wird getragen. Wer weiß, daß nichts dauert, hält sich an die Wandlung.

Das ist die Lehre des TAO, der chinesischen Philosophie, dargestellt auf der koreanischen Flagge. Es ist aber auch die Lehre der Vorsokratiker, es ist auch die Lehre des Christus Jesus. »Der Vater« bewegt das Seiende. Wer sich ihm überläßt, ist im Sein.

Und wozu dient diese Erkenntnis?

In Sammlungen jüdischer Witze gibt es einen, der ganz und gar keiner ist, sondern eine tiefe chassidische Weisheit:

Einer kommt zum Rabbi und erzählt ihm von seinem Streit mit einem andern. Der Rabbi sagt: Hast recht. Dann kommt der andre und erzählt von der nämlichen Sache. Der Rabbi sagt: Hast recht. Das hört ein Dritter, der sagt: Aber Rabbi, Ihr könnt doch nicht zu diesem und zu jenem sagen, er habe recht! Der Rabbi sagt: Hast auch recht.

Jemand, etwas, hat für einen Augenblick der Geschichte recht. Im nächsten schon ists anders. Das zu wissen entbindet zwar nicht vom Handeln, aber es nimmt dem Handeln die kurzsichtige aggressive Rechthaberei.

Ich möchte, daß dieses Tagebuch, das notwendig viel politische Aktualitäten enthält, die nicht ohne Schärfe gesagt werden können, gelesen wird mit dem Blick auf diese ersten Seiten. Anders ergeben sich nur wiederum Mißverständnisse.

1972

USA-Südstaaten. B. hat es fertiggebracht, bei einer Frau eingeladen zu werden, die Mitinhaberin einer großen Zigarettenfabrik, einer Privat-Universität, einer Gemäldesammlung und eines Flughafens ist. Sie besitzt inmitten einer laubwaldigen Hügellandschaft ein weitläufiges Herrenhaus, das, Stein für Stein, aus einer andern, weitabliegenden Landschaft hierher übertragen wurde. Wir werden am kleinen Flughafen erwartet, und zwar von einem schwarzgekleideten Herrn, der selber schwarz ist, weiße Handschuhe trägt und weiße Augäpfel rollt. Er ist so herrenmäßig, daß es mir angezeigt scheint, ihm die Hand zu geben. Damit, ich merke es, bringe ich ihn in einen Konflikt; er zögert, ehe er hastig den Handschuh auszieht und flüchtig meine Hand nimmt. Dann zieht er den weißen Handschuh rasch wieder an. Er ist, das zeigt sich hernach, der Chauffeur und, wie sich noch später zeigt, der Butler und das Mädchen für alles, ausgenommen die Küche, dort arbeitet ein andrer Neger. Der Butler-Chauffeur weckt mich am nächsten Morgen zur gewünschten Zeit mit dem Frühstückstablett. Lieber Gott, was es da alles gibt (zu der druckfrischen Tageszeitung): ein Angebot an Kaffee, Tomatensaft, Orangensaft, Rahm, Schinken mit Spiegelei, Toast, Marmelade, Butter, Käse, Milch, Knusperflocken, kleinen süßlichen Kuchen mit Sirup – es würde für drei vier Leute reichen. Der Neger-Butler holt aus dem Schrank ein festes dreikantiges Polster, unten breit, oben schmal, und schiebt es mir mit mütterlicher Behutsamkeit hinter den Rücken, damit ich bequem sitze. Alles, was er tut, ist leise, sanft, fast zärtlich. Ich danke ihm, ich sage, ich sei es nicht gewöhnt, bedient zu werden. Wenn ich allein bin, frühstücke ich am Küchentisch Kaffee und Butterbrot, eilig, ein Buch oder eine Zeitschrift lesend. Ich erzähle ihm ein wenig von den Jahren der Armut in meinem Leben, und auch er erzählt von seiner Kindheit, aber mit großer Diskretion und mit Beiläufigkeit. Wir lächeln uns an. Die Klingel der Hausfrau in der Halle unten ruft ihn ab. Von da an ist eine stille Liebe zwischen uns. Ich bemerke: beim Servieren schiebt er, wenn er zu mir kommt, die besten Stückchen so auf die Platte, daß ich sie nehmen muß. Oder: er macht sich auf der

Terrasse zu schaffen, wenn ich draußen bin. Oder: er begegnet mir im Garten und wartet auf ein Gespräch. B. bemerkt das alles. Er sagt, ich soll das unterlassen, die Hausherrin möge das nicht, es sei unüblich; es genüge, daß die beiden »schwarzen Burschen« gut bezahlt und gut behandelt würden; Dienstboten sind Dienstboten, Neger sind Neger, Weiße sind Weiße. Ja, ich weiß: Herren sind Herren, Reiche sind Reiche. Unverrückbare, heilige Ordnungen ... Die Hausherrin: man kann sie alle auswechseln, diese reichen Südstaatlerinnen. Sie scheinen alle zwischen fünfzig und sechzig zu sein, sie sind mager, groß, blond, immer frisch frisiert und manikürt, immer dezent elegant gekleidet, sehr höflich, sehr beherrscht, sehr interessiert an Okkultismus, Spiritismus, Christentum, Parapsychologie, man kann sich gut unterhalten mit ihnen, sie haben College-Ausbildung und lesen viel, was sollen sie sonst tun. Sie üben Wohltätigkeit und gehen sonntags zur Kirche und glauben fest an Gott und daran, daß er brave Leute mit Reichtum belohnt und daß Dumme und Böse arm bleiben. Und sie fühlen sich miserabel. Sie haben ihren Psychiater und daheim (weit wirksamer) ihre Hausbar, da hinein verschwinden sie viele Male am Tag, und wenn sie herauskommen, haben sie ihr Glas neu gefüllt. So blieben sie in meinem Gedächtnis: in der rechten Hand die halbgerauchte Zigarette in sehr langer Spitze, in der linken das Whiskyglas, Whisky mit Soda, Whisky on the rocks, sie schütteln das Glas, die Eiswürfel klirren, die goldnen Armreifen klirren, und das Schütteln des Glases tarnt das Zittern der Hand, auch die Zigarettenhand zittert. Einmal, am frühen Morgen, komme ich auf dem Weg zum Garten durch die Halle. Da steht die Frau, sie sieht mich nicht und hört mich nicht, sie steht so herum, im halboffenen Morgenmantel, ungelackt, unfrisiert, mit gesträubtem Haar, grau in grau, aus einem Alptraum aufgewacht, in einen andern Alptraum hineingestürzt, so steht sie da und weiß nicht weiter. Dann geht sie schlurfend in den Salon, in die Ecke mit der Bar. Sie tut mir leid. Ich würde gern meinen Arm um ihre Schulter legen und sagen: Liebe Schwester, meinst du nicht, daß du dein Leben ändern solltest? (Oder irgend so etwas, etwas weniger Direktes.) Aber sie würde mich sehr kühl anschauen und mich in meine Schranken weisen.

Wir dürfen ihre Fabrik besichtigen. Eine Musterfabrik, neu, hell, blitzsauber, wohlriechend, mit glänzenden Maschinen, bevölkert von lauter jungen, gesunden, hübschen, fröhlichen Menschen. Was für eine Lust, hier zu arbeiten am lautlosen schimmernden Fließband. Alles geht allen so leicht von der Hand, es ist wie ein

Spiel. Eine Frau hat den Auftrag, die Besucher in der Fabrik herumzuführen. Im langen Korridor hängen die Ölporträts der Gründer, der Väter, der Söhne, der Enkel, der Urenkel, und alle sind so hübsch rotbäckig gesund und zufrieden, die Tüchtigkeit und der Erfolg in Person. Die Führerin deutet mit dem langen Zeigestab hierhin und dorthin und berichtet von den nützlichen, großartigen Taten, die der und der getan hat. Sie redet wie ein Grammophon, sie hat den Text so oft gesagt, daß sie schon nicht mehr hinhört, er schnurrt automatisch ab. Einmal wird die Fabrikherrin abgerufen. Die B.s, die das alles auch gar nicht interessiert, bleiben an einem Fenster stehen, die Frau redet weiter. Ich bin nun allein mit ihr. Ich sage: Kann ich Sie etwas fragen? Sie fällt von irgendwo herunter, schaut bestürzt. Ich frage: Wie ist das mit den jungen Arbeiterinnen am Fließband, wie viele Jahre arbeiten sie, ich sehe hier nur junge Leute, was ist mit ihnen, wenn sie älter werden? Ouh, sagt die Frau, da bekommen sie eine Rente und arbeiten nicht mehr. Ich bin hartnäckig. Ich frage weiter: Wie alt ist die Älteste? Ouh, sagt sie wieder (sie beginnt jeden Satz mit diesem Ouh), die Älteste, die bin ich, ich arbeite nicht mehr am Fließband, aber Sie sehen, es geht mir gut. – Sie fühlt sich bereits in der Defensive. Ich treibe sie weiter hinein: Sie sind nicht älter als fünfunddreißig, also arbeiten die andern auch nur bis zu diesem Alter. – Ich bin früher weggegangen als die andern, meine Gesundheit – Sie stockt. Ich sage sanft: Nicht wahr, die Arbeit am Fließband ist sehr anstrengend?! – Ich sehe, daß sie sich anschickt, eine Hürde zu überspringen. Ouh, sehr anstrengend nicht, für einige Jahre ist es eine leichte Arbeit, aber für zehn Jahre und länger ... Ja, sage ich, das kann ich mir denken, ich habe, als ich unter Hitler im Gefängnis war, auch am Fließband gearbeitet, ich weiß, wie das ist. Ouh, sagt sie, körperlich ist es nicht so schlimm, aber seelisch; immer die gleichen Handgriffe, dann ist man eines Tages fertig fürs ganze Leben; aber man hat gut verdient und hat eine gute Rente. Plötzlich schnellt der Stab wieder in die Höhe, das kummervolle Gesicht spannt sich, die Grammophonstimme schnarrt: »And this gentleman has rebuilt ...« Die Fabrikherrin kommt zurück. »Isn't it wonderful?« »Yes«, sage ich, »it is.«

Ja, die Neger sind die Neger, die Fließbandarbeiter sind die Fließbandarbeiter.

Wir weißen Herren gingen zum – was wars: ein Rolls Royce oder etwas andres Großes, und fuhren ins schöne Haus zum Tee. Und in den marxistisch-leninistischen Staaten, da ist der Herr auch der Herr, und das Volk ist das Volk.

Florida, Anfang Dezember. Wir müssen zehn Tage warten bis zum Abschuß der Mondrakete. Wir wohnen in einem der großen Hotels am Strand. Schweißglänzende Negerinnen putzen die langen feuchten Korridore. Sind sie an einem Ende angelangt, beginnen sie von neuem. Tag für Tag. Sie grüßen unfreundlich, mein Lächeln erwidern sie nicht. Recht haben sie, grundsätzlich. Tritt man aus dem airconditioned-kalten Zimmer, ist es, als fiele man in warmes parfümiertes Wasser, so schwer und süß ist die Luft. Die Salzluft vom Meer kommt nicht dagegen an. Die tropische Süße schlägt sie mit träger Gewalttätigkeit nieder. Die Badesaison beginnt. Hier ist an Weihnachten Hochsommer. Da kommen die reichen Leute aus New York. Jetzt ist es noch halbwegs still. Am ersten Tag genieße ich faul die unerwarteten Ferien und ein bißchen auch den Luxus (oder was eben mir als Luxus erscheint). Am zweiten beginne ich mich zu langweilen, ein Zustand, den ich sonst nicht kenne. Am dritten fühle ich den Beginn der Verrottung. Ich lasse mich einfach fallen. Lesen, Denken, Schreiben, vernünftig Reden, das alles gelingt nicht mehr, und ich wünsche auch nicht mehr, es zu können. Ich verkomme. Ich liege am Strand herum. Manchmal hebe ich die Augen und schaue einer Person nach, einem alten Mann mit erschreckenden Krampfadern, oder einer schönen Frau, die eine weiße Katze mit Halsband und Leine spazierenführt. Andere Sensationen gibt's nicht – bis zu dem Tag, an dem die Russen auftauchen, eine ältere Frau, dick, eine verblühte slawische Schönheit, und ein kleiner magerer Bub, ihr Enkel. Sie sitzen am Strand, der Bub gräbt im Sand, und unvermittelt schüttet er der Großmutter den Sand ins Gesicht. Ich erwarte eine Strafrede, aber es ereignet sich nichts. Das Spiel wiederholt sich. Kein Tadel. Die Frau tut, als bemerke sie nichts. Später kommt eine üppige Blonde, legt sich bäuchlings in den Sand und liest. Der Bub wirft sich von hinten auf sie, entreißt ihr das Buch, zerfetzt es, läuft weg. Keine Reaktion, die junge Frau schläft jetzt. Sie ist die Mutter des Kleinen. Die Großmutter versucht mit dem Jungen zu spielen, aber die Rollen sind vertauscht: sie spielt kindisch mit Schäufelchen und Eimerchen, der Bub sitzt daneben, schielt tückisch, entreißt ihr plötzlich das Eimerchen und schüttet ihr Sand mit Wasser vermischt übers Haar. Noch keine Ohrfeige? Nein. Sind die Leute stumm, sind sie wahnsinnig? Nachdem die junge Frau schließlich gegangen ist, beginnt die alte ein Gespräch mit mir, sie spricht deutsch, mit russischem Akzent, ihr Mann (noch nicht aufgetaucht) ist Bankier im Ruhestand, beide sind längst amerikanische Staatsbürger. Die junge Frau, die Schwiegertochter, ist Wienerin, Jüdin, sie leugnet das später vor uns, dabei ist ihr Deutsch einwandfrei ein wienerisches. Sie haben vier Wohnungen, eine hier, eine in New York, eine in Kalifornien, eine in Connecticut. Immer drei Monate leben sie an einem Ort, länger halten sies nicht aus, sagen sie. Die alte Frau lädt mich und die B.s ein in ihre Wohnung in dem Apartmenthaus am Strand. Eine Kitsch-Film-Wohnung in Weiß, Rosa, Hellgrün und Gold, mit viel Kristall. Der alte Bankier rezitiert aus dem Gedächtnis auf Deutsch Goethe. Die junge Frau kauert auf der Couch und kratzt ungeniert ihren nackten Bauch, während sie gelangweilt davon redet, daß sie immer denkt, sie müsse sich bald umbringen. Der Bub fegt Kekse und Nüsse vom Tisch und spuckt Halbgekautes um sich. Später erscheint auf der Schwelle ein Nachtgespenst: ein etwas älterer Bub im Nachthemd, mit fieberrotem Gesicht, schaut lange auf uns und sagt dann unendlich gleichgültig »Was seid ihr doch für ein Scheißpack.« Die Familie lacht, nur die alte Frau ist etwas verlegen, sie sagt: »Er ist krank.« Die junge Frau sagt mit plötzlich papageienhaft schriller Stimme: »Alle sind wir krank, eine Familie von Neurotikern und Psychopathen, aber sehr reich, hahaha!« Ich gehe bald schlafen. Die B.s bleiben lange, die mögen so etwas. Am nächsten Morgen erzählen sie, daß alle schwer betrunken waren. Was sich sonst ereignet habe, könne man nicht weitererzählen.

USA 1972. Im Zeichen des Mondflugs. New York. Der junge columbianische Taxifahrer: »Nichts als Flucht vor der gesellschaftlichen Wirklichkeit, nichts als Ablenkung von den innenpolitischen Problemen.«
Palm Beach, Florida. Die Hotelfriseuse, mit eingelernter Begeisterung: »Großartig, daß wir Amerikaner als erstes Volk...« Ich schaue sie an, sie wird unsicher. Nach einer kurzen Pause, zögernd, fast ängstlich: »Man wirft das Geld in den leeren Weltraum, statt der Not auf der Erde abzuhelfen.« Sie stammt aus dem Hinterland Floridas. Dort gibt es, sagt sie, Slums, wenige Kilometer entfernt von den Millionärsvillen am Strand. Die Reichen, die kommen nie ins Hinterland.
Cocoa Beach. Ein Amerikaner: »Der Mond wird unser militärischer Stützpunkt, unser wichtigster, von dem aus wir jeden Gegner total vernichten können. Wir werden mit den Russen zusammen China vernichten eines Tages.« Seine Frau: »Mir

scheint, es geht um Zerstörung schlechthin. Diese ganze Weltraumgeschichte ist Ausdruck des Todestriebes der Menschheit. Sie will sich selbst vernichten, radikal.«
Cocoa Beach. Langes Gespräch mit Professor Stuhlinger, geborenem Stuttgarter, dem engsten Mitarbeiter Wernher von Brauns. Er sieht die Weltraumfahrt als höchsten Akt der Selbstbestätigung der Menschheit.
Cap Kennedy, Gespräch mit dem Astronauten James Irvin. Er ist überraschend gesprächig, und er redet mit dem Eifer eines Missionars. Er IST Missionar, Prediger der Baptistenkirche, seit er 1971 aus der NASA und auch aus der Air Force ausgeschieden ist, kurz nach seinem Flug mit Apollo 15. Beim Gespräch anwesend ist ein Geistlicher, Reverend Rittenhouse, ein großer, breiter Mann mit glattem, verschlossenem Gesicht. Ich habe den Eindruck, er sei nicht einfach anwesend, sondern er überwache Irvin, er habe ihn in der Hand. Er hat mit ihm zusammen eine religiöse Bewegung gegründet: »High Flight«.
Er gibt mir ein Flugblatt: »A message from the moon to all mankind«. Das Signum: die Erde mit einer waagrechten und einer senkrechten Umlaufbahn; der Schnittpunkt ergibt ein Kreuz. DAS Kreuz, sagt Irvin. Er sagt: »Auf dem Mond fühlte ich Gott wie nie zuvor. Etwas ereignete sich dort mit mir, ich mußte es allen Menschen mitteilen. Ich ging zum Mond als Techniker und geistig unwissender Bursche, ich kam zurück als Humanitarian, der sich als Bruder aller Menschen fühlt.« Er redet mit einigem Fanatismus, aber seine Rede hat etwas Routiniertes. Wie oft hat er das schon gesagt? Später, in Europa, sah ich ihn im Fernsehen. Er trug, während er predigte, in einer Hand ein Kreuz, in der andern einen Stein vom Mond. Sein Gesicht hatte etwas unangenehm Ekstatisches.

Houston, Texas, im »Institute of religion and human development« (im Medical Center), ein Symposium zum Thema Weltraumfahrt. Teilnehmer: Astronauten, Physiker, Historiker, Biologen, Psychiater, Theologen und ein Ehepaar, das in die Anwesenheitsliste als Beruf einträgt: space philosopher.
Ich notiere aus dem Gedächtnis und anhand einiger Notizen aus den Verträgen und der Diskussion.
Es ist evident, daß die bewußten Motive zur Weltraumfahrt technisch-wissenschaftlicher oder auch politisch-strategischer Natur sind. Die eigentlichen Motive aber werden erst später zutage treten. Was Galilei und Columbus antrieb, war etwas anderes als

das, wovon sie meinten, es treibe sie. Der Weltgeist bedient sich der Menschen, ohne sich ihnen sofort zu erklären.
Das Erlebnis der Astronauten, einiger wenigstens, war ein mystisches: Zeit und Raum irreal, die Schwerkraft aufgehoben, der Mensch zentriert auf seine intellektuellen und spirituellen Fähigkeiten. Er erlebt die Ekstase und in ihr die Einheit des Universums. Er kommt so auf unmittelbare, intensiv gefühlte Weise in Verbindung mit dem göttlichen Geist. Dieses Erlebnis der Einheit mit dem Universum treibt den Menschen zuerst in die Isolation, dann aber drängt es ihn zu innigerer Kommunikation mit den Menschen und zum sozialen Handeln.
Alle diese Leute beim Symposion haben etwas leicht Ekstatisches, etwas Sektiererisches auch. Der amerikanische Glaube an den ewigen Fortschritt der Zivilisation hat sich verlagert: jetzt glauben sie unerschütterlich an den ewigen Fortschritt der spirituellen Fähigkeiten des Menschen.

Houston. Beim Astronauten Rusty Schweikart. Er wohnt in einem einfachen Haus auf dem schwer bewachten NASA-Gelände. Weder er noch seine Familie noch Besucher können unkontrolliert aus- und eingehen. Man lebt dort wie im Hausarrest. Schweikart ist ganz anders als Irvin, ganz still und bescheiden und ohne jeden missionarischen Eifer. Aber auch er hat etwas zu sagen. »Im Weltraum verlor ich meine Identität, ich war plötzlich eins mit allem, mit dem Universum.« Auch bei ihm setzte sich diese Erfahrung um in den brennenden Wunsch und Willen, der Erde zu helfen. Er verbringt einen Teil seiner Freizeit in einer Klinik für Drogenkranke, er nimmt teil an der Telefon-Seelsorge für Jugendliche, und er beschäftigt sich mit fernöstlicher Philosophie in Form der »Transcendental Meditation«, die mir freilich suspekt ist, seit ich den indischen Maharishi persönlich kennenlernte. Nun ja. Die alten Chinesen sagten: »Das rechte Mittel in der Hand des falschen Mannes wird falsch. Das falsche Mittel in der Hand des rechten Mannes wird recht.« Schweikart zeigt mir ein Album mit Fotos aus einer Art Wüste, in der er, mit einigen andern künftigen Astronauten, ausgesetzt wurde. Das gehörte zu ihrer Ausbildung. Sie mußten lernen, unter schwierigsten Umständen sich zu behelfen. Eine Art Robinsonade war das. Sie mußten vor allem lernen, zu leben im Bewußtsein des strikten Angewiesenseins eines jeden auf den andern in der Gruppe. Sie mußten lernen, völlig losgelöst vom Gewohnten zu leben. Die Praxis ist die gleiche wie jene der alten religiösen Orden, der christlichen und der vorchristlichen (orphischen, pythagoräischen): das Leben in der Wüste in kleinsten Kommunitäten, in strengster Askese, in der Vorbereitung auf eine besondere Mission. Warum eigentlich schreibt keiner der Astronauten seine Wüsten-Erfahrung auf? Kann man sie imaginieren? Haben sie, wie Jesus, wie die Eremiten, den »Teufel« gesehen: ihren unverstellten Schatten, ihre potentielle Nichtigkeit und Verworfenheit, ihr subjektiv Böses objektiviert im Dämon? Ich wage nicht, Rusty Schweikart danach zu fragen. Ich frage nur, ob er auf dem Mondflug keine Todesangst hatte. Nein, er hatte überhaupt keine Angst; vorher, als normaler Flieger, habe er sie gekannt, aber auf dem Mondflug weiß man sich in absoluter Abhängigkeit von der Kontrollstation auf der Erde und vertraut bedingungslos. Eine Situation, die die menschliche schlechthin ist: ausgeliefert und beschützt zugleich. Schweikart fügt auf seine stille Art sachlich hinzu, er habe sich auch von den Hoffnungen und Gebeten von Millionen Menschen getragen gefühlt.

Houston. Ich arbeite mich durch einen Stoß von Presseberichten über und von Astronauten.
Ed Mitchell (›Apollo 14‹): »Man entwickelt auf dem Flug zum Mond ein unmittelbares globales Bewußtsein, ein intensives Unbehagen am Zustand unsrer Erde und einen starken Antrieb, helfend einzugreifen.« Mitchell, der schon während des Flugs Partner parapsychologischer Experimente war, beschäftigt sich jetzt nur mehr mit Parapsychologie, mit dem Ziel, Menschen zu lehren, wie sie in intensive Beziehung zu andern Menschen kommen können und, nach und nach, zur Einheit mit allen und allem.
Tom Stafford (›Apollo 10‹) sagt, er habe die Erde von dort oben nicht mehr als Amerikaner erlebt, sondern als Mensch schlechthin. Neil Armstrong, der Aller-Erste auf dem Mond, sagt, er sei, als er auf dem Rückflug die Erde als kleine blaue Kugel wiederauftauchen sah, von heftiger Liebe zu ihr gepackt worden. »Ich beschloß, alles zu tun, bei ihrer Rettung mitzuhelfen.«
Auch Jack Swigert sagt, die Erde sei ihm nie vorher so schön und begehrenswert erschienen. Er sagt auch, er habe im Weltraum das Zeitgefühl verloren. Es sei ein unbeschreibliches Gefühl, zwischen sich und der Unendlichkeit des Raums nichts zu haben als die dünne Wand der Kapsel. Seine wichtigste Erkenntnis: »Der einzige Weg, der zur Erde zurückführt, ist der Weg zum Mond.«
Mike Collins sagt, er habe sich, so weit entfernt von den Menschen der Erde, ihnen nie näher gefühlt. Er spricht von der »mystischen

Einigung mit der Menschheit«. Er hatte von einem Geistlichen der Webster Presbyterian Church Brot und Wein (konsekriert) mitbekommen und im Weltraum Eucharistie gefeiert. Er sagt, ihm sei der »Symbolgehalt des Mondflugs evident«, er sehe darin nicht eigentlich einen technischen Erfolg, sondern eine »transzendente Erfahrung«, eine großartige Erweiterung des Bewußtseins, die Erfahrung von der »Einheit der ganzen Menschheit unter Gott«. Interessant die Selbstbeobachtung, daß ihm alle gewohnten Gebetsworte abhanden kamen und dafür das überwältigende Gefühl der Einheit mit allen und allem ihn erfüllte.

1973. Inzwischen weiß man, daß durchaus nicht alle Astronauten den »lunar effect« erlebt haben; viele kehrten zurück als die sie waren, ehe sie abflogen: Techniker und Geschäftsleute, die ihre enorme Publicity dazu benutzten, in begehrte und ertragreiche Stellungen zu kommen. Auch verkauften sie ihre Berichte, meist von »ghostwriters« geschrieben, für großes Geld an Verlage. Alte Erfahrung: man erlebt nur das, wozu man prädisponiert ist. Man erkennt nur das, was man immer schon weiß, weil man es IST.

1976. Und jetzt – wer redet vom Mondflug? Man läßt bemannte Skylabs kreisen, man schickt Sonden auf Mars und Venus. Das ist schon nur mehr Teil eines gewöhnlichen technischen Programms. Das einmal, vor wenigen Jahren, Menschen auf dem Mond umhergingen, daß uns Fernseh-Zuschauer kalte Schauer über den Rücken liefen, daß uns das Mondgeheimnis entzaubert schien, daß wir es erlebten als Beginn der frevelhaften Ent-Mythologisierung des Kosmos, daß wir der göttlichen Mutter den Schemel unter ihren Füßen weggezogen sahen – was blieb davon? Der Mond, vom Menschen betreten, von Sonden geritzt, einiger Kilo Gesteins beraubt, er blieb uns das selbe Gestirn wie eh und je: von Dichtern aller Zeiten besungen, von Hunden in ahnungsvoller Feindschaft angebellt, von Malern unter die Füße der Madonna gelegt, für Flut und Ebbe verantwortlich und für die geheimnisvollen Nachtgänge der Schlafwandler und für die Schlaflosigkeit empfindlicher Leute bei Vollmond. Der Mann im Mond ist nicht gefunden, so wenig wie Virchow, der zynische Arzt, die menschliche Seele fand, obwohl er Hunderte von Leibern aufgeschnitten hatte. Also: was hat sich geändert, seit Menschenfüße den Mond betraten? Hat sich etwa Stuhlingers Glaube an den »prometheischen Zuwachs an Selbstvertrauen« auf uns übertragen? Hat sich eine kopernikanische Wende unsres Weltbilds vollzogen? Instinktiv bestehen wir darauf, den Mondflug als Extravaganz ohne ernsthafte Konsequenzen für uns zu sehen. Oder verdrängen wir etwas? Was denn? Vielleicht dies: daß die Mondflüge nur der Auftakt, die erste Probe sind für die Evakuierung unsrer Erde, wenn sie nicht mehr bewohnbar sein wird? Vielleicht gibt es in der NASA eine Geheimgesellschaft, die bereits damit beschäftigt ist, die Zündschnur zu legen für die Zeitbombe, die unsre Erde zersprengt, sobald eine Auslese von Menschen auf dem sicheren Weg zu einem andern Planeten ist? Vielleicht kamen die ersten Menschen auf ähnliche Weise auf unsre Erde? Warum nicht spekulieren? Jules Verne hat auch nur »phantasiert«, und Huxley auch, und gar so verrückt ist Däniken auch nicht! M., Anthroposoph, sagt, die Anwesenheit von Mondgestein habe eine gefährliche Wirkung auf uns. Ich sehe James Irvin vor mir: in der einen Hand das Kreuz, in der andern den Mondbrocken. Ein Exorzismus? Wer weiß. Sich mit dem Mond einzulassen, war immer schon gefährlich: »lunatic« ist das englische Wort für »wahnsinnig«.

Auf dem Flug Texas–New York. Vielleicht schneidet unser Flugzeug eben die unvergängliche Linie, welche die Mondrakete in die Luft geritzt hat? Vielleicht sind wir eben jetzt auf dem Schnittpunkt der Koordinaten. Am Kreuzungspunkt. »Auf dem Kreuz«, würde Irvin sagen.
Was bedeutet eigentlich diese steile Vertikale für die Entwicklung der Menschheit? Der Traum vom Aufflug, von der Überwindung der Schwerkraft, er ist uralt. Eine Erinnerung an Zeiten und Konditionen, in denen wir fliegen konnten, nicht weil wir Vögel gewesen wären, sondern weil wir geflügelter Geist waren. Aber daß wir jetzt mit unserm materiellen Leib in einem Apparat als feste Materie der Schwerkraft entrinnen, ändert das etwas in uns, in unserm Bewußtsein, unserm Verhalten? Zählt das überhaupt im eigentlichen Bereich: dem geistigen? Oder ist das Ganze nur eine Perversion der hohen Idee von der Überwindung des menschlichen Bedingtseins durch die Materie? Redet uns Satan, DER Teufel, ein, wir könnten mit Hilfe unsrer materialistischen Naturwissenschaft jene Einheit des Universums erfahren, die einzig mit spirituellen Mitteln erfahrbar ist? Der Mondflug als Demon-

stration des kollektiven Versagens vor der eigentlichen Aufgabe: der Vergeistigung der Erde, oder, um ein Wort von Teilhard de Chardin zu gebrauchen: der »Amorisation«, der Durchliebung unsrer Erde und des Universums?

Kap Kennedy. 7. Dezember 74. Abschuß der sechsten, der letzten bemannten Mondrakete.
Wir haben Eintrittskarten und am Auto eine Plakette: »Freie Fahrt«, nämlich durch ein Dutzend Kontrollen, fast bis zur Abschußrampe. Die Straßen zum Kap sind zum Heerlager geworden: Zehntausende, Unzählige parken ihre Autos am Wegrand, man wird das Ereignis dreißig, vierzig Kilometer weit sehen.
Das Kap: ein gottverlassen trister Ort, ein Stück flacher Sandwüste am Meer. Jetzt, hoch eingezäunt, bebaut, befestigt, streng bewacht von einem Heer Soldaten, Polizisten, Geheimagenten, gleicht es einem riesigen KZ. Unheimlich der Ort, unheimlich die Stunde. Es wird dunkel, Tropennacht, warm, feucht, weich, dunkelblau, funkelnd bestirnt, doch mondlos; natürlich: man muß den Mond anfliegen, wenn er sich nicht von der hellen Seite zeigt. Man überfällt ihn hinterrücks.
Vor dem stillen Nachthimmel, mitten im Gelände, hoch aufgerichtet, überhell angestrahlt, die Rakete, abflugbereit, der silberne Riesenpfeil, der Erdenphallus, herausfordernd, teuflisch potent. Die Menschen auf dem Gelände sind seltsam still. Der Abschuß verzögert sich, doch kommt keine nervöse Ungeduld auf. Aber das Warten wird immer gespannter und dichter, man kann es mit Händen greifen. Endlich der Lautsprecher, das count down: nine, eight, seven, six, und nicht weiter. Man hat im allerletzten Augenblick einen winzigen Defekt gefunden. Weiterwarten. Ich ertappe mich bei dem Wunsch, das Ding möge nie abfliegen, das Unternehmen von einer höhern Macht vereitelt, die Menschheit in ihre Schranken verwiesen. Aber, wider Willen, muß ich auch das Gegenteil wünschen, denn: ich gehöre doch zu dieser Menschheit, die das Ding erfunden, diese Wahnsinnstat ausgeheckt hat. Das Scheitern beträfe auch mich. Vielleicht. Oder doch nicht? Ich blicke auf zum stillen unbeteiligten Himmel über dem still atmenden unbeteiligten Meer, aber von dorther kommt jetzt keine Hilfe: was wir begonnen haben, wir müssens zu Ende führen, wie all unsern selbstmörderischen »Fortschritt«. Weiterwarten also. Wir richten uns schon ein im Warten, das seinen scharfen Reiz verliert, das stiller und stiller wird, als gelte es nicht mehr einer technischen

Sensation, sondern einer geheimnisvollen Ankunft, einer Botschaft, einer Offenbarung. Mitternacht. Die Stimmung erinnert schließlich an jene, die aufkommt, wenn die katholische Messe sich dem Höhepunkt nähert: der Konsekration und Elevation.
Fast störend dann der Lautsprecher mit dem so sehr erwarteten erneuten count down: ... six, five, four, three, two, one ... Da! Die Explosion: der Feuerstoß nach unten, der steile Sturzflug nach oben, der Donner, das Beben der Erde. Der Silberpfeil fliegt. Unter sich läßt er ein Feuerlicht, das sich zu einem Lichtdom aufwölbt. Das Licht hat eine Farbe, die es vorher wohl nicht gab auf unsrer Erde: ein farbig-farbloses Licht, ein Schneeweiß, in das hinein Silber, Schwefelgelb, Orange gemischt ist, ein Licht, das blendet. Auch der Donner wölbt sich zu einer nachhallenden Riesenglocke, indes die Rakete aufsteigt, steil, den Nachthimmel scharf zerschneidend und an den Bahnrändern hellblau färbend, dann, der Krümmung der Erd-Atmosphäre folgend, nach der zweiten Explosion seitwärts abbiegend in den Weltenraum eintauchend. Dann ist sie fort. Die samtene Tropennacht schließt sich über dem Kap, als sei nichts gewesen. (Was war denn auch schon ...) Und jetzt: kein Jubel? Keine amerikanische Nationalhymne? Nichts? Trauer breitet sich aus. Schweigen. Neben mir ein Mann weint. Er sagt: »It's over now.« Er sagt es, als künde er einen Todesfall an. Auch andre Leute weinen. Mir ist auch danach. Aber warum eigentlich? Erst Stunden später begreife ich. Wir sind noch eine Weile mit den »alten« Astronauten zusammen in Cocoa Beach. Die feiern mit viel Lärm und viel Alkohol den neuen Sieg. Ich gehe allein an den Strand. Vier Uhr. Zwischen Nacht und Morgen. Kein Wind. Das Meer stellt sich tot. Kein streunender Hund, kein Nachtvogel, kein Flüstern in den Palmen. Totenstille. Unendliche Verlassenheit. Verwaistsein. Lichtberaubung. Haben wir das nicht schon einmal erlebt? Wo standen schon einmal Leute so und schauten einem Licht nach, das sich von der Erde abhob und in einen Raum hinein entschwand, in den sie nicht folgen konnten, noch nicht? Verwaist fühlten sie sich, ausgeliefert, verlassen. Aber sie hatten von ihm Trost erhalten: »Nur eine kleine Weile ...« und: »Ich werde bei euch bleiben bis ans Ende der Zeiten.« Zöge er sich ganz und gar zurück, der Herr unseres Planeten, nähme er mit sich alles Licht, das er ist. Der Tod übernähme die Herrschaft. Die Erde würde wieder finster, wüst und leer. Indes ich dies und andres so vor mich hindenke, fühle ich stärker und stärker, wie sehr ich diese Erde liebe.

Wochen später, zu Hause in Europa, fällt mir ein: wie hieß die Mondrakete? »Apollo«. Der Sonnengott. Und Hölderlins Gedicht:

»Und jetzt noch blickt mein Aug von selbst nach ihm
Doch fern ist er zu fremden Völkern
Die ihn noch ehren, hinweggegangen.«

Tod meiner Mutter. Sie war fast neunzig. Ich hatte sie kurz vorher besucht, im Krankenhaus, sie hatte eine Thrombose, aber der Arzt sagte, sie sei außer Gefahr, ich könne ruhig heimreisen. Ich tat es. Am 21. August saß ich abends mit O. K. zusammen. Da stieß etwas Dunkles auf das Fenster zu, etwas Weiches, das Glas gab einen leichten dumpfen Ton. Ein Käuzchen. Nie vorher war eins bis ans Fenster gekommen. Ich sagte: Jetzt ist meine Mutter gestorben. Ich rufe in R. an, aber meine Mutter lebt, doch ist sie wieder im Krankenhaus, sie hat Schmerzen, jedoch sei mein Kommen nicht nötig. Am nächsten Morgen nehme ich das erste Flugzeug, und in München nehme ich statt des Zuges ein Taxi. Weshalb diese Eile, da man mir doch gesagt hatte, ich brauchte nicht zu kommen, ehe man mich riefe?

Ich komme im Krankenhaus an. Die Miene der Pförtnerin sagt mir, daß meine Mutter nicht mehr lebt. Sie ist eine Stunde vorher gestorben, unvermutet. Sie liegt im Leichenkeller. Eine Krankenschwester begleitet mich hinunter. Ist das da meine Mutter? Ganz klein, ganz armselig. Ich decke das Gesicht ab: ganz vergrämt, ganz unerlöst, fremd, sehr fremd.

Sie war eine vitale Frau, eine gescheite, für alle Menschen zu sprechen, eine Helferin und Beraterin, Freundin der Armen, bedürfnislos, gesprächig, heiter. Kühl wohl, das war sie immer. Ihr Herz war in ihrem hellen Verstand.

Ich erinnere mich der Leiche meines Vaters: wie schön er war im Tod, sehr ernst, fast majestätisch. Aber die Mutter: da war nur Leere. Sie machte mir Angst. Immer hatte sie mich geängstigt, ein Leben lang, obgleich sie gut war.

Drei Nächte lang sehe ich sie (nicht im Traum, anders, aber ich weiß nicht zu sagen, wie), sie geht, eine kleine graue Gestalt, ganz allein durch eine ansteigende, vollkommen kahle Gebirgslandschaft. Ich rufe ihr nach: So warte doch, ich geh mit! Sie hört mich nicht, sie wandert und wandert. Es ist schrecklich und herzzerreißend, sie so gehen zu sehen. Dann ist sie fort für immer.

1973/1974

Gelesen: Vor der Revolution wurde in einem taoistischen Kloster in Peking ein langes Fest gefeiert zu Ehren des Begründers der »Nördlichen Taoisten«. Am letzten Tag, am Geburtstag dieses Mannes, steigt der Unsterbliche vom Himmel herab und mischt sich verkleidet unter die Menge. Wer ihm begegnet, wird großes Glück haben im neuen Jahr. Der Unsterbliche kann als Bettler erscheinen oder als Beamter oder als alte Frau oder auch als Esel oder Hund. Und wie erkennt man ihn? Man muß scharf zusehen, ob nicht irgendeiner aus der Menge sich plötzlich in Nichts auflöst. Das war ER. »Wohl dem, der ihm Geld gegeben oder sonst Barmherzigkeit erwiesen.«
Zur Folklore gewordene große Weisheit und Wahrheit. Wir kennen sie aus unserm Evangelium: »Ihr habt mich gespeist, getränkt, getröstet...« Aber wann wären wir IHM begegnet? »Was Ihr dem geringsten meiner Brüder getan, das habt Ihr mir getan.« Noch deutlicher in einem der apokryphen Evangelien: »Du trittst einen Stein und trittst MICH.« Der verkleidete Kalif aus Tausendundeiner Nacht, der den Basar besucht und sein Volk prüft, ob es dem Fremden Gutes tut. Ein uraltes Wissen davon, daß der Gott unter uns weilt in Menschengestalt. Er kann jedermann sein. Er IST jedermann. Das sagt sich so. Aber danach leben!!!

30. August. ›Der schwarze Esel‹ fertig.

Wenn die Mandelbäumchen blühn. Ich gehe mit I. in Rom über den Pincio. Februar. Ich bin düsterer Stimmung: man hat mich in der Presse beleidigt, politisch, da bin ich empfindlich, und zudem war es höchst ungerecht und auch dumm. »Schau!« sagt I., »wie schön die Mandelbäumchen blühen!« Ich blicke nicht auf. »Scheißmandelbäumchen«, sage ich, denn ich fühle mich verhöhnt von dieser rosawolkigen Schönheit, die da so provozierend harmlos vor dem hellblau lackierten Himmel steht. Mir hat man ein Unrecht angetan, und dieses Zeug da blüht! Wenns nach mir ginge, käme jetzt augenblicklich ein schwarzes Unwetter, das

diese rosa Blüten abschlüge, in Regenbächen wegschwemmte und hinuntertrüge in die römischen Kloaken zu den Ratten. Und Regengüsse müßten die Fußgänger verjagen, daß sie liefen wie Hunde, und das junge Gras müßte unter Hagelkörnern begraben werden, kurzum: Weltuntergang ists, was ich ersehne. Nur mit einer allgemeinen Zerstörung kann die Beleidigung gesühnt werden, die mir die Welt mitsamt den rosa Mandelblüten antat ...
»Aber geh«, sagt I., »wenn nächstes Jahr die Mandeln wieder blühen, hast du das alles längst vergessen.« Mag sein. Aber jetzt, jetzt leide ich in Finsternis.
Die Welt als Wille und Vorstellung: nur das hat Wirklichkeit, dem ich Wirklichkeit zuschreibe. Halte ich mein Leiden nicht für existent, ists als Leiden nicht mehr da. Nun also?
Ich hebe mühsam meine Augen. Ja, die Mandeln blühen, sie blühen verdammt schön. Plötzlich muß ich lachen. Ich habe dem Ärger seinen Platz eingeräumt im Lächerlichen. Vorübergehende hören mein Gelächter, sie lachen mit und wissen nicht, warum.
Aber so gut gelingts mir nicht immer. Bisweilen, wenn ich schwermütig bin, kann ich Schönes nicht ertragen, es macht mich noch schwermütiger, es schmerzt auch körperlich, im Sonnengeflecht. Das Schöne ist kein Trost. Der kommt anderswoher.

Bei Berdjajeff in ›Existentielle Dialektik des Göttlichen und Menschlichen‹ inmitten hochintellektueller Erörterungen plötzlich auf eine Stelle gestoßen, die mich in ihrer Schlichtheit erschüttert:
»Es gibt einsame Menschen, die stolz ihre Leiden tragen, ohne sich nach außen mitzuteilen. Daher muß man immer denken, daß andere leiden und unglücklich sein können, ohne daß wir etwas davon spüren. Man sollte jeden Menschen wie einen Sterbenden behandeln.«

Warum muß ich leiden? Wieder einmal ein Brief mit der Frage: »Womit habe ich es verdient, daß ich so leiden muß?« Eine Frage, die mir töricht scheint und mich aufbringt. Ich möchte darauf schroff antworten: »Haben Sie es NICHT verdient? Haben Sie nie etwas getan oder unterlassen, wofür Sie zu büßen haben?« Natürlich antworte ich so nicht. Fast niemand erträgt diese Frage. Fast jedermann sucht Grund und Ursache seiner Leiden außerhalb seiner selbst. Meine Frage heißt darum: »Wer, Ihrer Meinung

nach, hat das Leiden über Sie verhängt? Ist da einer, der Sie bestrafen will? Ein strenger Vater, ein Richter? Sie nennen ihn Gott. Nun: wenn Sie unverdienterweise leiden, dann ist dieser Gott einer, ders fertigbringt, einen Unschuldigen zu strafen. Wenn er aber ein gerechter, ein richtiger Gott ist und Sie also gerecht bestraft, was meinen Sie dann mit Ihrer Frage eigentlich?«
Aber: warum soll es denn Gott sein, der einem Leiden schickt? Ich meine, beim Leiden gehts einerseits viel einfacher und andrerseits viel viel größer zu.
Einerseits: wenn ich zu lang in der Sonne liege, bekomme ich einen Sonnenstich. Wenn ich zuviel trinke, bekomme ich einen Leberschaden. Wenn ich andre zuviel ärgere, ärgern sie mich zurück, und ich bekomme ein Magengeschwür. Und so fort. Stellen wir unsre Fehler ab, kommen bestimmte Leiden gar nicht an uns heran.
Andrerseits: angenommen, man habe keine Schuld abzubüßen und habe sich nicht selber Grund gegeben, zu leiden – leidet man dann ungerechterweise und folglich sinnlos?
Wann werden wir endlich begreifen, wir alle, daß wir in einen großen Zusammenhang gehören, daß wir Zellen eines Organismus sind, daß wir ein Gemeinschafts-Schicksal haben? Zugegeben: es ist schwer zu verstehen, was der Meister sagte, als er das Gleichnis vom Weinstock und den Reben erzählte. Auch ich habe in der Schule es falsch erklärt bekommen: Jesus ist der Weinstock, wir sind die Reben. Seit ich im Land der Weinreben lebe, sehe ich, daß ein Weinstock ein Weinstock ist; da gehört alles zusammen, und fehlt etwas, ists kein Weinstock. Wir hängen nicht wie etwas, das auch fehlen könnte, an einem Holzstamm, der auch ohne uns Weinstock wäre. Das Ganze ist der Weinstock: Der Herr der Erde und wir. Alle zusammen. Da gibts kein Blättchen mit Sondergesetzen und Privilegien. Jeder Teil lebt und stirbt mit den andern. Was einem Teil zustößt, stößt allen zu.
Aber das wollen wir nicht wahrhaben, Individualisten und Dummköpfe, die wir sind.
Selbst wenn wir uns als einzelne heraushalten könnten aus dem Gesamtschicksal – dürften wir es? Dürften wir uns drücken? Paßt uns die Rolle des Reichen, der inmitten Hungernder sitzt und frißt? Will einer nicht leiden und nur zuschauen, wie alle andern leiden? Mit-Leid, das wird von uns gefordert, ob wir Christen oder Buddhisten oder Moslems oder atheistische Marxisten sind.
Ja, fragt Frau M., der ich dies vorlas, ja, aber bitte: WARUM leiden wir alle? WARUM ist Leiden? Ginge es nicht anders?

Ich weiß nicht, ob es anders ginge. Es interessiert mich auch nicht. Man kann freilich antworten: Einmal hatte die Menschheit die Wahl, ob sie den Weg der Erkenntnis und damit des Leidens gehen will oder in der Unbewußtheit, der paradiesischen Unschuld und Leidlosigkeit bleiben. Sie wählte den Weg der Bewußtwerdung und nahm damit das Leiden in Kauf. Wieso? fragt Frau M., wieso ist Bewußtwerdung mit Leiden verbunden? Nun: Bewußtwerdung geschieht immer nur durch Sonderung, durch Herauslösung aus einem ungeschiedenen Ganzen. Man erfährt sich nur, indem man sich von andern getrennt sieht. Und Trennung macht Leiden. Wenn das Kind zum erstenmal ICH sagt, beginnt sein Kampf mit dem Nicht-Ich der Welt. Das Leiden hört auf, wenn man nur mehr WIR sagt und ALLES meint. Wenn man EINS ist mit dem »VATER«, so sagte der Meister, der eins war mit dem Vater und deshalb das Kreuz nahm.
Wer sein Leiden nicht will, kann ja wie der Buddhismus lehrt, aufhören zu wünschen, dann hört auch das Leiden auf. Oder er kann sich betäuben, es gibt allerlei Mittel dafür, nur helfen sie nicht für lang. Warum eigentlich tut man nicht das Vernünftigste und nimmt das Kreuz auf sich, das eigene und das der Gesamtheit, und folgt dem Meister nach auf DEM WEG? Die das tun, sind allemal die glücklichsten, weil alles, was sie tun und leiden, SINN hat und eingebettet ist in den SINN des Universums.
Leiden ist das große Angebot der Befreiung, der eigenen und der des ganzen Kosmos. Aber das ist verdammt schwer zu verstehen dann, wenn man mitten im Leiden ist. Doch haben schon viele bewiesen, daß mans kann. Ich kenne solche Menschen.

Besuch aus Tibet. Wie verabredet, stehe ich an der Stazione Termini an der Zugspitze. Schon ist der Bahnsteig fast leer, da sehe ich weit draußen einen kleinen Volksauflauf. Das müssen »sie« sein. Sie sind es: umgeben von zwölf großen Koffern (voller Bücher, wie ich sogleich erfahre) und von einer sonderbar schweigenden, faszinierten Menge Neugieriger. In Rom ist man an Exotisches gewöhnt, aber meine beiden Tibetaner sind schon etwas Besonderes, Nie-Gesehenes, sehr Fremdes; sie tragen ihre buddhistische Mönchstracht, der Mann und die Frau: das lange violett-und-gelbe Gewand, den spitzen Hut, die Kette mit dem großen Anhänger, mit einem mantrischen Symbol. Der Mann ist der Lama Anagorika Govinda, die Frau ist Li, seine Ehefrau, auch sie buddhistische Nonne, und Malerin. Ich kenne

seit langem einige seiner Bücher über tibetanische Weisheit. Er hat in seiner international höchst gemischten Ahnenreihe einen deutschen Großvater, er ist in Deutschland geboren, spricht fließend Deutsch, schreibt Deutsch und Englisch, hat in Italien Kunstgeschichte, Philosophie und Archäologie studiert und ging als junger Mann nach Indien, dann nach Tibet, das durchstreifte er mit seiner Frau jahrzehntelang, wohnte in Felsklöstern, traf alte Weise und schließlich seinen großen Guru, Tomo Gésché Rimpotsché, dessen Schüler er viele Jahre lang war und der, vor Maos Revolution, die Zerstörung der tibetanischen Klosterschätze und der gesamten uralten, noch immer frisch lebendigen tibetanischen Kultur, voraussagte. Er sagte auch, es sei an der Zeit, die tibetanische Weisheitslehre in der Welt zu verbreiten zur Rettung der Menschen. Mein Gast reist also, gehorsam seinem Guru und eigener Bestimmung, in Amerika und Europa und spricht über das, was mittelbar ist von der hohen Lehre. Er ist keiner der zweifelhaften Gurus und Maharishis, die tatsächlich unwissend sind und uneingeweiht. Er ist ein gründlich westlich-philosophisch gebildeter Intellektueller und dazu ein echter Eingeweihter, das ist sicher.
Die beiden sind für einige Tage meine Gäste, ehe sie wieder heimreisen nach Indien, wo sie wohnen seit der Vertreibung aus Tibet. Sie hausen auf, ich glaube, fast dreitausend Meter Höhe, ganz einsam im Felsgebirge, ich sah die Bilder, die Li davon malte. Der Ashram liegt viel tiefer. Nachts schleichen die Bergtiger ums Haus. (Bei ihrem Besuch hier wissen meine Gäste noch nicht, daß ihr Haus inzwischen von Stürmen niedergerissen ist, sie werden ihre Bücher und wenigen Habseligkeiten unter Steintrümmern suchen müssen. Doch auch wenn sie es jetzt wüßten, es würde sie nicht stören.)
Ich habe so meine Vorstellungen von einem tibetischen Lama und großen östlichen Weisen gehegt, und ich habe natürlich etwas für mich erwartet: ein Mantra aus seinem Mund, eine Lehre, eine Erleuchtungshilfe. Aber ich habe mir streng befohlen, ihn nichts zu fragen und um nichts zu bitten. Er soll sich hier erholen. So verlaufen denn die Tage heiter-freundlich mit Gesprächen, wie sie intelligente, gebildete Leute führen: über Kunst, über Rabindranath Tagore, den sie noch kannten und bei dessen Sohn Li Malerei studierte, wir reden auch über Politik und über das neue China. Nichts Außerordentliches geschieht. Ich beschränke mich darauf, sie in der Landschaft herumzufahren und ihnen ein Essen zu bereiten, das sie mögen: sie sind Vegetarier, das weiß ich, aber sie sagen, sie essen auch Fleisch, wenn sie zu Gast sind, es sei

wichtiger, Gastgebern Freude zu machen, als auf rituellen Grundsätzen zu bestehen. Sie sind keine Asketen, darüber sind sie hinaus, sie lieben das Leben, sie lieben das Schöne, sie essen mit Vergnügen, am liebsten trinken sie starken Tee und essen dazu Brot mit Käse und meiner selbsteingemachten Kirschenmarmelade. So vergehen die Tage, und ich bin ein wenig enttäuscht. Am letzten Abend sind er und ich eine Weile allein, und nun sage ich doch, was ich nicht sagen wollte: »Bitte, geben Sie mir ein Mantra, und sagen Sie mir etwas über meinen Weg.« Er schaut mich gütig an: »Ihren Weg kennen Sie selber, und das Mantra müssen Sie selber finden, und Sie können es finden, Sie wissen alles selbst.« Ich protestiere, denn: Was weiß ich? Er wiederholt: »Doch, Sie wissen alles. Sie müssen es nur wachsen und kommen lassen.« Und schon ist der Augenblick vorüber, wir reden von der morgigen Abfahrt. Und dann sind sie fort. Auch ich muß verreisen. Als ich zurückkomme, fühle ich: es hat sich etwas verändert im Haus; mit den Tibetanern ist etwas eingetreten, und es ist erkannt und begrüßt und aufgenommen worden von etwas, das schon vorher hier anwesend war, aber wie schlafend. Der Lama hatte es gespürt oder gesehen. Bei seinem ersten Schritt in mein Haus war er auf der Schwelle überrascht stehengeblieben, hatte still witternd eine zarte Spur aufgenommen und gelächelt: »Hier«, sagte er, »sind gute Geister anwesend.« Aber auch mit mir ist etwas geschehen: ich habe zwar nicht den ersehnten Guru gefunden (der Lama hatte auf meine Frage danach gesagt: »Sie brauchen keinen«, und ich dachte:

»Er hat recht: Ist nicht der Meister des Evangeliums Guru genug?«); aber ich habe einen geistesmächtigen Freund gefunden, der mich aus der Ferne leise lenkt. Wir schreiben uns selten, aber ich fühle, daß er jeden meiner stummen Anrufe aufnimmt und stumm beantwortet. Er hat mir viel Gutes getan: er hat mich über die harte, hohe Ich-Schwelle getragen. Beim Abschied hatten mir die beiden zwei sehr alte tibetanische Silberlöffelchen geschenkt.

Das Unliterarische. Eine Leserin schreibt mir, an meinen Büchern gefalle ihr das Einfache, Unmittelbare, der »Verzicht auf Kunst«, das »Un-literarische«. Ja, aber gerade das ist die Frucht höchst literarischer Arbeit. Gerade das Allereinfachste ist durch die meisten Arbeitsmühlen gegangen, und bei jedem Mahlgang fällt etwas weg: das Zu-lang, das Zu-Schön, das Zuglatt, das Zu-viel und vor allem die Schaustellung des Könnens. Was am Ende herauskommt, ist das Ergebnis einer strengen Aszese: mein Stil. Wenn meine Leser dann das Letzte fürs Erste nehmen, so habe ich erreicht, was ich wollte: die unmittelbare Wirkung.

Das, was mich immer noch und wieder bei der Stange hält in meinem Beruf, das ist die Lust an der Form, nicht an einer Aussage.

Beichte. Ein Bekannter gebraucht auffallend oft das Wort »Frevel«. Es muß eine besondere Bedeutung für ihn haben. Ich frage ihn danach. Es scheint, als habe er auf diese Frage gewartet: er beichtet mir seinen Frevel: Blutschande, die langjährige Geliebte ist seine Stiefschwester. Er liebt sie immer noch, obwohl die Beziehung längst abgebrochen ist. Er leidet. »Frevel«. Ich versuche herauszufinden, ob seine Reue nicht nur der Verletzung eines Tabu gilt. Tabus sind immer geschichtlich gewordene Gesetze, aber keine Ur-Gebote. Die ägyptischen Königspaare waren Geschwister. Und Homosexualität ist auch nur ein Tabu: den Griechen wars erlaubt und schön, gut, wahr. Aber für den, der mir da beichtet, handelt es sich nicht um die Verletzung eines Tabu, sondern eines ihm innewohnenden Gesetzes. Nicht weil MAN nicht mit der Schwester schläft, sondern weil ER es nicht durfte: Das Mädchen war zu jung, ein Kind fast. DAS war der Frevel, der ihn quält. Sünde, das ist das Setzen des eigenen Willens gegen den universalen Willen, der sich als Gewissen kundtut. Dennoch: vieles, das wir Christen als Sünde zu sehen erzogen wurden, ist nur das Nicht-Achten eines gesellschaftlichen Tabus. Frage: ist derlei eine Sünde?

Der Mann, der mir beichtet, ist aber Künstler, und der Geist, der das Böse will, hat wieder einmal das Gute geschaffen: das nagende, schmerzende Bewußtsein des »Frevels« erzeugt in ihm eine fortdauernde Spannung, eine stille mächtige Verzweiflung, die ihn zu bedeutenden Kunstwerken treibt. Felix culpa. Unsre christliche Moral ist oberflächlich.

Die Beichte des Mannes bringt mir eine andre ins Gedächtnis: Vor einigen Jahren kommt eine Frau zu mir, unangemeldet und mir fremd, und bekennt die Teilhabe an der Vorbereitung zu einem erfolgten Mord. Ich bin zunächst mißtrauisch und vermute eine Hysterica, oder, daß sie sich einer Sache anklagt, die sie nicht begangen hat, um eine wirklich begangene zu tarnen und sich dafür zu bestrafen. Aber die Frau ist nüchtern vernünftig, wenn auch aufgestört. Ich sage (da sie katholisch ist), sie müsse mit ihrer Schuld zu einem Priester gehen, nicht zu mir. Sie sagt, sie habe mit der Kirche gebrochen, innerlich. Ich sage auch, sie müsse vor Gericht gehen. Das will sie nicht, weil sie Kinder hat. Was aber will sie bei mir? Nichts Geringeres als die Lossprechung. Ich bin kein Priester, ich habe keine Lösegewalt. Aber, sagt sie, wenn Sie mir nicht helfen, geb ich jede Hoffnung auf, daß ich noch gerettet werden kann. (Sie ist religiös.) Sie fleht mich an, die Rolle des Priesters zu übernehmen. Ich überlege: laut Vaticanum II habe ich wie jeder Christ hohepriesterliche Gewalt, ich BIN Kirche. Außerdem: wenn ich in extremis eine gültige Taufe spenden kann, warum sollte ich nicht in extremis gültig lossprechen? Not-Taufe, Not-Beichte. Und: »Wo zwei oder drei in meinem Namen beisammen sind, bin ich bei ihnen.« Ich bin also Kirche in Anwesenheit des Christus Jesus. Ich vertrete die Gemeinde, der man in alten Zeiten, als es die Ohrenbeichte nicht gab, die Sünden bekennen und von der man Lossprechung erhalten konnte. Die Frau bringt alle Voraussetzungen für eine gültige Beichte mit: sie bekennt, sie bereut, sie will sühnen (darüber haben wir auch schon gesprochen: sie adoptiert ein Vietnamkind). Und so sage ich denn (zitternd freilich) zu der Frau das »absolvo te«. Sie weint jetzt Tränenströme, es sind Tränen der Erleichterung, der Erlösung. Und ich habe das klare Bewußtsein, das Rechte getan zu haben.

Spatzen. Während ich arbeite, hör ich mit halbem Ohr am Fenster ein leises Klopfen, immer wieder. Schließlich schaue ich auf: zwei Spatzen sitzen davor und picken aufs Glas. Nicht aufs Holz, wo vielleicht etwas Eßbares sein könnte, sondern aufs blanke Glas. Was wollen sie? Wer schickt sie? Wessen Botschaft, und welche, bringen sie mir? Vermutlich ihre eigene, die da heißt: »He du, wir sind Spatzen, hast du dich schon einmal mit Spatzen befaßt, begreifst du das Spätzische an uns? Stell dir vor, keiner von uns fällt vom Dach, ohne daß das Universum davon Kenntnis nimmt, so stehts im Evangelium, so wertvoll sind wir, das sollst du wissen!«
Ich nehme die Botschaft auf, sie IST wichtig.

1974/75

20. Januar. ›Wie wenn wir ärmer werden‹ fertig.

Ungeheuer aufregende RAI-TV-Sendung aus dem Observatorium in Frascati: »Ein Stern stirbt«. Von Astrophysik verstehe ich so gut wie nichts, aber diese Sache ist anschaulich: im Weltenraum gibt es die »schwarzen Löcher«. Da ist scheinbar nichts. Aber von der Erde ausgesendete X-Strahlen brechen sich dort. Also ist etwas. Aber was? Mit keinem noch so scharfen Teleskop ists zu entdecken. Jedoch weiß man es: das »schwarze Loch« ist ein gestorbener Stern, eine Sternleiche. Es gibt viele solche. Und wie geht das zu, daß ein Stern stirbt? Ich verstehe das rasch gesprochene Fach-Italienisch nur bruchstückhaft, aber anhand meiner eigenen Vorstellungen von Raum und Materie finde ich eine Erklärung, die nicht falsch sein kann: ein Stern ist, wie jedes Ding, eine Welt aus Atomen und kleineren und noch kleineren Teilchen Materie. Aber es ist keine kompakte Masse. Zwischen den Partikeln ist Raum. Jedes Atom hat so viel freien Raum, daß darin Elektronen tanzen können. Dieser Zwischenraum ist es, der die Materie konstituiert. Ohne den leeren Raum, ohne das »Nichts« also, wäre Etwas. (Was dieses »Nichts« tatsächlich ist, darüber will ich jetzt nicht spekulieren, doch scheint mir, als wisse ich es, und ich nenne es vorläufig »Geist«). Wenn nun eines Tages (und das geht sehr sehr schnell, es braucht keine Aionen, es genügen Tage!) das »Nichts« sich aus irgendeinem Grund weigert, weiterhin die Materie zu tragen, dann fällt die ganze Atomkonstruktion in sich zusammen. Des Zwischenraums beraubt, wird der Stern zu einem Klumpen unheimlich schwerer schwarzer Materie, in die wir (geschähe das unserm Planeten) hineingebakken wären wie Sand in einen Lavabrocken. So schwer ist ein geistverlassener Stern, daß er, nur mehr so groß wie ein Tennisball, unsere Erde glatt durchstieße, ohne mehr als ein schmales Loch quer durch die Erde zu schlagen, sagen die Physiker. Wenn nun, in diesem Augenblick, jener formgebende Zwischenraum, vielmehr die ihn schaffende Kraft, sich zurückzöge, weil unsre Zeit

abgelaufen ist, und unsre schöne Erde nichts mehr wäre als eine schwarze Sternleiche im Universum ...?
Aber warum erschreckt mich der Gedanke? Für einen Augenblick bin ich ins Weltall entrückt und sehe: Sterne sterben, Sterne werden geboren. Unendliche Bewegung, unendliche Wiederkehr, unendliche Tröstung.
1977: Jetzt weiß man auch, daß unser Universum sich unaufhaltsam ausdehnt. Woher weiß mans? Daher, daß der Abstand zwischen den Sternen sich vergrößert. Wenn das Universum aber heute sich weiter ausdehnt, so hat es das (der Schluß ist erlaubt) schon von eh und je getan. Dann war es vielleicht einmal so klein, daß es, wie auf alten Gott-Vater-Bildern, als eine kleine blaugoldne Kugel in der Hand des Schöpfers lag?
Aber: wenn diese Kugel sich ausdehnt, dann muß auch die Hand, welche sie hält, wachsen. Die mittelalterlichen Mystiker, die wußten das und sagten es frei heraus: Gott IST, aber er WIRD auch. Coincidentia oppositorum: Sein und Werden ist EINS. Unendliche Dynamik, unendliche Statik. Die Chinesen, die Taoisten, sprechen von der Unbewegtheit in der Bewegtheit. Eigentlich ist das alles ganz leicht zu verstehen und schön zu denken.

20. April. ›Leiden Sterben Auferstehen‹ Luzerner Predigten fertig.

Macht und Ohnmacht der Schriftsteller. Aus einem Gespräch mit einer italienischen Kommunistin über Nordkorea. Ich sage: »Ich bekam ein Buch mit Bühnenbildern aus Nordkorea, sie sind schlechthin Kitsch, ganz grauenhafter Kitsch. Und das bei der großen noblen künstlerischen Tradition Koreas!« Die Frau sagt: »Aber dem Volk dort gefällts!« Ich: »Hören Sie, das Volk dort kennt doch keine andre Art von Kunst mehr. Und im übrigen: woher weiß man so sicher, daß es dem Volk nicht besser gefiele, setzte man ihm Kunst statt Kitsch vor? Und: wer bestimmt eigentlich, was Kunst ist: das Volk, die Regierung, oder die Künstler?« Die Frau: »Und wenns Kitsch ist, was machts? In einem Land, in dem das Volk hungerte und kein Dach überm Kopf hatte nach dem Weltkrieg, und das jetzt beides hat, Arbeit und ein Dach überm Kopf und dazu den Frieden, in so einem Land ist Kunst doch etwas Zweitrangiges. Oder würden Sie einem Verhungernden ein modernes Gedicht vorlesen, statt ihm Brot zu geben?«

Das ist Demagogie, und schlechte dazu. Es geht nicht darum, dem Hungernden Kunst statt Brot zu geben, es geht darum, ihm Kunst statt Kitsch zu geben. Wo Brot gegen Kunst ausgespielt wird, verfälscht man die Wahrheit und die Wirklichkeit. Es ist nicht einsichtig, warum man dem Volk Kitsch vorsetzen muß. Es ist nicht einsichtig, warum in der Sowjetunion moderne Kunst »verboten« und im Giftschrank ist. Wieso wird das Volk ausgeschlossen von echter Kunst, die immer etwas Neues ist, etwas Vorwärtsdrängendes?! Was, zum Teufel, haben Diktaturen jeder Couleur gegen avantgardistische Kunst? Welchen Sprengstoff müssen sie der Kunst zuschreiben, wenn sie von ihr die Minderung der Macht oder den Sturz der Partei fürchten? Welche Waffe haben wir ohnmächtigen Künstler in unsrer Hand? Daß in Diktaturen Kunstwerke in die Kellergrabkammern verwiesen werden, ist der Beweis dafür, daß potente Regierungen uns Künstler fürchten! Eine erheiternde und stärkende Einsicht.

Juli: ›Dem Tode geweiht‹ (Lepra-Insel-Bericht) fertig.

Sommer. ›Bruder Feuer‹ fertig.

Lichtkraftwanderung. Mein Blick fällt auf die großblättrige Geranie vor meinem Fenster. Alle ihre Blätter sind dem Licht zugekehrt, aber nicht alle erreichen es, einige sind im Schatten, andre im Halbschatten, das ergibt ein Grün-in-Grün-Mosaik, ein Licht- und Schattenspiel. In der Mitte eine große Blüte, karmesinrot, ganz im Licht, sie hält meinen Blick fest, und ich überlasse mich ihr absichts- und gedankenlos, ganz leer. Mit einem Mal erweist sie sich als Tor, durch das man eintreten kann. Dahinter beginnt eine Straße, Lichtstraße, auf der man gehen kann, weiter, immer weiter und weiter ... Wohin? Das weiß man erst nach der Rückkehr: man war dort, wo die Geranienblüte beginnt. Da, wo jemand will, daß die Geranienblüte sei. Da, wo aus der »Leere« etwas aufsteigt: das Urbild der Geranienblüte, das Bild, das zugleich Wort ist und das, beim Sturz durch den Weltenraum alle Phasen der Verdichtung, der Materialisation, erfährt und schließlich hier ankommt. Meine Geranienblüte ist das Signal des Angekommenseins der göttlichen Idee von der Geranienblüte. Alles kommt auf solche Art zu uns und anders nicht.

Das ist natürlich reiner Platonismus, ich weiß. Aber auch ohne Platon hätte ichs erfahren im Anschauen meiner Blüte.
Eines Tages wird alles, was ist, den Weg zurück gehen und wieder hineingenommen werden ins Reich der Urbilder.
Das ist keine dichterische Allegorie, das ist meine existentielle Erfahrung. Auf ihr ruht mein Leben.
Ich habe einmal gelesen, daß die Pythagoräer glaubten (wußten), die Seele (das Bewußtsein) lege, ehe sie zur Erde absteigt, ein Versprechen, ein heiliges Gelübde ab in die Hände der Seligen, sich auf Erden reinzuhalten. Wenn sie, nach dem Tod, zurückkehren, legen sie Rechenschaft ab über die Treue oder Untreue dem Gelübde, den Himmlischen gegenüber.

Brief einer Leserin, die verzweifelt ist darüber, daß ihr Sohn einen Einbruch begangen hat und nun im Gefängnis sitzt. Ich habe die Frau einmal kennengelernt. Mich wunderts nicht, daß der Sohn ein Dieb wurde. Was war denn für die Eltern der höchste aller Werte? Was denn anders als: das GELD. »Bub, du sollst nicht Musik studieren, damit verdient man kein Geld!« und früher: »Wenn du brav bist und ein gutes Zeugnis heimbringst, kriegst du zehn Mark.« Und: »Weil du ungehorsam warst, kriegst du kein Taschengeld.« Und: »Also, diese Freundschaft mit der Anna ist doch nichts, die kriegt von daheim nichts mit. Eine Reiche mußt du dir aussuchen.« Und: »Nein, Bub, das kannst du dir nicht leisten, wir sind nicht reich. Die M.s, die können sichs kaufen. Mein Gott, so reich sollte man sein wie die, dann wären wir glücklicher« ... Und so fort. Geld, Geld, Geld. Reich sein bedeutet glücklich sein. Man muß arbeiten, um Geld zu verdienen, so sagen die Eltern, die ihr Leben lang geschuftet haben. Jetzt haben sie ein Häuschen und ein kleines Sparkonto, und sind alt und vergrämt. Nun, und? so fragen die Kinder. Wozu arbeiten? Das dauert viel zu lang. Und wenn man dann, irgendwann später, Geld hat, dann nützt es einem nichts mehr. Jetzt gleich müssen wirs haben, jetzt, wo wir jung sind und es genießen können. Und wenn wir Geld in der Tasche haben, sind wir wer! Geld ist Macht und Ansehen. So haben es die Jungen gelernt von den Alten. Und so gehen sie hin und nehmen sich den höchsten aller Werte aus den Banktresors.

Gespräch mit einem tüchtigen »Diesseitigen«, wie er sich nennt, der kein Jenseits anerkennt. Ich könnte ihm natürlich sagen, daß er, indem er sich einen »Diesseitigen« nennt, die Existenz eines »Jenseits« ausdrücklich anerkennt. Aber wozu mit Logik arbeiten, wenn sie zu nichts führt. Übrigens: wer Diesseits und Jenseits unterscheidet, der sollte wissen, WOVON jenseits und diesseits eben jenseits und diesseits ist, da muß es eine Trennungslinie geben. Wie heißt sie, wo verläuft sie? Aber wie gesagt, ich stelle meinem Gesprächspartner keine Frage, ich schaue ihn bloß an. Wie ist er doch zufrieden mit sich und mit jenem Teil der Welt, den zu sehen er sich gestattet! Wie der arbeitet, wie der so lebt Tag für Tag, Jahr für Jahr, von Erfolg zu Erfolg, der hat keine Depressionen, der hat keine Zweifel an sich, der denkt nicht an den Tod (weil, wie er sagt, danach nichts kommt, und es sich darum nicht lohnt, über das Ende des Lebens nachzudenken, es ist eben zu Ende, gut). Der fährt mit vollen Segeln durch seine Jahre, fünfzig davon hat er hinter sich, und da er gesund ist, vielleicht noch dreißig vor sich.

Frage: woher nimmt er diesen Mut zum Leben, diesen Glauben daran, daß er etwas Sinnvolles, weil Nützliches leistet (Fabrikant von Schuhwaren), wieso glaubt er blindlings daran, daß alles, was er tut, zu etwas führt? Mit andern Worten: woher bezieht er seine Kraft zur Hoffnung?

Lieber Herr, so denke ich, ihm zuhörend, wenn Sie wüßten, wem Sie Ihre Hoffnung verdanken! Wie viele, die mühsam und bewußt gegen die Verzweiflung, die ihre und die allgemeine, ankämpfen und sich Tag um Tag neu in der Hoffnung halten, müssen ihr Teil an Hoffnung in das große Reservoir schütten, aus dem Sie Ihren Anteil skrupellos und undankbar schöpfen und noch meinen, es sei Ihr eigener Brunnen, Ihr eigenes Verdienst. Tausend schwarze Baumwollpflücker arbeiten für einen Weißen, damit er reich wird. Tausend kleine Steuerzahler tragen das Staatsvermögen zusammen. Tausend tapfer ihre Mutlosigkeit Überwindende, tausend wider alle Hoffnung Hoffende sind nötig, damit so einer wie Sie überhaupt nicht fühlt, daß er auch verzweifelt sein könnte und daß die Gnade seiner Mitmenschen das ist, was ihn hält, den skrupellosen Lebensverbraucher, den Nutznießer der Kräfte, die wir andern, wir Bedrohten, wir Schwachen, wir in der Schwäche Starken, in die Welt senden, kostenlos und unbedankt.

Und wir, die wir unsre Nächte bestehen, wem verdanken wir die Kraft dazu? Wo ist der, welcher für uns betet und leidet? Was für altmodische Gedanken denke ich, während dieser Nichtsahnende munter drauflos redet!

Die Neutronenbombe. Eine Geschichte schreiben: die Amerikaner haben einen ganzen Landstrich von Leben gesäubert. Aber die Städte, die Wohnungen, die Büros sind unversehrt, und auch die Autos stehen noch da, als sei nichts geschehen. Nach einiger Zeit erklären die US-Wissenschaftler, Physiker und Biologen, nun seien keine Gefahren mehr, man könne ruhig Besitz nehmen von allem, was da übrigblieb. So tut mans. Nach einiger Zeit bemerken die Amerikaner, die nun da wohnen, daß ihnen Stückchen vom eigenen Leib abhanden kommen, einfach so, ohne Verletzung, sie verschwinden spurenlos, Stückchen für Stückchen, sehr langsam geht das, es wird zuerst auch geleugnet von den Behörden und allen Wissenschaftlern und Politikern, von denen natürlich besonders, aber schließlich muß man die Zone sperren. Es gibt einen Belagerungszustand mit Situationen, die derjenigen in Camus' ›Pest‹ gleichen, aber sie sind viel schrecklicher, denn gegen die Pest kann man immerhin etwas tun, gegen das kaum merkliche, nicht schmerzende, eher mit Wollust verbundene Hinschwinden ist man machtlos. Und dann, eines Tages, ist die Zone wiederum ohne Leben, und so bleibt sie. Ein schauriges Thema. Ich wills doch nicht schreiben – denn wer ließe sich dadurch abschrekken vom Bau der Bombe?!

Im Fernsehen: Gewalttat um Gewalttat. Italo-Western, Krimis, ernsthaft gute Filme, überall Kampf, Drohung, Totschlag, Mord. Die Schule für unsre Kinder: man schießt diejenigen einfach tot, die einem im Wege stehen. Und in Deutschland vor Weihnachten die Schaufenster voller Kriegsspielzeug. Und kein Regierungsverbot. Und alle Bürger-Initiativen gegen diese Art der Erziehung zur Gewalt werden unterdrückt oder ignoriert. Und dann wundert man sich über die Taten der »Terroristen« und sperrt sie ein, lebenslänglich. Schizophrenie, Dummheit, oder Absicht, ja, das ist es wohl: Absicht. Absichtliche Erziehung zur Gewalttat. Damit man hinterher jemanden als Sündenbock für die eigenen unterdrückten Aggressionen büßen lassen kann.
Warum kaufen Eltern ihren Kindern Revolver? Das müßte genau analysiert werden. Grauenhafte Einblicke in die schwarze Tiefe der menschlichen Natur.
Ein Arzt, der in meinen Tagebuch ›Grenzübergänge‹ die Szene mit dem schießenden kleinen Römer gelesen hatte, schrieb mir: sein antiautoritär erzogener Enkel, fünf Jahre alt, habe eines Tages bei einem kleinen Streit einen Stock genommen und auf ihn gezielt:

»Ich schieß dich einfach tot.« Der Großvater, entsetzt, erklärt ihm das Böse dieser Absicht und zeigt ihm seinen Arm mit der schweren Kriegsverletzung. Der Kleine schien zu begreifen, aber am Abend wiederholt sich die Szene. Der Großvater sagt: »Wenn du noch mal mit deinem Gewehr kommst, dann ...« Der Junge fällt ihm ins Wort: »dann schieß ich einfach auf deinen Jackenknopf.« Einige Tage später wieder: »Ich schieß ...« Der Großvater sagt ihm, man dürfe ein Gewehr nur dazu benützen, ein Tier totzuschießen, wenn man es essen will und wenn man Hunger hat. Der Kleine ist nachdenklich. Und wieder einige Tage später: »Ich schieß ...« Er unterbricht sich selbst und fährt fort: »Ich geh in den Wald und schieß alle Hasen und Rehe tot (jetzt standen ihm schon Tränen in den Augen) und eß sie ganz allein auf.«
Ich möchte wissen, welcher der Richter, die einen Mörder verurteilen, nicht schon selbst in Gedanken und Wünschen gemordet hat. Ist eigentlich ein wesentlicher Unterschied zwischen Haß, Tötungswunsch und der Ausführung? Es ist nur eine Frage der stärkern Hemmung. Die Gesellschaft straft in ihren Mördern ihre Sündenböcke. Wir leben von unsern Lügen und unsrer Heuchelei. Aber die in den Gefängnissen, die büßen für uns. Wäre es nicht gerechter, sich selbst zu bestrafen für jeden Tötungswunsch? Wäre es nicht christlich, unsre Sündenböcke zu lieben und ihnen ihr Los zu erleichtern? Aber je schuldiger eine Gesellschaft sich weiß, um so härter bestraft sie die Sündenböcke.
Nachtrag: Zu Weihnachten 1977 gab es in Nürnberg eine Campagne von Bürgern und Spielzeugfabrikanten gegen Kriegsspielzeug: Kinder konnten ihre Kanonen, Soldaten, Revolver umtauschen gegen friedliche Spielsachen. Immerhin ein Anfang. Immerhin eine Möglichkeit!

Szene aus einem deutschen Gefängnis: Ein Strafgefangener stellt einen Antrag auf warmes Wasser, Seifenpulver und einen Stöpsel fürs Waschbecken, damit er seine Wollsocken waschen kann, die nicht regelmäßig getauscht werden und also stinken. Der Antrag wurde abgelehnt mit folgender Begründung: »Wegen der Aufrechterhaltung der Sicherheit und zur Abwendung einer schwerwiegenden Störung der Ordnung der Anstalt und zweitens aus Gründen der Gleichbehandlung aller Gefangenen ...«!
In einem anderen Gefängnis wird einem Angehörigen ein Brief zurückgeschickt mit einigen Briefmarken und einem Verweis:

man dürfe jeweils nur EINE Briefmarke beilegen, wenn man einem Strafgefangenen schreibt. (Mit derlei beschäftigen sich die Verwaltungsbeamten dort)!

Tulpentod. Am Ostermorgen schnitt ich drei Tulpen, Knospen noch, streng geschlossen, leicht geschweift und zugespitzt, steif und vornehm wie Brabanter Damen mit hohen Hüten und eng gerafften grünseidenen Röcken. Gegen Mittag öffnen sie sich ein wenig, nur eben so viel, daß ich die Farbe erkennen kann: ein nicht geheures Schwarzviolett. So, mit leicht geöffneter Spitze, verharren sie den ganzen Tag. Nachts stelle ich sie ins Kalte. Den Ostermontag hindurch, wie nach geheimer Absprache, bleiben alle drei ganz unverändert in ihrer abweisend zeremoniellen Attitüde. Heute, am Osterdienstag, aber sehe ich: sie sind weit aufgerissen, wie von fremder Hand auseinandergebogen, das weiße Hexagramm um den dreinarbigen Stempel und die sechs phallischen Staubgefäße offen zeigend. Das Geheimnis des doppelten Geschlechts liegt nackt zutage. Die Blütenblätter sind schlaff, wie von einem nächtlichen Kampf ermattet. Was ist ihnen geschehen? Wer kam über sie? Das war keine freiwillige Hingabe, das war eine erzwungene verzweifelte Preisgabe an den Vergewaltiger, den tödlichen Liebhaber Vergänglichkeit. Am nächsten Morgen sind die Blütenblätter abgefallen. Drei grüne Gerippe stehen im Glas.
Nicht alle Blumen sterben auf solche Art. Manche verdorren ganz unmerklich, andere lösen sich bei einer geringen Bewegung des Tisches vom Stengel, andere rollen sich ein wie sterbende Tiere, andere versuchen ihr Sterben zu verheimlichen, sie lassen in großen Abständen Blatt um Blatt fallen.
Ein Buch schreiben über Blumen-Todesarten, auch Baum-Todesarten.

Bahnhof Florenz. Auf einer der Steinbänke am Bahnsteig zwei junge Männer, Studenten gewiß, in der üblichen hochstilisiert abgerissenen Landstreicher-Tracht. Schöne blonde, braungebrannte Burschen, einer kräftig, der andre ephebenhaft. Sie tun aber auch schon gar nichts, die Art ihrer Beziehung zu tarnen. Ihre Zärtlichkeiten, dezent, aber deutlich genug, haben etwas intelligent Herausforderndes; sie gelten nicht wirklich einander, sondern geschehen nach einem Stil-Prinzip und haben

etwas Rituelles. Dabei schwätzen sie unaufhörlich in zwei Sprachen durcheinander, in Englisch und einer skandinavischen Sprache, sie lachen laut in zwei Stimmlagen, klatschen sich selber und gegenseitig auf die Schenkel, erzählen einander offenbar Witze oder Anekdoten und prusten dann los wie Schuljungen, sie amüsieren sich köstlich, jedoch artifiziell, sie geben eine Schaustellung, das ist mir klar. Sie spielen aristokratisch-bohemienhafte Desinvoltura, aber sie schielen schief von unten nach den Umstehenden, von denen einer nach dem andern den Blick abwendet oder, skandalisiert, den Platz wechselt. Schließlich bin nur mehr ich da. Und mich, ihr beiden, täuscht ihr nicht: eben, als ein Zug einlief und der Lärm eure Unterhaltung zudeckte, schwiegt ihr und saht einander an, ermattet vom anstrengenden Rollenspiel, und in euern Augen war die nackte Verzweiflung. Worüber aber?
Bei Hölderlin habe ich den Satz gefunden, der für euch paßt: »Immer spielt ihr und scherzt? Ihr müßt! O Freunde! Mir geht dies in die Seele, denn das müssen Verzweifelte nur.«

Streitgespräch mit einem Erzkonservativen. Es geht um den Begriff des Sozialismus heute. Schon mischen sich Emotionen in unsre Diskussion, da fährt, mitten im Satz, ein Blitz auf mich herunter: die Erkenntnis von der profunden Torheit dieses Streits. Was wollen wir denn erreichen? Daß der andre auf gleiche Art das Gleiche denke? Aber kann er das? Jeder denkt, wie er ist, jeder ist ein Gesamtsystem. Und sollte er überhaupt denken können wie der andre? Sollten alle gleich denken? Das wäre schrecklich: das Leben stünde still vor Langeweile, vor Spannungs-Mangel. Leben ist, wo Spannung ist, und Spannung ist zwischen Spruch und Widerspruch. Der Spruch heißt: Beharren, der Widerspruch: Weitergehen.
Tatsächlich aber gibt es nur EINE Bewegung: die nach vorn, die Evolution. Aber der Mensch kann sich entscheiden für das Ja oder Nein zur Bewegung, für den Konservatismus oder für dessen Opposition, die Veränderung, die »Revolution«. Jeder, der sich bewußt auf die Seite der Bewegung stellt, ist auf der Seite des Lebens und der Wirklichkeit. Und jeder, der nein sagt zur Wandlung, ist lebensfeindlich, oder, nicht so hart gesagt, auf der Seite der negativen Utopie. Aber: mit so einem Satz stoßen wir auf jenes dunkle Geheimnis, das in der Bibel steht: »Ärgernisse müssen sein, aber wehe denen, durch die sie kommen.« Wandlung muß sein und ist gut, aber wenn Wandlung ist, muß etwas da sein, das

gewandelt werden kann, und es müssen Menschen da sein, die etwas wandeln. Aber wie erkennt man, daß etwas zu wandeln da ist? Man erkennt etwas immer nur an seinem Gegensatz, besser: an seinem Gegenpol. Wir wüßten nicht, was Tag ist, kennten wir die Nacht nicht, und wir wüßten nicht, was Leben ist, kennten wir den Tod nicht. Neues erkennen wir nur, indem wir es gegen das Alte halten. Jedes Neue lebt vom Alten, jede Opposition lebt von den Konservativen. Mit Notwendigkeit gibt es Konservative UND Oppositionelle. Jede konservative Gruppe trägt die Opposition in ihrem Schoß, und jede Opposition, kaum zum Sieg gelangt, wird konservativ, da sie ihren Sieg halten will. Und somit wird eine neue Opposition nötig. Und so fort.
Ein Historiker kann mit dem Blick auf die sich ablösenden Epochen feststellen, daß sich da ein Rad dreht und daß die Drehung von Umschichtungen herrührt: wenn an einer Stelle des Rades sich eine Mehrheit sammelt, bekommt sie Übergewicht, und das Rad dreht sich in ihrem Sinne. Damit aber hat die Opposition die Chance, ihrerseits sich zu einer Mehrheit zusammenzuballen.
So aus der zeitlichen Distanz sieht das schön aus. Aber wer im Rad ist, wer als Staatsbürger mitdreht oder sich mitdrehen lassen muß, der leidet, denn das Drehen des Rades geschieht unter Flüchen, und es geht nicht ohne Blut ab. Kann ich denn nicht abspringen? Durch Selbstmord zum Beispiel? Irrtum: man bleibt auch ohne materiellen Leib ein Mensch, der zur Menschheit gehört. Oder vielleicht gehts so, wie die Buddhisten sagen: man anerkennt das Rad nicht als wirklich, sondern als »Maja«, als meine eigene Vorstellung, die der wahren Wirklichkeit nicht entspricht? Wer kann das? Und wer DARF das? Als Christ darf mans nicht. Indem der Christus Jesus in die Zeit kam, ist Zeit nicht mehr nichts als ewige Wiederkehr, sondern Heimkehr: fortschreitende Zeit, auf ein Ziel gerichteter Ablauf. Abspringen? Was sagte der große Yogi? »Nehmt euer Kreuz auf euch, und folgt mir nach. Ich bin der Weg.« Zeit muß erlebt werden als fortschreitende Zeit. Sie muß ertragen werden. Und sie ist erträglich, denn wir wissen, daß wir nicht Eichhörnchen im Käfig-Rad sind, an Ort laufend, ohne je vorwärtszukommen. Wir bewegen uns, das Rad bewegend, vorwärts, heimwärts.
Das alles, nachträglich in Worte gefaßt, schoß mir also mitten im Streitsatz durch Kopf und Herz. Und ich sagte zu meinem leidigen erzkonservativen Gesprächspartner: »Ja, Herr X, Sie haben recht. Aber könnten Sie sehen, daß auch ich recht habe? Wir müssen gegenteiliger Meinung sein, damit das Rad der Geschichte weiter-

rollt?« Er schaute mich entgeistert an. »Es gibt immer nur EINE Wahrheit«, sagte er. »Ich bin bereit, einzuräumen, daß Sie recht haben, aber daß wir beide recht haben, ist schlechthin Unsinn.« Damit ging er und hält mich seither für eine Relativistin und dekadent. Ich aber weiß: der Tag hat recht und die Nacht auch ...

Realitätsverlust. Ich bemerke, daß ich, wann immer es geht, meine Augen schließe. Unbewußte Geste, also aufschlußreich. Die Augen tun mir nicht etwa weh, ich schließe sie nicht aus Müdigkeit, sondern gerade in sehr lebendigen Momenten. Was also bedeutet das Augenschließen? Will ich nichts mehr sehen? Gefällt mir nicht, was ich sehe? Das glaube ich nicht. Ich liebe es, die Erde zu sehen, die Gesichter der Menschen, das Licht, die Nacht. Oder hat sich mein Interesse an der Außenwelt doch verringert?
Aber: sehe ich denn nichts, wenn ich die Augen zumache?
Ich sehe MEHR. Das ist es.
Ich mache die Probe: ich schaue mit physisch offenen Augen den Baum vor meinem Fenster an, eine Zedernart. Ich nehme ihn in mich auf. Jetzt schließe ich die Augen, und jetzt erst ist der Baum WIRKLICH. Ich sehe ihn mit dem inneren Auge. (Der Singular kam mir von ungefähr in die Feder. Oder vielmehr mit Notwendigkeit.) Die äußeren Augen liefern das Material fürs innere Auge.
Als ich mich vor einigen Jahren bei Karl Rahner darüber beklagte, daß mir die äußere Welt immer weniger »wirklich« erscheine, sagte er: »Realitätsverlust ist Realitätsgewinn.« Das habe ich jetzt erst verstanden. Meine Welt wird um so wirklicher, je mehr sie Innenwelt wird.

Collages sonores. Beim Radio-Andrehen einige Takte einer Musik gehört, die mich fasziniert, die ich aber nicht gleich »orten« kann. Schon wird sie für eine Weile überlagert von der Stimme des Sprechers: diese Musik ist eine Ton-Montage: die elektronische Verarbeitung beliebiger Straßengeräusche wie Autohupen, quietschende Bremsen, Kindergeschrei, fernes Flugzeugbrummen, Wasserrauschen von einer Fontäne, Geschwätz der Passanten – der akustische Alltag einer Stadt. Das nun ergab Musik, pentatonisch, geht nicht über eine Oktav hinaus, hat viele Variationen in Melodie und Rhythmus, nicht aber im Tempo, das bleibt immer gleich, ein insistierendes Andante. Das erinnert an

eine Drehorgel, oder genauer noch an ein altes Portativ, das von einer Glasharfe begleitet wird. Dazwischen schafft die Elektronik aus dem Hupen von Autos und dem Kindergeschrei, oder was weiß ich, das Gezwitscher von Meisen und den Gesang einer künstlichen chinesischen Nachtigall und den fernen Klang einer Hirtenflöte an einem leise rauschenden Wasser. Musica dolce, musica incantevole. Und doch nur Technik, elektronisch gesteuerter Lärm, geschnitten, geklebt ... Ja, Technik, aber vom musikalischen Menschen gesteuert, nach musikalischen Gesetzen zusammengefügt. Der Lärm der Stadt, der chaotisch ist, in Form gebracht. Das akustisch Beliebige, das dem Ohr Wehtuende, die Antimusik des Zufälligen wird vom Menschen in eine solche Ordnung gebracht, daß Wohlklang hörbar wird.
Kann man es auch anders sagen? So etwa: ALLES ist Musik, man muß die den Dingen und Vorgängen innewohnende Musik nur herausholen. Alles, was in Ordnung gebracht wird, nach bestimmten Gesetzen, beginnt zu klingen. Vermutlich kann man das Tanzen der Neutronen im Atom als Musik hören, und das Kreisen der Sterne, und das Wachsen der Kristalle ... Vielleicht steigt unser Erdenlärm als Musik auf in die Sphäre der himmlischen Ohren.

In der »Orestie« des Aischylos gelsen: (Chorlied):

Zeus, wer Zeus auch immer sein möge
Freut er sich dieses Namens
Will ich ihn gern so nennen.
Ihm vergleichen kann ich nichts
Außer ihn selbst ...
Haben wir eigentlich mit all unsrer Theologie Besseres zu sagen gelernt als das, was da ein Dichter vor rund zweieinhalb Jahrtausenden gesagt hat?

Das ist Ihre Sache. Ein Bekannter hat das Bedürfnis, mir von seiner neuen Geliebten zu erzählen. Er sagt, es sei der zweite Ehebruch, den er begehe, und auch die Frau sei eine Verheiratete. Nun, sage ich, das ist Ihre Sache, ich bin keine Moralistin, und nicht alles, was in den Augen der Leute Schuld ist, ists auch vor dem Weltgeist. Ich wiederhole: Das ist Ihre Sache. Indem ich es sage, fühle ich etwas wie den Einstich einer Injektionsnadel. Mein Gewissen sendet Alarmsignale. Was ist denn? Hatte ich falsch

reagiert? Muß ich schärfer aufmerken auf das mir Gesagte? Wir wollen sehen. Gibt es etwas, was nur einen einzigen ganz allein angeht?
Ich schlage auf meinen Tisch, und eine Fensterscheibe antwortet mit Klirren, zwei Gläser im Schrank klingen aneinander, eine Gitarrensaite vibriert leise, eine welke Blume läßt ihre Blätter fallen, ein Vogel auf dem Fenstersims fliegt erschrocken auf, streift im Abfliegen einen Zweig, eine Katze wird aufgeweckt und läuft weg... Und der Tisch selbst, hat er sich nicht verändert? Meine Hand, die ihn schlug, ist leicht gerötet und erwärmt. Und dem geschlagenen Tisch sollte gar nichts geschehen sein? Das ist physikalisch rein unmöglich. Indem ich auf ihn schlug, ließ ich seine Atome tanzen und in den Atomen die Neutronen und was da sonst an kleinen und kleinsten Partikeln der Materie lebt und sich bewegt. Ich habe den Tisch zum Vibrieren gebracht, er schwingt, und er gibt die Schwingungen weiter, er teilt sie allem mit, was im Raum ist, er sendet sie hinaus in die Landschaft, die Luft gibt sie weiter – wo ist die Grenze? Schwächer und schwächer werdend, bleiben sie dennoch da, und tausend Kilometer weit registriert irgend etwas meinen Schlag auf den Tisch. Gäbe es eine Richter-Skala nicht nur für Erdbeben großen Stiles, sondern für die leisen Beben, die wir verursachen auf unsrer Erde bis hinaus ins Universum, – mein Schlag würde die Nadel erzittern lassen.
Ich war vierzehn Jahre alt, als ich im Deutschen Museum in München zum ersten Mal in der Abteilung Mechanik jene einfache Apparatur sah, welche die Fortpflanzung der Bewegung demonstriert: Metallkugeln, mit Fäden an einem Galgen aufgehängt; berührte man die erste, so schlug sie an die zweite, die zweite schlug an die dritte und so fort, und die Bewegung war schlangengleich: die Wellenbewegung war sichtbar. Für mich war diese simple Apparatur eine Offenbarung, und ich verstand nicht, warum die andern aus meiner Klasse nicht ebenso bestürzt waren wie ich, die ich erkannte, daß alles Geschehen Folgen hatte, nicht aufzuhalten, einem strengen Gesetz gehorchend.
»Das ist Ihre Sache.« Nein: es gibt keine Sache, die nicht aufs Ganze ginge. Ich bins, die das Universum verändert durch mein Tun und mein Denken. Ich sende und empfange Wellen. Ich habe Verantwortung für ALLES. Alle haben Verantwortung für alles, auch für mich. Da gibts keine Ausflüchte. Es gibt nur gemeinsame Verantwortung.
Und der leise Summton eines Zenmeisters läßt weit weg ein Glas zerspringen.

Auf der Auto-Fahrt Rom–München. Wie oft bin ich diese Strecke nun gefahren in den letzten zwanzig Jahren? Ich fahre sie gern, ich fahre sie am liebsten allein, ich mag gern schweigen und schauen. Was geschieht mir aber in der Po-Ebene? Kaum liegt Modena hinter mir, nimmt etwas Besitz von mir: ein durchdringendes Heimatgefühl, ein Heimweh, eine schwere Traurigkeit, eine Lähmung, mein Blut fließt langsamer, und eigentlich habe ich keine Lust mehr weiterzufahren. Möchte ich bleiben? Das auch nicht, denn diese Landschaft tut mir weh. Ganz gleich, ob sie im Herbstnebel liegt oder im Sommer-Mittagsdunst oder im flachen Märzlicht, sie strömt mir Bitterkeit zu, eine müde, ergebene, bittere Schwermut. Was ist denn? Ich habe hier nie gelebt, aber ich erinnere mich an Erlebtes. Wann war ich hier? In welchem Leben? Wann habe ich in einem dieser langhingestreckten Gutshöfe gewohnt, wann bin ich in einem dieser alten, feuchten Gärten umhergegangen, die hinter bemoosten hohen Mauern liegen, wann saß ich im Schilf an einem dieser dunkelgrünen Kanäle, die unendlich träge dahinrinnen? Was habe ich hier erlebt? Nichts. Das ist es: nichts. Eine Liebesgeschichte, eine einseitige, ereignislose, der Geliebte wußte nichts von meiner Liebe, er ging fort, ich blieb, wurde still und stumm, wurde eine alte Jungfer und saß Jahr um Jahr am Kanal, der langsam verschilfte und versumpfte, und allmählich wurde meine Trauer weiträumig und namenlos und ewig... Hier warte ich auf mich, und wenn ich mit dem Auto durchfahre, stehe ich langsam auf und winke mir zu.
Als ich Pasolinis ›Teorema‹ sah, erinnerte ich mich: ja, da, wo die alte heilige Magd sitzt in diesem staubigen nackten Bauernhof, bei den Brennesseln, da war ich auch einmal.

Der Sieg der Maus. Eine (imaginierte) Maus in der Gitterfalle, sie rennt unablässig hin und her, versucht auszubrechen, sich zwischen den Stäben durchzuzwängen, das Eisen zu zernagen. Wie, wenn sie sich ruhig hinlegte, den Speck fräße und darauf hoffte, daß die Zeit das Problem löste? Ich habe als Kind viele solcher Mausprobleme gelöst: ich trug die Falle in den Garten und ließ die Maus laufen.
Und ein Mensch, was tut der in der Gitterfalle? Wie, wenn er die Gitter ignorierte? Sie sind nur da, wenn man ihnen erlaubt, dazusein. Sie verschwinden, spricht man ihnen Wirklichkeit ab. Isang Yun im Gefängnis, er vergaß den Kerker, er hörte Musik über sich, in sich, er schrieb sie auf, er war frei.

Nachtrag 1978. Gestern abend die beiden Focolarini, die von der jungen Pauline erzählten, welche Bindegewebs-Krebs hatte und unheilbar dahinstarb, bis ihr buchstäblich der Bauch aufplatzte und das verweste Innere aufzeigte: Pauline, furchtbar leidend, geistig ganz heil und präsent, scherzte zwischen den Würge-Anfällen mit ihren Freunden. Die beiden, die Zeugen waren bei ihrem Tod, sagen: Sie zersprang vor Liebe. Die Maus, die ihre Falle ganz zunichte machte.

Zwei Kavaliere. In Michael Endes Garten kommt, über den Zaun springend, häufig ein Nachbarshund, einer jener stämmigen sandfarbenen Mischlinge, die keiner Rasse gleichen und schon fast selber eine neue sind. Michael scheucht ihn jedesmal »mit harten Worten«, wie er sagt, hinaus. Eines Tages kommt der Hund wieder, dieses Mal mit einer der streunenden Hündinnen. Offenbar will er sie glauben machen, dieser Garten gehöre zu seinem Revier. Er geht angeberisch mit ihr herum und markiert die Grenzen, ein hochstaplerisches Benehmen ist das, und er weiß es auch, denn er schielt dabei nach Michael, schlechten Gewissens, aber auch werbend komplizenhaft. Michael, selber Mann und Männchen, versteht: »Bitte, spiel jetzt mit, blamier mich nicht, Du siehst, ich will dem Mädchen da imponieren, nicht wahr, du verstehst, von Mann zu Mann?« Michael zieht sich diskret zurück. Da kommt der Rüde zurück und leckt ihm die Hand.

Schicksalsdrohung. Eine Frau erzählt mir, wer der Vater ihres unehelichen Sohnes ist, der vor kurzem wegen Teilnahme an einer Entführung verurteilt wurde vor dem Jugendgericht. Der uneheliche Vater ist Jugendrichter. Das Schicksal erspart es ihm, den eigenen Sohn verurteilen zu müssen. Er weiß nicht einmal etwas davon, er hat keine Verbindung zu ihm. Ich denke mir aus, wie das wäre: ein Jugendrichter muß einen jungen Menschen wegen Mordes verurteilen. Bei der Verhandlung ergibt es sich, daß er die Mutter des Jungen sieht und erkennt. Er hat sie einst verführt und dann verlassen. Sie gab das Kind in ein Heim. Das Heimkind wurde kriminell. Der Junge mordete. Schuld des Vaters, des Richters.
Möglichkeiten: die Mutter erklärt öffentlich: Dieser da, der Herr Richter, ist sein Vater, sperrt ihn ein, nicht den Sohn!
Oder: sie schweigt und sieht ihn an, er kann den Sohn nicht

verurteilen, er erklärt den Grund, er demütigt sich, wird aber dadurch groß. Er tritt zurück.
Oder: er erkennt die Mutter und versucht alles, um den Sohn zu retten.
Oder: die Mutter rächt sich jetzt, indem sie dem Sohn sagt, wer der Vater ist, und der Sohn schreit es dem Vater, dem Richter, ins Gesicht, der Richter verleugnet ihn zum zweitenmal, niemand traut dem ehrenwerten Herrn ein unehrenhaftes Verhalten zu, man hält die Aussage des vorbelasteten Jungen für eine Hysterie oder die platte Machenschaft eines jungen Radikalen.
Oder: die Mutter erpreßt den Richter zu einem falschen Urteil, zur Fälschung eines Dokuments. Sehr schmutzige Geschichte.
Oder: die Tragödie begibt sich nur innerlich, es ist eine wortlose Hölle, sie geht nur den Richter-Vater und die Mutter an, der Sohn ahnt nichts davon. (Aber das könnte man nur im Film zeigen: einem fast stummen Film.)
Oder auch: die uneheliche Mutter geht zur Frau des Richters und sagt ihr, wen ihr Mann verurteilen wird. Die Frau bewegt ihn dazu, unter einem Vorwand diese Verhandlung nicht zu übernehmen.
(Vermutlich ergäbe sich eine ganz andre Lösung, wenn ich die Geschichte wirklich schriebe.)
Wie ist das eigentlich: bezieht sich Jesu Wort »Richtet nicht . . .« auch auf den Richter-Beruf? Darf ein echter Christ richten? Wer da sagt, auch Gott sei ein Richter, der lebt in entsetzlich veralteten jüdisch-römischen Vorstellungen. Was ist Gerechtigkeit? Eine menschliche Anmaßung. Jesus hat nicht gerichtet: die unendlich schöne Geschichte von der Ehebrecherin, die gesteinigt werden soll. Jesus zeichnet im Sand.
Ihre Schuld ist in den Sand geschrieben, in Sand und Wind. Wer von euch ohne Sünde ist, der werfe den ersten Stein! Der Schuldlose sei Richter, kein andrer. Jesus richtete nicht, er verstand und liebte und vergab.

Kochrezepte. Jemand Freundliches schickte mir ein neu erschienenes Kochbuch: Leckerbissen aus aller Welt. Ich schlage es auf, wie es sich gerade trifft:
»Einfaches Abendessen aus Frankreich: Rebhuhn mit Orange, Kartoffelpüree, Endivien auf flämische Art, Lothringer Auflauf (Speckbröckchen, Parmesan gerieben, Rahm, Eier, in kleinen Förmchen überbacken), geflammte Feigen (mit einem Teil Cognac

und zwei Teilen Curaçao übergossen, bei Tisch entzündet), Kaffee.«
Menü auf unsrer Lepra-Insel:
Suppe aus selbstgesammelten Seemuschelchen, Reis, Bananen aus der eigenen Plantage.
Menü in einem armen süditalienischen Kloster (wo ich einige Zeit war, um die Kloster-Kriegs-Chronik zu lesen für meine Erzählung ›Geh fort wenn du kannst‹):
Gemüsesuppe mit Nudeln, Brot.
Tägliches Essen der Arbeiter in dem Torfstecherdorf, in dem ich 1936 Lehrerin war:
Semmelknödel mit Sauerkraut, am Sonntag mit einer Speckschwarte gekocht.
Tägliches Essen im Gefängnis 1944/45:
Dünne Gulaschsuppe mit Fleischfasern, zwei oft schlechte Kartoffeln. (Hatte ich Küchenputzdienst, fischte ich mir aus dem Abfalleimer die Reste vom Essen des Wachpersonals: Zwiebelschalen, Salatblätter, Knochen.)
Franziskus von Assisi ging betteln mit einer Eßschale, in die er sich alles zusammenschütten ließ, was man ihm gab. Daheim, im reichen Haus seiner Eltern, konnte er das Menü aus Frankreich haben.

Während der »Eranos«-Tagung 1975 (C. G. Jung hat vor Jahrzehnten diese Tagung initiiert) ist die Rede von der Rolle der Musik in Träumen. Ich erinnere mich nicht, je Musik geträumt zu haben, obgleich mir das sehr naheliegend schiene bei meiner lebenslangen Beschäftigung mit Musik. Natürlich (das ist die Logik des Unbewußten) träume ich in der Nacht darauf Folgendes:
Vor mir steht ein schwarzer Radio-Empfänger mit einem runden Schalloch. Der Apparat ist mit einem Kabel an einer Steckdose angeschlossen. Ich höre Musik, kann aber nicht herausfinden, was für eine Art Musik das ist, es (ES, nicht SIE, die Musik) fließt so dahin, ich höre das nicht mit den Ohren, ich erfahre es als Musik, abstrakt und doch sinnlich wahrnehmbar. Es stört mich aber schließlich. Ein älterer dunkler Mann zieht das Kabel heraus. Doch die »Musik« geht einfach weiter. Aber der Apparat hat keine Batterie, und ich weiß schon im Traum nicht, wie es möglich ist, daß er weiter Musik überträgt.
In der nächsten Nacht bin ich in einem kultischen Raum, einer Art

Kirche, die aber doch keine ist, zusammen mit Leuten, unter denen sind sieben kleine Mädchen, alle gleich gekleidet: sie tragen Kleider, die aber nur Umhänge sind, ärmellos, bis zum Boden reichend, so daß die Kinder eher wie Glocken aussehen, die fußlos auf dem Boden stehen. Die Kleider sind rot mit weißen Tupfen und haben weiße Krägelchen. Die Kinder sind aufgestellt wie Orgelpfeifen, der Größe nach. Sie kümmern sich scheinbar nicht um mich, aber plötzlich spuckt das kleinste oder zweitkleinste nach mir, recht unartig. Da zeigt sich eine ältere Frau in Dunkelblau, vielleicht die Mutter der Mädchen, und verweist der Kleinen die Unart. Da sehe ich, daß ich auf einem roten Teppich stehe, einem Gebetsteppich. Ich habe einen zusammengeklappten Liegestuhl in der linken Hand, das Gestell ist aus silbrigem Metall, ich habe den Eindruck, eher einen silbernen Speer zu tragen. Ich will den Liegestuhl aufklappen, um mich auszuruhen. Da höre ich Musik, ich höre sie mit den Ohren auch, aber sehr leise, von sehr weit her, so leise, daß ich mich nicht bewegen darf, um sie nicht aus dem Ohr zu verlieren. Es ist eine wirkliche, mit den Ohren zu hörende Musik, Instrumental- und Vokalmusik gleicherweise, und dann erhebt sich eine Solostimme, und ich höre klar die Worte: Et incarnatus est. Die schönste Musik, die ich je hörte.
Ich erzähle Aniela Jaffé (Mitarbeiterin und Biographin von C.G. Jung) die Träume. Der erste Traum sei leicht zu deuten, sagt sie: ich sei mit dem Stromnetz (des Lebens der Mitmenschen) verbunden, aber es sei mir denn doch zuviel, das alles mitzuerleben, ich will die Verbindung abreißen lassen. Vergeblich. Es gebe aber noch eine andere Deutung, die müsse sich mir nach und nach erschließen. Der zweite Traum sei wunderschön. Mir ist schon selber klar, daß die sieben Kinder die sieben Planeten sind. Einer spuckt nach mir, ein kleiner. Die dunkelblaue Mutter ist mächtiger: Saturn. Er verweist der Kleinen die Unart, denn er selber regiert mich, nur er darf sichs erlauben, mich zu prüfen und zu läutern. Keine Deutung nötig hat die Musik von oben, und die Worte bedeuten, was sie sagen.
Nachtrag: daß ich auf einem kleinen roten Gebetsteppich stehe und dort mich in einem Liegestuhl niederlassen, dort ausruhen möchte, daß sich der Liegestuhl aber als silberner Speer entpuppt und daß von Niederlassen und Ausruhen keine Rede sein kann, das ist mir klar und nicht unwillkommen jetzt beim Nachdenken. Daß ich STATT DESSEN die Musik höre und die Urworte von der Inkarnation des Wortes, das ist eine Offenbarung. Daß der strenge Regent

meines Lebens, Saturn, sich als blaue Mutter erweist und mich schützt, ist hoher Trost.
Wenn doch die Menschen ihre Träume zu verstehen lernten, wieviel Weisung käme ihnen von dort zu.

1975

Indonesien, Jogjakarta. Jeden Nachmittag um drei Uhr ist eine Vorstellung im Schattentheater. Das Haus, mit dem hochgiebeligen geschweiften Dach auf hölzernen Säulen, ist nach allen Seiten hin offen. Das ist gut für die vielen Zaungäste am Hofgitter: die Frauen mit den Säuglingen im Arm, die Gassenjungen, die Halbwüchsigen. Alle warten überaus gesittet. Die Gamelan-Orchester-Spieler sitzen schon bereit auf dem Boden in althergebrachter Ordnung, vor ihren Metallophonen, großen und kleinen Gongs, Trommeln, Glockenspielen, Klangstäben. Lauter Männer. In ihrer Mitte, etwas erhöht, die einzige Frau: die Sängerin. Vor der großen Leinwand der Puppenspieler, der die schönen alten Lederfiguren an ihren Stäben bewegt und der auch den Text spricht, den uralt überlieferten, von ihm (der ein moderner Dichter ist) leicht redigiert, modernisiert, wie er mir nachher sagt. Vor Spielbeginn sind acht Zuschauer da. Ich denke: Wenn nicht mehr kommen, spielen die doch nicht. Punkt drei beginnt das Spiel. Ich weiß jetzt: sie würden spielen, auch wenn kein einziger Zuschauer da säße, und sie würden nicht anders, nicht besser spielen, säßen Tausende vor ihnen. Für wen spielen sie? Für das Spiel, wofür sonst? Ich erkenne: das ist Kunst, und so muß Kunst gemacht und ausgeübt werden, und nichts anderes ist Kunst als das, was so entsteht.
Mir fällt die Umfrage des Piper-Verlags ein: man riß Stücke aus zeitgenössischen Dichtwerken und legte sie unvorbereiteten Arbeitern vor und provozierte sie mit der Frage: »Für wen schreibt denn der oder die?« End-Urteil des Befragers: Wer nicht für den Arbeiter schreibt, hat keinen Platz in der heutigen Gesellschaft. Irrtum, Torheit. Aber: bin ich nicht selbst eine engagierte Schriftstellerin? Ja, schon. Aber: ich weiß, wann ich und womit ich dem strengen Gott diene und wann und warum und wozu ich ausbreche aus diesem Dienst. Aber es ist immer ein bewußter Ausbruch aus dem andern. Ich mache mir da, so sozial und sozialistisch ich bin, nichts vor: zuerst kommt mir die Kunst.

Bangkok. Wir haben das ja auch im Westen: mitten im Großstadtbetrieb die Kirchen, in die man eintreten, in denen man ausruhen und »zu sich kommen« kann. Aber das hier ist doch anders: keine Kirche, kein Tempel, sondern ein kleiner freier Platz an einer großen, lauten Straßenkreuzung, eine Steinsäule nur, ein Gott mit vier Gesichtern, für jede Himmelsrichtung eines, ein Hindu-Heiligtum, dachlos, wandlos ins Grenzenlose gestellt, allen offen, ohne Anspruch auf einen Sakralraum, ohne Trennung von Profanem und Heiligem, diese Trennung wird nicht anerkannt, warum: weil sie nicht existiert, alles ist heilig, und dieses Tempelchen ist nichts als eine Pause in der flutenden Musik des täglichen Lebens und aller Zeiten. Ohne Unterlaß kommen Beter, alte und junge, Frauen und Männer, sie bringen Blütengirlanden und behängen den Säulensockel damit, ein ganzer Blumenhügel ist aufgehäuft und welkt dahin in der dichten Wärme, auch Licht- und Räucheropfer werden dargebracht, und die Beter versinken in Meditation, als sei ringsum nicht der wüste Lärm einer orientalischen Riesenstadt, sondern die Stille eines Bergklosters.
Kein kirchliches Sonntags- oder Sabbat-Gebot ist über ihnen, kein Dogmensystem bemächtigt sich ihrer frommen Vorstellungen, keine Kirche droht mit Ausschluß bei Nichterfüllung der Gebote. Der Hindu bedarf all dessen nicht: er ruht im Einen Göttlichen, das ihn durchströmt, wie es alles durchströmt. Für einen Hindu ist es unmöglich, Atheist zu sein oder Häretiker. Das Göttliche (sei es »Purusha«, das EINE, oder sei es in tausend Göttergestalten) ist ihm so unleugbar wirklich wie die Atemluft.
Nicht in Lourdes, nicht einmal in Assisi habe ich die göttliche Gegenwart so stark gefühlt wie in diesem Straßentempelchen.

Bali, Trauminsel. Eigentlich ungewollter Aufenthalt. Wir kommen von Bangkok und wollen zur Insel Flores und von dort, per Schiff, weiter zu »unsrer« Lepra-Insel. Das Flugzeug fliegt nach Australien, bis dorthin ists nicht mehr weit, ein paar Stunden. Wir müssen auf Bali warten, bis unser kleines Flugzeug kommt. Und wann kommt es, wann fliegt es ab? Sanftes Kopfschütteln. Wer weiß das? Es wird kommen, es wird abfliegen, irgendwann. Ist es so wichtig, das zu wissen? Ist es nicht schön auf Bali? Warum abreisen?
Es ist schön, ja. Es ist zu schön. Es ist exzessiv und narkotisierend schön. Es ist schwirrend voll von lasziver Magie, in den sanften Hinduismus hineingemischt. Bali ist nicht buddhistisch, es ist fast

rein hinduistisch. Die Hindus kamen einmal auf der Flucht aus Indien hier an, ich weiß nicht mehr auf der Flucht vor wem: vor den Moslems vermutlich. Das übrige Indonesien ist beinahe rein mohammedanisch. Man spürt auf Bali Anwesenheiten göttlicher Abkunft, jedoch sind sie zurückgesunken ins Reich der Elementargeister und wollüstig verdorben. Aber schön. Es ist gefährlich, auf Bali zu leben lange Zeit, scheint mir. Schon beginne ich gleichgültig zu werden gegen Lepra und Armut. Was gehts mich an. Alles bleibt immer beim Alten ... Der süße Wohlgeruch fremder Blüten vor den tausend Tempelchen schläfert das europäisch christliche Gewissen ein. Wir müssen uns zur Ordnung rufen, den Gegengeist provozieren, an unsre Arbeit denken. Wir telefonieren den Bischof Theysen an, den Holländer, der dort residiert. Er will zu uns kommen, er ist sehr höflich. Er kommt, schön anzusehen in der langen weißen durchgeknöpften Soutane. Ein gutes Gesicht, in den Augen schon die sanfte Weisheit der Eingeborenen. Von ihm erfahren wir, was nicht in den Reiseprospekten steht und nie stehen wird: daß hinter dem Luxus-Streifen am Strand und hinter den für die Fremden verschönten Dörfern ein anderes Bali liegt, ein armes Bali voller Lepröser und, mehr noch, Tuberkulöser. Der Lepra wird man Herr, denn die sieht man. Aber die Tuberkulose, die sieht man nicht, an der stirbt man ganz unvermerkt lautlos dahin. Die Buben und Mädchen, die in den Goldschmiede-Werkstätten, über die Tischchen gebeugt, dünne Goldfäden zu Filigranbroschen drehen und, fast in der alten Etruskerart, Goldpünktchen auf Goldplättchen setzen, die sind tuberkulös. Wenn sie rechtzeitig untersucht werden, kann man sie heilen. WENN. Es gibt ein neues Gesundheitsprogramm, das sieht Massen-Untersuchungen vor, ja, aber es gibt zuwenig Ärzte. (Warum gehen eigentlich unsre zu vielen Mediziner nicht in solche Länder?) Und es gibt zuwenig Geld. (Das also ist der Grund.) Aber Indonesien ist ein reiches Land, es schwimmt buchstäblich im eigenen Öl, das Meer ist voller Bohrtürme, Ja, schon, aber der Reichtum, der bleibt auf Java. Die andern dreizehntausend Inselchen, die merken davon nichts. (Wir werden es dann sehen, auf Flores und Lembata.) Es sind die europäischen Christen, die Geld schicken über »Misereor« und das »Aussätzigen-Hilfswerk«.

DAS ist Bali. DAS wissen die reichen Ausländer in den Luxushotels nicht. Sie wollen es nicht wissen, sowenig die Millionäre in den Villen am Strand von Florida wissen wollen, daß es ein paar Kilometer landeinwärts Slums gibt. Und sowenig es die Kölner von Marienburg wissen wollen, daß es eine Obdachlosensiedlung

in Köln gibt. Und die Münchner in Harlaching und Solln, die wissen auch nichts von der Misere des Hasenbergl. Und die Rom-Pilger wissen nichts von der Armseligkeit der Malavita an der Prenestina. So sind wir, wir Christen.
Ich bin froh, daß wir bald abreisen. Schon am dritten Wartetag werden wir vom Hotelboy gerufen. Das Flugzeug ist da.

Passion auf Flores. Wir müssen warten, bis einmal ein Schiff anlegt, das uns zu unsrer Lepra-Insel bringt. Wir verbringen die Tage in der Missionsstation der Benediktinerinnen in Larantuka, der kleinen Hafenstadt.
Palmsonntag. Am Nachmittag ist ganz Larantuka auf den Beinen zum großen Sportstadion. Aber kein Fußballspiel findet dort statt, sondern: die Einheimischen spielen die Passion Jesu Christi. Moslems, Heiden, Christen spielen. Die Sache geht sie alle an. Dieser Jesus war armer Leute Kind und wurde gefoltert und umgebracht, weil er auf der Seite der Armen und Unterdrückten stand. Er ist ganz einer der Ihren. Daß er vor zweitausend Jahren lebte und litt, was für einen Unterschied macht das? Hätte er 1966 in Indonesien gelebt, wäre ihm das gleiche geschehen: er wäre Kommunist gewesen und von Präsident Suhartos Soldaten gefoltert, eingesperrt und ermordet worden. Als die Soldaten, die Spieler, auf Jesus einschlagen, brechen die Frauen in lautes Wehgeschrei aus: es ist ihr Mann, ihr Sohn, ihr Bruder, ihr Vater, der da geschlagen wird. Das liegt wenige Jahre zurück. Die Erinnerung ist ganz frisch. Jesus ist ein braunhäutiger, schwarzhaariger junger Mann, schmächtig von Gestalt. Als sie ihn ans Kreuz binden, stürzt eine Gruppe von Frauen und Kindern schreiend ins Stadion, ihn zu retten. Man führt sie mit sanfter Gewalt auf die Plätze zurück, dort weinen sie laut weiter. Sie weinen um ihre eigenen Toten, für die dieser eine, dieser Jesus, gestorben ist, ohne verhindern zu können, daß nach seinem Tod (ach, und auch in seinem Namen, wir wissens) Millionen andrer gefoltert und getötet werden. Als der braunhäutige Jesus im Sportstadion stirbt, da geht zuerst ein großes Seufzen durch die Reihen, dann erhebt sich die uralte Totenklage. Ich denke an Oberammergau: Als ich ein Kind war und zum erstenmal das Passionsspiel sah, schrie ich auf, als Jesus gegeißelt wurde. »Sie haben Jesus geschlagen«, rief ich, und meine Eltern mußten mich hinausführen. Später, sooft ich es sah, machte es keinen Eindruck mehr auf mich, Routine, Geschäft, Touristik ersticken das Spiel. Hier in Indonesien erlebte ich meinen Kinder-

schmerz wieder: »Sie schlagen Jesus!« Der braunhäutige Jesus bricht nachher vor Erschöpfung zusammen. Man hat ihn im Spieleifer wirklich geschlagen, und ein bißchen zu stark.

Karfreitag 1974, auf der Insel Flores, Indonesien. Früher Morgen. Ich stehe auf der Terrasse des kleinen Gästehauses der Missionsstation Watublapi. Palmenwälder, Bananensträucher, junges Grün nach der langen Regenzeit, und tief unten das Meer, Südsee, reglos, veilchenblau, winzige Fischerboote darauf. Stille. Angehaltener Atem. Jetzt geht die Sonne auf. Die Luft, rasch erwärmt, bewegt sich, ein leichter Wind, Aufwind, raschelt in den Bananenblättern, läuft durchs hohe Gras bergauf und streicht wieder ab. Stille. Und wieder der Wind. Ausatmen, einatmen. Stille ... Der Morgen nimmt mich in sich hinein, ich atme mit ihm, in ihm, ich bin nichts außer diesem Atem.
Die Sonne steigt rasch, der Tag ist nicht aufzuhalten. Jetzt tauchen zwischen den Sträuchern Farben auf und wieder unter, auf und unter: ein dunkles Violett, goldgelb durchwirkt, und ein stumpfes Weinrot mit Erdbraun: die Sarongs der Eingeborenen; schwarzbraune Augen glänzen im Laub, schwarze Haare glänzen, hohe braune Backenknochen spiegeln flüchtig die Morgensonne, ein lautloses Spiel von Schatten, Farben, Licht. Die nackten Füße gehen unhörbar auf den schmalen Pfaden, die noch vor wenigen Tagen Schlammbäche waren, von der Regenzeit her, noch sind sie im tiefen Schatten feucht. Wohin gehen die Leute alle so früh am Morgen, so schweigend, einer hinter dem andern, bergauf? Zur Kirche, zur Osterbeichte, sie nehmen es ernst damit, sie kommen alle. Sie sind Christen, sie haben es bewiesen: tausend Jahre und länger galt bei ihnen Blutrache als heiliges Recht, als heilige Pflicht. 1966 sind hier achthundert Leute ermordet worden während Suhartos Jagd auf Kommunisten. Nach dem Putsch war es selbstverständlich, daß die Hinterbliebenen ihrerseits nun Jagd machten auf die Mörder. Aber sie waren Christen, und Christen dürfen nicht töten, Christen müssen ihre Feinde schonen. Das schien eine unmögliche Forderung. Daran, so fürchtete Pater Bollen, der deutsche Missionar, würde alles scheitern. Er rief seine Gemeinden zusammen und sagte ihnen, nun sei der große Augenblick der Bewährung gekommen, nun würde sich zeigen, ob sie wirklich Christen seien: die Kette der Gewalttaten müsse abgerissen werden; wären sie dazu nicht fähig, müßte er resignieren und fortgehen. Sie hörten sich die Rede an und gingen schweigend

weg. Lange kamen sie nicht wieder. Der Missionar war darauf gefaßt, daß das uralte Gesetz der Blutrache stärker sei als das (soviel härtere) der christlichen Verzeihung und »Feindesliebe«. Eines Morgens kamen sie, einer nach dem andern, bis sie alle versammelt waren, und dann sagte der Sprecher, es sei beschlossen: keine Rache. das Wunder hatte sich ereignet. Es IST ein Wunder, denn: das Gesetz der Blutrache ist »heilig«, und zudem: diese Inselbewohner, so sanft sie erscheinen und so ergeben in ihr Geschick, sind zu wildem Zorn fähig und zu ganz unberechenbaren Ausbrüchen. Auch ist die Zone zwischen Bewußtsein und Unbewußtheit viel schmaler als bei uns, die wir gelernt haben, vieles zu verdrängen. Und heute, am Karfreitagmorgen, kommen sie, um zu beichten. In langen Reihen stehen sie geduldig Stunde um Stunde vor den beiden Beichtstühlen, und die beiden Missionare hören sich an, wessen sich diese armen, geplagten Menschen anklagen. »Es ist nichts«, sagt Pater Bollen und lächelt.

Szenen von einer indonesischen Lepra-Insel. Was tut man, wenn man, unvorbereitet darauf, bemerkt, daß die braunen Hände, die sich einem zur Begrüßung entgegenstrecken, Hände von Lepra-Kranken sind? Verbundene Hände, verkrüppelte, zu Krallen eingezogene, Hände ohne Finger, nur mehr Handflächen mit Stümpfchen, Hände, die sich wie Holz anfühlen, wie verholzte Wurzeln, die einen so heftig packen, daß es schmerzt? Und was tut man, wenn einem Lepröse die Hand küssen mit wulstig deformierten Lippen, mit knotigen Gesichtern, »Löwengesichtern«?
Hätte mir vorher jemand gesagt, daß mich Leprakranke berühren würden, hätte ich wohl falsch reagiert: entweder hätte ich die Berührung vermieden, oder ich hätte mich sentimental-opferbereit und von oben herab darauf eingestellt. So aber kams überraschend, und ich hatte keine Zeit, falsch zu fühlen und falsch zu handeln: ich nahm die Hände ganz normal und freute mich über die Herzlichkeit. Allerdings täuschte ich mich ein wenig: der allzu heftige Druck bei einigen war nicht Zeichen besondrer Liebe, sondern Folge der Krankheit: bei vielen sind die Nerven der Hand teilweise gelähmt, und sie verloren die Tiefensensibilität. So können die Kranken nicht abschätzen, wieviel Kraft sie anwenden müssen, um eine Sache zu greifen und zu halten. Daß uns einige Männer und Frauen die Hand küssen, das allein stört mich, nicht die Lepra. Es ist ein Überbleibsel aus der Zeit der portugiesischen

Kolonialherrschaft, damals mußten die Eingeborenen die Hände der weißen Herren küssen.
Gisela, die aus der DDR stammende zweite Leiterin des Leprosariums, sagt, diese ersten Augenblicke bei der Ankunft eines Fremden entscheiden über die Beziehung der Kranken zu ihm. Sie sind ungemein sensibel: bemerken sie ein Zurückzucken oder eine zu große Herablassung und eine mühsame Beherrschung von Angst oder Ekel, ist die Beziehung von vornherein gestört, und der Fehler ist nie wiedergutzumachen. Wir hatten das Glück, angenommen zu werden. Wir waren bald Glieder der Familie, und das blieb so. Wir bekommen immer noch Briefe von Gisela und Isabella und von einigen Kranken (übersetzt aus dem Indonesischen von Gisela). Wir sind auf dem laufenden darüber, wer einen Rückfall hatte, wer starb, wer geheilt ist, was aus den Kindern wird, wie der neue Arzt sich anläßt und welchen Schaden der Ausbruch des Vulkans auf der Nachbarinsel machte, ob die Wildschweine wieder so gefährlich sind wie damals, und wie hoch die Kokospalmen, damals gepflanzt, schon sind. Diese Berichte machen mir Heimweh.
Nachtrag 1977. Heute ein Brief von Raffael, meinem Liebling: ein schöner junger Mann, das Schönste an ihm seine Hände, lange feingliedrige, ohne jedes Zeichen der Lepra, wie überhaupt der ganze Mensch nicht wie ein Lepröser aussieht, obwohl er der am schwersten Kranke ist: sein ganzes Nervensystem ist angegriffen, er hat ununterbrochen Schmerzen, er spricht auf kein Mittel an, bald, so fürchtet man, wird er ein Krüppel sein, und die schönen Hände werden Krallen sein und nichts mehr fühlen und nichts mehr berühren können. Aber jetzt: mit dem vielen Geld, das mir meine Schweizer (Luzerner) Zuhörer bei den Predigten gaben (an die zehntausend Franken) wurden er und ein andrer, ehemaliger Lehrer, in Tangerang auf Java geheilt, Raffaels inzwischen schon deformierte Hände wurden operiert, man fand ein Mittel, auf das er ansprach, und er wurde, zusammen mit dem Lehrer, als Laborant ausgebildet, nun arbeiten beide in ihrem alten Leprosarium in wichtiger Stellung und sind glücklich.
Wie gern ginge ich auf die Insel zurück. Aber es ist weit. Wie weit denn? Man fliegt von Europa bis nach Singapore oder irgendeiner andren Stadt in der Nähe, dann fliegt man nach Jakarta, von da nach Bali, dort wartet man, bis irgendwann eines der kleinen Zwischen-Insel-Flugzeuge kommt, das kann zwei, drei, vier Tage dauern, dann fliegt man, tief über der grünblauen Südsee, fünf Stunden bis zur Insel Flores, dann wartet man am Flughafen

Maumère (er ist eine Steppenwiese mit einer Baracke), bis einen jemand von der Missionsstation abholt (bei uns klappte es lange nicht, die Nachricht war irrgelaufen), dann versucht man, einen Jeep mit einem zuverlässigen Fahrer zu heuern, und dann fährt man quer über die Insel, das sagt sich leicht, es ist ein Abenteuer, sehr beschwerlich, man fährt durch den Dschungel auf den Resten jener Straßen, die einmal von den Portugiesen angelegt worden sind, meist fährt man pfadlos zwischen Kokospalmen und Strauchwerk mit Lianen, und wenn ein Fluß kommt (es ist kurz nach der Regenzeit und die Bäche sind voll reißender Wasser), so gibts keine Brücke mehr, man fährt über das Geröllufer hinunter, durchs Wasser und drüben wieder hinauf, man fährt durch die Sümpfe, die noch nicht ausgetrocknet sind (es regnet sogar noch stundenweise), und der Jeep bleibt stecken, der unsre tats zweimal, und er blieb im Morast für Stunden, bis man Eingeborene holte, die ihn herauszogen, wir, Christoph und ich, saßen derweil in der feuchten Hitze, umschwirrt von Stechmücken, es gibt Moskitos, es ist Malariagebiet, und ergaben uns ins Schicksal, und irgendwie kommt man dann schon einmal auf der Missionsstation in Larantuka an, wir schafften es in der Rekordzeit von achtzehn Stunden für hundert Kilometer Strecke, dann wartet man in der kleinen Hafenstadt, bis eins der Inselschiffchen kommt, das kann drei, vier Tage dauern, und wenns schon voll ankommt, muß man Glück haben, mitgenommen zu werden, und dann fährt man, eingepfercht zwischen die Eingeborenen und ihr vieles Gepäck, fünf Stunden, dann ist man auf der Lepra-Insel. Wie lang das Ganze dauert, wer kanns vorher wissen? Das kürzeste und einzig Gewisse ist der Flug von Europa nach Jakarta, der dauert etwa zwanzig Stunden. Das Weitere dauert zwischen einer und drei Wochen. Jetzt, so schreibt Gisela, gibts einen Direktflug von Jakarta oder Surabaya nach Larantuka. Seit ich das weiß, ist mein Heimweh gewachsen. Was ists nur, das mir dies Heimweh macht? Wars nicht ungemein beschwerlich, dort zu sein? Die Tropenschwüle, nachts kein Schlaf, das Vorbeitraben, Grunzen und Scharren der Wildschweine, die Schlangengefahr, der Anblick der schwer deformierten Gesichter, der tiefen ausgefressenen Fleischwunden, der Gliederstümpfe, das schwermütige Gleichmaß der Tage, das Schreien des weißen Kakadus, das Gebell der herumschleichenden zwölf Hunde, das Zuschauen beim langsamen Sterben eines Mannes, das Abgetrenntsein von allem Vertrauten, und zuletzt die Unsicherheit, wann und wie wir wieder wegkommen würden, das Flugzeug, das uns holen sollte, kreiste lange über dem ehemaligen provisorischen Landeplatz, aber der Pilot wagte nicht zu landen, das war eine Conradsche Höllen-Vision: das rettende Flugzeug, das kreist und kreist und dann resigniert ohne uns abdreht und verschwindet ... Wars denn schön, das alles? Schön nicht, aber es war unmittelbares Leben, es war ein Leben ohne den Ballast der Zivilisation, es zeigte uns, wie wenig man braucht, um intensiv glücklich zu sein, auch wenn die Schwermut vieler Kranker anstekkend ist. Das wars: die künstlichen Mauern zwischen Mensch und Mensch, zwischen Mensch und Unglück, zwischen den Schicksalen, die gab es dort nicht. Das Leben war ohne Maske, hart auch und brutal (wenn die heißblütigen, sanft scheinenden Eingeborenen einen Wutausbruch hatten) und voller Zärtlichkeit, wenn man beisammensaß und sang, und heiter-wild, wenn man zusammen tanzte. (»Morgen haben sie alle einen Rückfall«, sagt Isabella beim Ostertanz, »aber was machts, laßt sie tanzen, heute abend sind sie glücklich.«)

Indonesisches Kinder-Schicksal. Auf unsrer Insel lebt im Leprosarium ein kräftiges hübsches Mädchen, Beth, elf Jahre alt. Sie lebt durch Zufall. Eigentlich sollte sie mit der toten Mutter zusammen begraben werden. Nichts Außergewöhnliches: damals (heute kommt es kaum mehr vor, aber wer weiß das so genau?) starben oft Frauen bei der Entbindung. Was sollte man mit dem Neugeborenen tun, das keine Muttermilch hatte? Säuglings-Nahrung gab es nicht, man versuchte höchstens, dem Kind vorgekauten Maisbrei in den Mund zu stopfen. Meist nahm es den nicht an und starb so vor sich hin. Wars da nicht barmherziger, so ein Würmchen mit der toten Mutter zu begraben? Ob es zehn oder zwei Tage lebte, was machte das aus? Man legte es der Mutter in den Arm, lag es da nicht gut? In der Erde würde es sofort ersticken und mit der Mutter zusammen ins Nichtsein eingehen oder ins Paradies der Mohammedaner oder in den Himmel der Christen oder der Reinkarnation entgegenschlafen. Der katholische Priester, der zur Beerdigung von Beths Mutter kam, sah, daß das kleine Skelettchen noch eine Spur von Leben zeigte. Er wagte es, gegen den Widerspruch der Verwandten, das Kind aus dem Arm der toten Mutter zu nehmen und es zur Leprastation zu tragen. Da legte ers der blonden deutschen Gisela in den Arm, und die pflegte es, und heute ist Beth groß und kräftig. Weiß sie etwas von ihrem Schicksal? Man hat es ihr erzählt. Manchmal steht sie da und starrt vor sich hin. So ein Trauma ist nicht wegzuwischen.

Auch wenn man es ihr verheimlicht hätte: es hat Spuren hinterlassen. Beth sucht sich selbst zu heilen: sie hat ihrerseits ein Kind zu retten, den kleinen Edi, uneheliches Kind einer Leprösen. Sie überschüttet es mit aller mütterlichen Liebe, die sie, trotz Giselas Wärme, entbehrt. Ein Kind, das an der Brust einer Toten zu trinken versucht, muß einen Urschrecken mitbekommen: die absolute Versagung des Lebensquells, das Erkalten der Erde, das Erlöschen der Sonne, die Ur-Verlassenheit. Irreparables Leid.

Nordspanien. Santiago. T. sagt, die Ordensfrauen von Sacré-Cœur laden mich zu einem Gespräch ein. Ich will nicht: die Klöster von Sacré-Cœur sind Institute reicher Leute zur Erziehung von Kindern reicher feiner Leute. Was gehts mich an? T. hört nicht auf, mich einzuladen. Das Kloster ist ein baufälliges Haus. In der Küche um den nackten Holztisch sitzen Frauen in Arbeitskleidung, essen trockenes Brot und trinken Tee aus henkellosen Tassen. Ältere und junge Frauen, gute Rasse meist, schöne Mädchen. Alles Töchter feiner reicher Leute, auch kastilischer Aristokratie. Vor einigen Jahren entschlossen sie sich zur Armut. Sie brachen alle finanziellen Brücken zu ihrer reichen, potenten Verwandtschaft ab und gründeten ein Heim für Mädchen, die vom Land in die städtischen Fabriken kommen. Mit denen leben sie. Unter den dunklen Spanierinnen eine große, schwere Blonde. Ihr Vater ist Bierbrauer, er kam aus Deutschland. Er mißbilligt scharf den »verrückten« Weg seiner Tochter. Sie erzählt mir: vor einiger Zeit trafen sich verschiedene spanische Frauenorden zu den üblichen frommen Exerzitien. Alles lief wie gewohnt. Plötzlich stand die Frage auf: Ist das, was wir tun, zulänglich und wirksam? Die Antwort: Es ist unzulänglich, es zählt nicht in der sozialen Realität. Was aber tun? Antwort: Wirkungsvoll arbeiten für Arbeiter kann man nur als politische Partei. Frage: Welche Partei kommt für Ordensfrauen in Frage? Antwort: Nur eine linke.
Aber hier fragen sie (noch) nicht weiter.

Mit den beiden Arbeiterpriestern in einem Dörfchen an der Nordgrenze Portugals. Es gibt ein Fest, 12. September, »Mariae Namen«. Viel Volk ist da, eine Musikband spielt, die Sonne scheint, aber heiter ist das alles nicht. Galizische Tristesse, so nah an der portugiesischen Grenze, wird zur düstern Spannung. In der Kirche eine Marienstatue im Samt- oder Seidenmantel, über und

über besteckt mit Geldscheinen, nicht unter fünfzig Pesetas, es sind aber viele Hunderter und auch Tausender dabei. Große Summen für ein armes Volk. Der eine der Arbeiterpriester fragt den Mesner, der die Madonna und ihr Geld bewacht: »Was tut die Madonna mit dem vielen Geld?« Der Mesner merkt die aggressive Ironie nicht, er antwortet ernsthaft: »Mit dem Geld wird das Fest bezahlt.« Aber was hat die Madonna mit dem Fest da draußen zu tun? »Aber das ist doch zu ihrer Ehre.« Aber, sagt der Arbeiterpriester, wäre es nicht besser, vor der Kirchentür ein hübsches Mädchen aufzustellen, das Geld sammelt? »Nein«, sagt der Mesner, »nein, die Madonna selber bekommt viel mehr.«
Er hat recht. Die Sache ist nämlich so: Der Mesner paßt scharf auf, wer was spendet, dann sagt ers dem Pfarrer. Bis vor kurzem wurden auf einer Tafel an der Tür Name und Spendenhöhe aufgezeichnet. Von der Höhe der Spende hängt das Ansehen des Spenders ab. »Ansehen« aber heißt: Teilhabe am Prestige der Kirche und damit Teilhabe an der realen politischen Macht. Getreues Abbild der gesamtspanischen Beziehung zwischen Kapital, Kirche und Franco-Regime. Das arme Volk aber: noch gehorcht es. Dem Staat gehorchend, glaubt es der Kirche, also Gott zu gehorchen.

Mit T. in einem Vorort von Santiago, einer ausgefransten tristen Zone zwischen Stadt und Land, nicht das eine, nicht das andre. Eine armselige Kirche, ein noch ärmerer Pfarrhof. Der Pfarrer haust in zwei Räumen mit seinen alten Eltern. Immer kommen junge Leute, die im Pfarrhof übernachten und essen. Wo schlafen sie, was essen sie in diesem Haus der Armut? Die Pfarrgemeinde: Proletariat, Arbeitslose, politisch gefährdete Linke. Der Pfarrer, A., ist sanft und gütig, ein Heiliger, sagen alle. Er ist einer der Arbeiterpriester, er ist »links«. Auf seine Kirchentür geschmiert:
Viva Cristo Rey.
No a los curas rojos.
No al clero progresista y traidor.
Es lebe Christus der König.
Nein zu den roten Priestern.
Nein zum fortschrittlichen und verräterischen Klerus.
In der Sakristei ein Plakat mit einem Foto: ein Missionar predigt Bauern und Arbeitern. Unterschrift: »El profeta es un delincuente donde impera la mentira.« »Der Prophet gilt als Verbrecher, wo die

Lüge herrscht.« Rechts und links aufgeklebte Zeitungsausschnitte: positive und negative Reaktion von seiten der offiziellen Kirche gegenüber den Linken. Wer scharf gegen die Arbeiterpriester schießt, das ist das »Opus Dei«, jene schreckliche Einrichtung der Franco hörigen spanischen Kirche: ein System von Schulen und sozialen Einrichtungen, in denen der junge spanische Klerus zum absoluten Gehorsam erzogen wird. Das Verbrechen der »roten Priester« besteht darin, daß sie dem Volk sagen: Der Sozialismus ist nicht der Feind des Christentums, sondern sein bester Mitarbeiter, denn beide wollen Friede, soziale Gerechtigkeit, Gleichheit, Menschlichkeit. A. gehört, wie viele Priester, zum »Movimiento Gallego«, das allen Parteien Raum gibt, außer der faschistischen. Gemeinsam ist ihnen auch der Kampf gegen den »Caciquismo«. Caciquen waren in der Zeit der überseeischen Kolonisation jene Männer, die sich kraft ihrer zupackenden Schlauheit zu regierungstreuen Unter-Autoritäten aufwarfen. Die Caciquen von heute sind die faschistischen Verbindungsmänner zur Regierung, eine Mischung aus Gestapo, CIA und »Bundesnachrichtendienst«, allmächtig, allgegenwärtig, willkürlich und brutal eingreifend.
A., der Priester, ist Realist, aber er ist es auf typisch galizische Art: Was ist, das ist, und wenn es schlecht ist, muß es sich ändern, und da es sich ändern muß, wird es sich ändern. A.s Hoffnung ist auf Felsen gebaut, sein Fels heißt: Christus.

Auf der galizischen Hochebene. Mit M. und T., zwei Ordensfrauen, in ihrem uralten »Seat«, der spanischen Version des Fiat 500, auf die Hochebene gefahren. Die Bergstraßen sind schier keine Straßen, eher Feldwege für Ochsenfuhrwerke. Das Dorf, das wir besuchen: ein auf die Erde geduckter Haufen von armseligen Häusern aus dem grauen Stein, den der Boden dort hergibt. In jedem Haus die gleiche Aufteilung, die gleiche Armut: der Stall mit zwei Kühen, daneben die Küche mit dem offenen Feuerherd, der Boden so schmutzig, daß ich ihn für die nackte Lehmerde halte; in einem Weidenkorb der Säugling (überall gibts einen Säugling) mitten im Rauch und Zugwind, mit zu großem Kopf und aufgetriebenem Bauch. Fliegen, Fliegen. An der Decke der Reichtum: ein paar Stücke luftgetrockneten Schweinefleischs und eine Kette harter geräucherter Würste. Wir werden zum Essen eingeladen, und wir können es nicht ausschlagen. Mich würgt es im Hals, und es ist nicht der Ekel, sondern der Jammer.

Im Obergeschoß zwei Holzverschläge direkt unterm Dach, mit je einem Bett ohne Bettwäsche, man hat keine, man schläft in den Arbeitskleidern unter schweren Pferdedecken, die nie gewaschen werden. Schränke gibt es nicht, man wirft alles auf einen Haufen und zieht daraus hervor, was man braucht, es ist wenig genug.
Sind die Leute so unordentlich? Die Leute? Es gibt nur Frauen im Dorf und kleine Kinder und uralte Männer und Krüppel und Schwachsinnige. Wo sind die Männer? Wo anders als in der Schweiz und in Deutschland: Gastarbeiter, Fremde, schief Angesehene, Isolierte. Kommen sie in Urlaub heim, machen sie der Frau ein Kind und sind betrunken dabei. An T.s Schulter gelehnt, heftig weinend, erzählt eine der Frauen: »Jaja, er war hier, mein Mann, er hat Geld heimgebracht, ja. Aber schau da hinüber, was siehst du, die neue Kantine. Der verfluchte Pepe, er verführt sie alle zum Trinken, auch den meinen hat er verführt, und das ganze Geld, Schwester Teresa, das ganze Geld ist weg, das Geld eines ganzen Jahres! Und hier fällt der Stall ein, und Marusca hat keine warme Jacke, und der Winter kommt, ich kann nicht mehr, ich arbeite mich zu Tod und nichts, nichts kommt dabei heraus.«
Nichts kommt dabei heraus. Bei einer so unrationellen Bewirtschaftung kann nichts herauskommen. Der Grundbesitz ist winzig und überdies zerstückt, hier ein Streifen Acker, dort ein dreieckiger Zipfel Wiese, weitab ein Feld, klein wie ein Vorgarten, und alles zehn, zwanzig Minuten auseinander. Man arbeitet mit uralten Pflügen und Hacken. Maschinen gibts hier nicht. Es ist schon sehr viel, wenn ein Dorf sich zusammentut und einen Traktor kauft. Warum macht man denn keine Planeinteilung, warum legt man die einzelnen Grundstücke nicht zusammen, warum bildet man keine Kooperativen wie bei uns in Italien? Unten in den Tälern fangen sie das an, aber hier oben, mein Gott, wer hat Lust und Zeit und Kraft zu so was, hier gibts ja noch nicht mal eine Wasserleitung. Und die Regierung? Ha, die Regierung. Die nimmt das Geld von den Gastarbeitern als Steuer und in die Banken, und nichts kommt dabei heraus. Galizien zählt wirtschaftlich nicht, und die Gallegos sind unbequem, nicht so schlimm wie die Basken und die Katalanen, aber unbequem genug.
M. führt mich ins Schulhaus, in dem sie einige Jahre Lehrerin war. Ich selber war ein paar Jahre Lehrerin und habe armselig gewohnt, besonders armselig in jenem Moordorf bei Rosenheim, das ich in ›Daniela‹ beschrieb. Aber so armselig hab ichs nie getroffen, wie es hier ist. Die Schule hat einen einzigen kleinen Raum mit uralten Pulten. Keine Bücher, keine Bilder, keine Lehrmittel, kein Ofen –

und es ist jetzt im September schon kalt hier oben. Ein Abort für alle im Freien. Das Zimmer der Lehrerin: ein Holzverschlag neben dem Schulzimmer, eher eine Gefängniszelle. »Ich war gern hier«, sagt M., Ordensfrau. Die Leute lieben sie. Auf der Straße laufen sie ihr nach und umarmen sie.

Fahrt über die Hochebene. Unbebautes Land weit hingestreckt, auf lange Strecken kein Dorf, kein Haus. Kriechender Ginster, buschhohes Heidekraut, einsame Granitblöcke. Im Sonnenschein am Morgen leuchten Ginster und Heidekraut bescheiden gold- und cyclamenfarben, rosa, lila, weinrot. Aber am Abend vor einem schiefergraublauen Regenhimmel ist das Leuchten heftig: das Ginstergelb wird schwefelfarben, das Weinrot tintenschwarz, das Lila blutrot. Aufruhr in der Tristesse. Schwarz in der Landschaft stehen steinerne Wegkreuze: auf einer Seite die Kreuzesszene mit Maria und Johannes, auf der andern Maria allein, die »Jungfrau der Ängste«. Der galizische Dichter Casteao schrieb über diese Cruceros: »Wo ein Steinkreuz ist, gab es eine Sünde, und jedes Steinkreuz ist ein Gebet, das die Vergebung des Himmels beschwor wegen der Reue dessen, der das Kreuz bezahlte, und wegen des tiefen Gefühls dessen, der es schuf.« Soviel Kreuze, so viele schwermütige Bekenntnisse menschlicher Schwäche, soviel Vertrauen in den großen Verzeihenden, soviel Credo zur wirklichen Wirklichkeit des Metaphysischen. In der Nähe der Dörfer gibt es seltsame Gebäude: ich halte sie für sehr große Stein-Sarkophage auf hohen steinernen Stelzen. Auf dem Giebel haben sie vorn und hinten ein kleines Steinkreuz. Wie sie so dastehen, grau und nackt und finster verschlossen, machen sie mir Angst. Aber es sind nur »Horreos«, mäusesichere Getreidespeicher.
Am Morgen, auf der Fahrt nach Finisterre, nehmen wir ein langes Stück weit die Uferstraße. Wie lieblich kann sich dieses Land geben: tiefe Buchten, »Rías« genannt, den norwegischen Fjorden ähnlich, mit weißen Segeln auf reinem blauem Wasser; Täler, die an Italien erinnern: Palmen am Meer, kleine Städte mit alten Kirchen, aus einheimischem Granit gebaut, verwahrlost, der Stein überzogen mit gelben Flechten und smaragdgrünem Moos, auf den Dächern wachsen Blumen und Sträucher. Einmal treffen wir, eingeschmiegt in eine Mulde, ein kleines Franziskanerkloster. Im Garten tropische Gewächse, auch Orangenbäume mit reifen Früchten, hundert Schritte vom hoch brandenden Ozean: ein letztes zärtliches Angebot, ehe das gleichgültige Grenzenlose be-

ginnt: der Atlantik. Wir stehen am äußersten westlichen Punkt Europas. Die Römer nannten ihn Finis Terrae. Hier war, vor Columbus, die bewohnbare Erde zu Ende. Da kam dann nichts mehr, was den Menschen anging. Wir stehen hoch überm Meer beim Leuchtturm. Die Brandung gischtet bis zu uns herauf, der Himmel ist eingetrübt, die Sonne ist keine Sonne mehr, sondern eine mondweiße Scheibe hinter Schleiern, der Wind pfeift in den Drähten und heult in den Schlüften der Steilküste. Alles Aufruhr, Drohung, Einschüchterung. Das Meer, dein Feind, Spanien! In der Nähe liegen die großen Auswandererhäfen Vigo und La Coruña. Da schiffen sie sich ein, die Armen, die Männer, die hoffen, drüben in Amerika reich zu werden. Die Frauen schauen ihnen nach, dann legen sie schwarze Kleider an und schwarze Tücher, und sie behalten das Trauerschwarz, bis der Mann zurückkommt. Viele tragen schwarz bis zum Tod. Viele, junge und alte, sehe ich in Schwarz, dem Zeichen sicherer oder auch ungewisser Witwenschaft. Einige Männer lassen ihre Familie nachkommen, sie haben sich drüben eine Existenz aufgebaut mit unendlichem Fleiß. Viele aber schreiben zuerst Briefe und manche schicken ein bißchen Geld, und dann nichts mehr. Sie gehen einfach verloren. Kein Brief, kein Konsulat findet sie je. Auch T.s Vater ging fort. Als er nichts mehr hören ließ, entschloß sich T.s Mutter, ihn zu suchen. Sie fuhr ihm nach übers Meer, aufs Geratewohl. Das Geld für die Überfahrt brachte die weitläufige Verwandtschaft auf. Den Sohn, T., gab man ins Priesterseminar. Da blieb er, was sonst konnte er tun. Er wurde Priester. Er hatte keine Wahl. Er liebte seine Kirche nicht. Und er ist Kommunist. Dieser Tage kam seine Mutter zurück – ohne den Vater, ohne Geld. Aber der Vater lebt, so scheint es, sie spricht nicht über ihn.

Illegales Fest in Santiago. In der Wohnung, die A.s Mutter gehört, in einem der kalten, häßlichen Neubauten, geben mir die Freunde ein Abschiedsfest. In einem großen Tonkessel über Spiritusfeuer brodelt der Punsch. Er wird angezündet. Lila Flammen: Opferfeuer steigt auf. Wir sitzen im Kreis: A., Priester und Leiter der Taubstummenanstalt, der am meisten konservativkirchentreue Unpolitische; T., Priester, Kommunist, Kirchenmusiker; A., der Armenpriester, sehr links; zwei andre Arbeiterpriester, die in Fabriken am Fließband stehen und politische Untergrundarbeit machen; zwei andre Priester, die versuchen, in der Fabrik vorzuleben, daß Christentum brüderliche Liebe sei; einige

Mädchen, ernst und leidenschaftlich politisiert, und zwei der Ordensfrauen. Die Gallegos singen Lieder ihrer Heimat, schwermütige, und sie singen Revolutionslieder. Sie singen in Gallego, das vom Spanischen so verschieden ist wie das Altbayrische vom Hochdeutsch.

Este vaise y aquel vaise
E todes, todes se van.
Galicia, sin homes quadas
Que te poidan traballar.
Tes, em cambio, orfos e orfas
E campas de solidad
E pais que non tenen fillos
E fillos que non ten pais.

»Todes se van«: alle gehen davon aus diesem Land, in dem sie keine Arbeit finden. Zum Tausch bleiben Waisen und Felder voll Einsamkeit; Land, das seine Söhne nicht hält, Söhne, die ihr Land nicht halten ... »Todes, todes se van.« Wer dieses Lied gehört hat, vergißt es nicht mehr. Wer es gehört hat, kennt Galicia.

Mitten im Singen geht M. an die Tür, lauscht, reißt sie plötzlich auf; niemand steht draußen, dieses Mal nicht, aber alle wissen: im Haus sind Spitzel. Ach, wenn schon, sagt eins der Mädchen und schaut kühn um sich. Aber Gallegos sind keine Basken, sie sind schwermütige Rebellen mit zäher Geduld, sie schießen nicht, sie warten, und ihr stummes Warten schreit zum Himmel.

1977: Die Galizier, sie brauchten nicht zu schießen, nicht zu töten, um frei zu werden. Ich habe T.s Spuren verloren. Ich schaue, wenn im TV Spanienbilder kommen, ob ich ihn nicht sehe in der Nähe Carrillos.

Wiener Burgtheater. Ein Telefonanruf von Friedrich Heer: »Wollen Sie uns ein Stück von Bidermann neu schreiben? Es heißt ›Philemon‹, ein schönes Stück, aber es muß umgearbeitet, wie gesagt, neu geschrieben werden, wir schicken es Ihnen sofort zu, lesen Sie es, Sie werden nicht nein sagen, Regisseur ist der Pole Dejmek, ein ausgezeichneter Mann, hat politische Schwierigkeiten in Polen, erzähl ich Ihnen in Wien, er ist versessen auf das Stück, also, Sie werden es machen?« Ich höre mich ja sagen, als wärs eine Stimme außerhalb meines Körpers.

Das Stück kommt. Ein wirklich wunderbarer, starker Stoff, aber in einer gräßlichen Schulübersetzung aus dem Latein (der lateinische Text liegt bei). Der Stoff: ein Schauspieler aus dem alten Rom zur

Zeit der Christenverfolgungen, ein ewig besoffener, ewig hungriger Mime mit einer leicht brüchigen Seele, wird von einem Christen gebeten, zu helfen, nämlich: der Christ ist als solcher verdächtigt, und muß, um den Verdacht abzuwaschen, öffentlich dem Jupiter opfern. Das will er nicht, doch kann er sich nicht als Märtyrer selbst opfern, dazu ist er zu feige. Wenn nun an seiner Stelle der Mime, der Philemon, dem Jupiter opferte? Philemon ist nicht Christ, er darf also dem Heidengott opfern. Und er ist ein Mime, er kann die Rolle des andern, des Christen, spielen. Für Geld. Philemon tuts: er studiert den Gang, die Haltung, die Sprache des andern, er zieht dessen Kleider an, er identifiziert sich mit ihm so sehr, daß er schließlich nicht mehr weiß, wer er ist, er oder der andre. (Die langsame Verwandlung ist höchst interessant.) Und dann kommt also der Opfertag: Philemon spielt den Christen so gut, daß man ihn nicht mehr als den heidnischen Mimen erkennt. Aber was geschieht? Er hat sich so in die Rolle des Christen versetzt, daß er nicht mehr aus ihr herausfindet, er ist gefangen im Christsein, er IST Christ geworden, er weigert sich zu opfern, er wird getötet. Es war DIE Rolle seines Lebens, die er spielte. Dieses Stück in eine poetische Sprache bringen, seine geschwätzigen Längen kürzen, seine barocken Unverständlichkeiten streichen, den Charakter des Mimen klar herausarbeiten – ich arbeite mit Begeisterung. Das Dramatische liegt mir mehr als das Epische, ich merke es immer deutlicher.
Und dann bringe ich die Arbeit nach Wien. Heer ist begeistert, Dejmek enttäuscht. Was er will, ist ein viel schärfer politisches Stück, ein Widerstandsstück, ein Protest gegen alle Unfreiheit des Gewissens, gegen die Diktatur. Aber das ists doch, was ich schrieb? Dejmek, das stellt sich heraus, ist des Deutschen nicht recht mächtig, er versteht meine Sprache nicht, er hat wohl ein Brecht-Stück erwartet. Aber der Philemon ist nun einmal ein Barock-Stück.
Wir werfen uns das Buch gegenseitig vor die Füße, einmal er, einmal ich. Zwei Dickschädel kamen da zusammen. Aber wir sind beide verbissen in dieses Stück. Wir müssen uns einigen.
Dieser Dejmek: ein viereckiger Charakter, ganz unhandlich, finster, ein fanatischer Pole, ein treuer Marxist, Atheist, frommer Katholik, ein Revolutionär, mißtrauisch, von schweren Erfahrungen gezeichnet. Er war bis 1968 der Leiter des größten polnischen Theaters. Er führte dort ein Stück auf, das ihm sein Staat auslegte als gezielte Aufwiegelung der Studenten zum Aufstand 1968. Man schickte ihn in die Provinz. Später erlaubte man ihm einige

Inszenierungen im Ausland. Ihn ganz kaltzustellen, konnte Polen sich nicht leisten. Nur ihn kleinhalten, ihn unter Kontrolle haben, das konnte und kann man.

Begreiflich, daß er von mir ein viel härteres Stück wollte. Was ihn interessierte, war nicht die Verwandlung als solche, sondern die Verfremdung des alten Spiels in politische Aktualität. Wir machten beide Kompromisse. Das war schlecht. Wir wußten es beide und konntens doch nicht ändern.

Bei der Hauptprobe war ich entsetzt. Bei der Generalprobe war der Regisseur nicht mehr anwesend, er war abgereist. Die Bühnenmusik war auch nicht ganz fertig. Nun, so blieb sie eben weg. Das Stück muß enden mit der Apotheose beim Märtyrertod Philemons, des von der Wahrheit Überwältigten, in den »Himmel« Aufgenommenen: mit einem Lichtrausch, mit Kaskaden von Orgelmusik, mit einem Chor der Himmlischen.

Wie aber endet es in Wien? Ein Schauspieler nach dem andern schleicht von der Bühne, eine Kerze nach der andern erlischt. Aus. Das Publikum wartet unentschlossen. Nichts mehr kommt.

Dejmek hat unser Stück mit seiner polnischen Nabelschnur erwürgt.

Nachtrag 1978. Erst jetzt weiß ich, wie ichs hätte machen sollen. Ich habe gelernt. Ich werde das Gelernte brauchen können bei meiner Arbeit an der Oper mit Isang Yun. Aber wieder stehe ich vor dem Problem, künstlerische Grundsätze mit politischen Absichten so zu verbinden, daß Kunst Kunst bleibt.

1976

3. März. ›Wenn die Wale kämpfen‹
(Korea-Reisebericht) fertig.

Predigten in Luzern. Eine Frau auf der Kanzel einer Schweizer katholischen Kirche, eine Frau als Verkünderin des Worts, während des Gottesdienstes . . .
Vor einigen Jahren hörte ich bei einer Tagung der Katholischen Akademie in München zum Thema »Frau und Priestertum« einen hinter mir sitzenden jungen Kleriker zu seinen beiden Amtsbrüdern ziemlich laut sagen: »Pfui Teufel, eine menstruierende Frau am Altar.« Ich wandte mich um und wies ihn darauf hin, daß es Frauen noch nie in den Sinn kam, öffentlich zu sagen: Pfui Teufel, ein Mann am Altar, der nachts eine Pollution hatte.
Wie unheimlich tief wir noch in Atavismen stecken. Wie unheimlich mächtig das Patriarchat noch ist, auch wenn der Mann noch so abgewirtschaftet hat.
Der Pfarrer Paolo Brenni von Luzern wagt es, eine Frau einzuladen, in seiner Kirche die Karwochenpredigten zu halten. Haben die Luzerner etwas dagegen? Die Kirche ist jedesmal (sieben Predigten sinds) bis auf den letzten Platz besetzt. Viele Jugendliche sind da. Ich habe mir sehr schwere Themen ausgesucht: Leiden, Sterben, Auferstehen.
Ich bin schwer erkältet, ich bin stockheiser, ich fühle mich miserabel, ich muß ganz nah am Mikrophon sprechen, die Hörer sind regungslos, ich muß, was meine Stimme nicht hergibt, durch die höchste Intensität der Mitteilung kompensieren.
Ist so eine Predigt etwas anderes als ein Vortrag in einem beliebigen Saal? Was ist denn ein »sakraler« Raum? Ist eine Predigt etwas anderes als ein Vortrag? Was ist denn Besonderes dabei, daß ich dort stehe und von dort aus rede, wo sonst nur geweihte, ordinierte Priester stehen? Ist es nur das Ungewohnte, was mir die Sache als so besonders erscheinen läßt? Oder IST sie besonders? Und warum, wieso? Weil ich als FRAU da stehen und reden darf? Oder: weil ich, ohne ordiniert zu sein, doch in kirchlichem Auftrag rede? Oder

weil das Publikum ganz anders als in einem Vortragssaal bereit ist, meine Rede aufzunehmen? Weil eine ganz besondere Stimmung herrscht? Es ist schon besonders, wenn das Publikum hernach nicht klatscht und nicht hinausströmt, sondern in Gebet oder Meditation still verweilt.
Beim Thema »Auferstehen« sind mir einige Anflüge von Häresie unterlaufen, ich weiß: ich sagte, daß die katholische Theologie sich bislang um die Untersuchung der Frage der Reinkarnation gedrückt habe, obgleich man in den ersten Jahrhunderten des Christentums offenbar nichts Anstößiges daran fand und auch später niemand eine Absurdität las aus den Worten des Evangeliums über den Blind-Geborenen, bei dessen Anblick die Jünger den Meister fragen: »Wer hat gesündigt, seine Eltern oder er?« Wie aber kann einer vor der Blindgeburt sündigen, wenn nicht in einem vorigen Leben?
Kein Luzerner Zuhörer hat sich entsetzt über meine Andeutungen. Es stellte sich in vielen Gesprächen und nachfolgenden Briefen heraus, daß viele Menschen von der Katholischen Theologie erwarten, sie möge sich nicht mehr blind und taub stellen gegenüber einer Frage, die nicht eine dogmatisch-philosophische ist, sondern eine existentielle.

Sommer-Arbeitsrausch. Heißer Juli, heißer August. Alle Vorhänge geschlossen. Ich arbeite vom frühen Morgen bis zur Erschöpfung. Am 15. August ist mein Libretto für Isang Yun fertig. Wohin war ich entrückt in diesen Wochen? Ich überlese das Stück. Habe ich das geschrieben? Woher kamen mir diese Worte?

Da singt der Chor:

Wer ists, die da kommt?
Der Fluß strömt zum Meer
Regen fällt erdwärts
Rauch steigt auf
Zerbrochenes Rad
Rollt nicht mehr
Geborstener Krug
Hält keinen Wein
Zerreißt die Schnur
Fliegt der Drache davon.
DIE aber kehrts Gesetz um:
Ruderlos lenkt sie

Den Nachen stromauf.
Aus dem Totenreich
Kehrt sie zurück.

Und dann singt die Frau des Diktators, der sie hat ermorden lassen:

Tausend Jahre ein Traum
Hat nicht Anfang noch Ende.
Saß unterm Aschentor
Zählte ... was zählte ich nur?
Habs vergessen ...
Wer hat sie getötet?
Oh mein Kopf.
Gras wuchs und Mohn mir
Zwischen den Zeh'n
Mohnkapsel sprang auf
Same fiel aus
Aß vom roten, vom schwarzen
Fiel Hagel im Mai
Kirschblüte Brautbett
Den Strom triebs hinab.
Wohin? Oh mein Kopf ...

Ein politisches Stück. Aber während ich es schrieb, was scherte mich da die Politik? Endlich einmal wieder feierte ich Liebeswochen mit der Poesie. Sollten jene recht haben, die sagen: Aber laß doch die Politik und schreibe Dichtung? Ja, schon, aber ...

Haben Sie schon gebetet, Boß? Das liest sich wie der Titel eines satirischen Krimi. Es ist der Titel eines ernstgemeinten Fernsehfilms, den ein Mitarbeiter der ›Welt am Sonntag‹ gedreht hat für den Buß- und Bettag 1976. Aus dem hinweisenden Aufsatz dazu in der ›WAMS‹: »Religion ist immer noch ein starker Antrieb im Erwerbsleben.«

Keine Mißverständnisse, bitte: Erwerb ist immer nur Erwerb an Geld und materiellem Gut, andrer Erwerb zählt nicht, etwa der an Weisheit, Toleranz, Liebe und derlei brotloser Tugenden.

»Religion als starker Antrieb im Erwerbsleben.« Den Satz muß ich mehrmals lesen. Verstehen kann ich ihn nicht. Ich könnte ihn verstehen, stünde da etwa: Religion ist ein starker Antrieb zu sozialem Verhalten im Erwerbsleben. Aber es steht anders da. Nun, was meint denn der Mann damit, der das sagt? Erklärt er, was das Erwerbsleben mit Religion zu tun hat?

Er zitiert, daß ein »Boß«, der »praktizierender Unternehmer und

praktizierender Katholik sei«, sich beklagt, daß nie jemand etwas schreibe über die Religiosität der Unternehmer und Manager, man müsse ja annehmen, diese hätten nur Sinn für ihre Bilanz, während sie inmitten ihrer Arbeit daran dächten, welchen Sinn dies alles habe, womit sie ja doch schon auf dem Felde der Religion seien. Der Herr ist Aufsichtsratsmitglied bei Ford in Köln und selbständiger Unternehmer, heißts im Artikel.
Die Frage ist, ob diese Frage sich in vielen erhebt und wann sie sich erhebt: mitten in der Euphorie des Booms doch nicht, und in den schönsten Mannesjahren auch nicht. Eher schon, wenn die Frau wegläuft, wenn die Kinder »links« werden, wenn der erste Herzinfarkt da ist, wenn Verdacht auf einen Tumor besteht. Dann.
Die weitere Frage ist: welche Konsequenzen zieht so einer, der sich die Sinn-Frage stellt?
Im Aufsatz ist weiter gesagt, daß laut einer »Repräsentativ-Umfrage« ethische Leitbilder von 80 Prozent der Unternehmer und Manager für nötig gehalten werden, denn »auch in der heutigen Wirtschaft gehts um den Menschen«. (Frage: Um welchen, den Unternehmer oder den Arbeiter?)
Es stimmt, daß die Unternehmer und Manager in Scharen zu den Tagungen der evangelischen oder katholischen und andern Akademien gehen. Sie haben ihre Not, natürlich, wer nicht. Und vielleicht ist ihre Not die Schizophrenie zwischen ihrem guten Willen, Christ zu sein, und ihrem Zwang, Profit zu machen. Ich versuche mir vorzustellen, wie so ein »Boß« betet. Nehmen wir an, er ist Waffenproduzent, oder wenigstens in einem der Großkonzerne für Waffen, Nuclearwaffen oder konventionelle.
Lieber allmächtiger Gott, heut kommt der Israeli X zu mir, dann der Libyer Y, morgen der persische Minister Soundso, in Sachen Waffenlieferung, Milliardengeschäfte, Du verstehst. Ich muß die Verträge abschließen. Ich schicke auch zum Dank einen Scheck über tausend Mark an Misereor.
Und wie MÜSSTE er beten als Christ?
O mein Gott, verzeih mir, daß ich Waffen produziere (oder mit Waffen handle), Waffen zum Töten von Menschen, Mit-Menschen, Deinen Geschöpfen, und daß ich mich mitschuldig mache an tausend Morden und dafür Geld einstecke, wie ein Zuhälter. Ich bitte Dich, gib mir die Kraft, daß ich aussteige aus dem schmutzigen Geschäft und meinen Betrieb umstelle auf die Produktion friedlicher, notwendiger Waren.
Wenn wir nicht so aufs Ganze und Schlimmste gehen, lautet ein Unternehmergebet vielleicht so:

Lieber Gott, würge doch meine Konkurrenz ab!
Oder (ein Weingutbesitzer): Laß meinen Wein gedeihen und verhagle den Franzosen und Italienern den ihren.
An vielen alten Bauernhäusern in Oberbayern war und ist heute noch ein Fresko des heiligen Florian, der Wasser aus einem Holzeimer ausgießt auf ein brennendes Haus, und darunter stand (und steht): »Lieber heil'ger Florian, verschon' mein Haus, zünds andre an.«

Nachtrag: Ich habe dieses Kapitel bei meinen Lesungen in den letzten Monaten vorgetragen und damit großen Beifall bei den einen und Widerspruch bei einigen andern geerntet. Aber natürlich: ich weiß selbst, daß unser Wirtschaftssystem »Bosse« braucht. Die Frage ist, ob wir ein Wirtschaftssystem brauchen, das solche Bosse braucht. Die Hinweise darauf, daß reiche Bosse viel Gutes tun für caritative Zwecke, spricht gegen ein System, in dem reiche Bosse Almosen geben müssen, damit andre leben können.
Noch ein Nachtrag: Mutter Teresa aus Kalkutta sagte, daß der materiellen Armut leichter abzuhelfen sei als der geistig-seelischen.
Gott, den die Unternehmer anrufen, sei ihnen ein Gott des Widerspruchs, ein Stachel im Fleisch und Geist.

Ein freundlicher Tag. Es gibt nicht so viele freundliche Tage in meinem Leben, daß ich nicht eines solchen dankbar gedenken sollte! Man feiert in Paris meinen 65. Geburtstag. Man trifft sich und mich in einer kleinen hübschen, sehr pariserischen Wohnung beim französischen Vertreter des S. Fischer Verlags, M. Edmond Lutrand. Einige Fremde sind da, aber die meisten sind alte Freunde: Martin Flinker (der eigentlich ohne seine Buchhandlung am Quai des Orfèvres nicht vollständig ist), Solange de Lalène ist da, meine wunderbare Übersetzerin und Freundin, und Georges, ihr Mann, schweigsam und gelangweilt, und Professor Minder ist da, und Marschall-Bieberstein, der das Gothe-Institut leitet, und und und ... Ich freue mich sanft inmitten vieler konventioneller und echter Freundlichkeiten. Schon verabschieden sich die ersten Gäste, schon neigt sich das Fest dem Ende zu, da kommt eilends noch jemand, ein großer strahlender Junge. Wir schauen uns an und fallen uns in die Arme: Alfred Grosser. Wir haben uns kennengelernt kurz nach dem Krieg, er war sehr jung, er kam als

einer der ersten aus Frankreich ins niedergeschlagene, damals reuige Deutschland, er bot uns beide Hände, er arbeitete für die Wiederversöhnung, das Deutsche in ihm brauchte die Versöhnung mit dem Französischen in ihm (wie glich er darin der mutigen Annette Kolb, die nach 1917 beiden Völkern Frieden und Vernunft predigte und dafür von beiden Seiten als Spionin beargwöhnt wurde). Alfred Grosser in meiner halbzerbombten Münchner Wohnung, Alfred Grosser, selber noch ein großer Bub, auf dem Boden spielend mit meinen beiden Buben (er erinnert sich und mich daran), und jetzt kommt er also zu meiner kleinen Feier, er kommt herein, als käme er nicht aus dem schon maiwarmen Paris, sondern aus dem Hochgebirge, immer bringt er einen Hauch von frischem Schnee mit sich, den Duft eines reinen sonnigen Wintertags, wie er da so vor mir steht, sehe ich ihn wirklich als den Friedenspreisträger, den Friedensengel, den rund herum Heilen, den (ja, das wohl) mir ein wenig zu Konservativen, den Mahner zu Vernunft und urbaner Menschlichkeit. Strahlend erzählt er mir von seiner Frau und den vier wohlgeratenen Söhnen, und, so nah bei ihm, ist man geneigt, die Welt für heilbar zu halten, ja für gar nicht krank. Sechsunddreißig solche Gerechte, solche Aufrechte, und alles wäre gut ... An diesem freundlichen Tag bin ich sanft. Ich gestatte mir, mich ganz einfach zu freuen.
Nachher, im Goethe-Institut, wo ich eine Diskussion hören will, zu der ich aber zu spät komme, sehe ich wieder einmal Robert Jungk. Wo überall sehen wir uns! Er ist immer unterwegs. Ich schaue ihm eine Weile zu, wie er sich unter den Leuten bewegt: wie einer, der nie auch nur einen Augenblick Zeit hat zu verweilen. Wie einer, der immer einen mahnenden Ruf hört. Wie einer, den etwas vorwärtsjagt. Der Futurologe, dessen sich dieses Futur bemächtigt hat und ihm die Gegenwart stiehlt. Nichts gilt als das, was noch nicht ist. Zeit zählt nur als künftige Zeit. Tragische Obsession.

Erheiternde Erkenntnis. Ich habe wie jedermann »meine Komplexe«. So habe ich mich, verglichen mit meinen Kollegen (zum Beispiel der Berliner Akademie) für rückständig gehalten. Nicht auf dem Gebiet der Musik, der Theologie, aber auf dem der Literatur: bis ich begriff, was Strukturalismus in der Literatur ist, was für ein Unterschied ist zwischen Semantik und Semiotik, zwischen Surrealismus und Imaginismus und so fort, Begriffen, mit denen meine Kollegen Federball spielen, waren die schon

wieder ganz wo anders und hatten neue Wörter erfunden für Phänomene, die ich zu kennen geglaubt hatte und die ich jetzt in dem vornehmen Sprachkleid nicht mehr erkannte. Ich habe mir, ehrlich gesagt, nie sonderliche Mühe gegeben, die fremde Sprache zu lernen. Seit ich nämlich erlebt habe, daß jeder Handlungsreisende in seinem Musterköfferchen auch das moderne Vokabular der Soziologen mitträgt (Frustration, Repressivität, Konfliktsituation, Soziosexualität, Promiskuität ...), bin ich nicht mehr erpicht darauf, diese Sprache zu sprechen. Freilich: die Literatursprache, die sollte ich doch wohl ...
Heute, beim Lesen eines supergescheiten Aufsatzes, kam mich plötzlich ein großes Gelächter an: Laß sie doch ihre Spielsprache sprechen! Als Kinder hatten wir Geheimsprachen, die B-Sprache zum Beispiel, oder wir sagten alle Wörter vom Ende her, oder wir sagten statt e immer u, statt a immer i. Und so fort. Das ist ein wenig mühsam, aber lustig, und es schafft das Vergnügen, andre auszuschließen, es macht Komplizenschaft. Muß ich auch so reden? Ich muß nicht. Mein Gelächter war eine Katharsis. Ich tat einen weiteren Sprung in die Freiheit hinein. Ich habe »das Literarische« hinter mich gebracht. Es ist nur nicht ganz leicht, auch selber auf so imponierende Wörter wie Katharsis zu verzichten ...

Drogen-Erfahrung ohne Drogen. Wenn ich nicht einschlafen kann nach zu angespannter Arbeit und kein Schlafmittel nehmen mag, lasse ich etwas mit mir geschehen. Es geschieht, wenn ich meine Sinne und mein Bewußtsein auf Unschärfe einstelle und alle Zügel schleifen lasse. Noch sehe ich etwa das helle Viereck des Fensters, aber ich verzichte darauf, es als Fenster und als Viereck zu registrieren, ich lasse es verschwimmen, sich auflösen, sich nach Belieben (seinem, nicht meinem) verändern. Es kann dies und das sein, aber dann ists plötzlich nichts mehr. Einfach nicht mehr da. In mir ist jetzt eine leere Stelle. Diese Leere macht sich etwas zunutze, was ich nicht Phantasie nennen kann, es ist anders, es ist eine Vorwegnahme jener Kräfte, die den Traum weben. Nennen wirs halt »das Unbewußte«, aber damit ist nicht viel gesagt, es ist ein Name. Alle Namengebungen sind Versuche, Unnennbares, Geheimnisvolles zu beschwören. Und wie arbeitet nun das, was ich arbeiten lasse? Also: da entsteht aus einem Baum, der vorher nicht da war, ein Haus, es ist rosa und grün, aber es hat die Tendenz, sich aufzulösen, ich spüre es, ehe es geschieht, dann

bricht es lautlos in sich zusammen, und dafür springt da ein artesischer Brunnen, und an dem hohen Strahl klettern Affen auf und ab, und dann fällt der Strahl zusammen, und aus dem Wasser werden Tiere, Fabeltiere im Jugendstil, und sie sind in mir und brauchen da viel Platz, ich werde immer weiter, mein Innenraum wird ein Raum schlechthin, ich breite mich aus, ich fliege nach allen Seiten weg, und dabei höre ich Musik von Spieluhren und Wasserfällen, und auf einmal zieht sich das Weltall, das ich bin, zusammen und schwimmt einen stillen Fluß hinunter ... (Ich habe Mühe, jetzt beim Aufschreiben dieses Beispiels nicht auf der Stelle am Schreibtisch einzuschlafen). Es ist in Wirklichkeit aber viel großartiger, was sich da begibt, es ist kosmisch weit und unendlich befreiend.
Der Schlaf, der darauf folgt, ist schön und erfrischend.
Und Schrecken kommen nicht? Nein, die kommen nicht, außer daß sich ein paar Koboldköpfe einschleichen, aber die sind nur lächerlich. Bisweilen, wenn ich mich im Einschlafen noch mal zurückrufe, denke ich: so könnte ich gut und gern meinen Verstand verlieren. Aber das eben geschieht mir nicht, denn – und das trennt die Sache vom Drogen-Erlebnis – ich kann das Unkontrollierbare unter unbewußter Kontrolle halten. Etwas in mir unterscheidet Wirklichkeitsgrade.

Gestern habe ich versucht zu erfahren, wie es einer meiner psychopathischen Bekannten zumute ist, die Halluzinationen hat: ich trank rasch ein Glas Wein auf nüchternen Magen, das enthemmt. Und dann setzte ich mich vor eine weiße leere Wand und redete mir ein, da sei etwas, das mir böse gesinnt ist, ein noch unsichtbarer Dämon. Schon erwachte die Traumgabe in mir: der Dämon hatte einen Drachenschwanz, daraus wurden sieben oder mehr Schwänze, und die ließ der Drache spielen wie der Fuhrmann seine Peitsche, das gab ein sirrendes Geräusch, das sehr unangenehm war, und die dünnen Schwänze kamen näher und näher und hatten Augen, die mich fixierten ... Genug! Es fehlte nicht viel, und ich hätte mich gefürchtet. Daß ich hier Schluß machen konnte, unterscheidet mich von der Kranken so, wie es den, der einen Tötungswunsch hat, vom wirklichen Mörder unterscheidet: eine schmale Grenze, aber scharf entscheidend. Die Schneide eines Messers. Es ist gut, sich dieser Nähe zum Wahnsinn und Verbrechen bewußt zu sein, es macht uns brüderlich den Mördern und Wahnsinnigen zugeneigt. Armer Bruder Mörder, arme Schwester

Schizophrene. Ihr habt die Grenze nicht halten können. Warum?! Ist es mein VERDIENST, daß ich sie halten kann? Schon immer hat meine Liebe den Irren und den Verbrechern gegolten.

Winterwetter in Italien. Ich gehe aus der Tür, lasse den Hund hinaus. Er zögert auf der Schwelle, dann verschwindet er lautlos im Nebel. Über Nacht ist der Wolkenhimmel auf die Erde gefallen. Wo ist der Monte Cavo, wo ist der Garten, wo ist die Straße? Eine feuchte graue Mauer aus einem Stoff, der fast nichts ist, aber mich gewaltsam abschneidet vom Leben. Unmöglich mit dem Auto wegzufahren, fast unmöglich wegzugehen, man sieht keine drei Meter weit. Wo ist mein Hund? Vergeblich suchen meine Augen eine vertraute Form. Alles ist aufgelöst, alle Farben sind ertränkt, alle Laute erstickt: kein Hahn kräht, kein Hund bellt, kein Mensch spricht, kein Auto fährt, kein Flugzeug brummt. Absolute Stille. Das Leben hat aufgehört. Plötzlicher Schrecken: bin ich allein übriggeblieben nach einer Katastrophe? Allein gerettet? Wie entsetzlich: was hilft mir die Rettung ohne die andern? Oder bin ich es, die fortging? Dieser Nebel, steigt er vom Styx auf? Werde ich eben übergesetzt vom unsichtbaren Fährmann? Wasser tropft von meinen Wimpern, meine Lippen schmecken nach bitterem Moder. Ich rufe vergeblich nach meinem Hund. Natürlich: er ist am andern Ufer geblieben. Bald werde ich landen, und meine Augen werden sich an den Hadesnebel gewöhnen und die ersten Schatten sehen. Unsinn, sage ich mir. Aber als dann plötzlich das Triumphgeschrei des Nachbarhahns den Nebel durchstößt und ich mit einem Sprung zurückkehre ins Vertraute, besteht etwas in mir darauf zu denken, daß ich auf dem Weg nach »drüben« gewesen bin.

Buchzensur Mai 76. Wie fing es damals an: 1933? Bücherverbot, Bücherverbrennung, Autorenverbrennung.
Verboten ist heute das Buch eines jungen Arbeiters, der aus der DDR kam. Er heißt Bommi Baumann, das Buch: »Wie alles anfing«, nämlich der Aufstand der jungen Linken in der APO. Man bittet mich, Stellung zu Buch und Verbot zu nehmen. Was führte zum Verbot? Was ist gefährlich an dem Buch? Was paßt da wem nicht? Das Buch ist ein politisches und psychologisches Zeitdokument, ganz unersetzlich. Das Bekenntnis eines jungen Arbeiters zu seiner Absicht, die verrottete Gesellschaft (diesseits

und jenseits der »Mauer«) zu verändern, der er sich zunächst angepaßt hatte als Schüler und Lehrling, in der er sich unterdrückt fühlt und aus der er ausbrechen will um jeden Preis. Als einzelner ausbrechen aus der kleinbürgerlichen Mittelmäßigkeit, das ist legitim; wer nie ausbricht, wird keine Persönlichkeit. Der gemeinsame Ausbruch vieler ist nicht weniger legitim: wohin käme die Menschheit ohne ihre kleinen und großen Ausbrecher, ihre Revolutionäre, ihre kühnen Pioniere? Aber: WIE ausbrechen, welche Mittel anwenden, die Gesellschaft zu verändern? Jugend ist ungeduldig. Ungeduld will rasch handeln. Rasch handeln heißt gewalttätig handeln. Und hier beginnt Bommi Baumanns Problem. Es ist unser aller Problem, besonders im Hinblick auf die Dritte Welt. Bommi Baumann versucht es zunächst mit Gewalt: über die Gründung der Berliner »Kommune I« (eine Gruppe, die eine Idee hat, eine Utopie) zu kleinen Aktionen (Polizei-Auto-Reifen zerstechen, »weil den Bullen ihr Auto wichtiger ist als die Kinderspielplätze, wo sie ihre Autos parken«) zur Gründung des SDS unter der überragenden Gestalt Rudi Dutschkes zu immer radikaleren Methoden: Demonstrationen, Bombenwürfe, Bankeinbrüche, Stadtguerilla, offener Terror. Baumann macht alle Phasen mit. Dann kommt die Wende: er begreift, daß es »so« nicht geht. Die Revolte hat sich verselbständigt, sie wird unmenschlich wie das System, gegen das sie sich richtet. Nichts ist erreicht: die anarchischen Kerntrupps sind keine besseren Menschen geworden, der Druck von außen entlädt sich nach innen, die Gruppe wird böse, es »gibt keine Liebe mehr« (Baumann).

Dieses Wort sollen diejenigen genau bedenken, die das Buch verbieten.

Baumann sagt, Gewalt in der geprobten Form ist nicht möglich; es gehe »einfach darum, das Feuer zu halten«, nämlich das Feuer der Liebe. Das klingt seltsam für alle: für die Feinde der Gesellschaftsveränderung, aber auch für die Terroristen, die nicht Baumanns ehrlichen harten Lernweg mitgemacht haben. Baumann sagt, die Revolution müsse nicht über Haß, Leistungsdruck, Enttäuschung gemacht werden, sondern indem man ganz ruhig überlegt eine humane Gesellschaft herbeiführt und »neue Werte schafft, statt sie herbeizubomben«, denn »durch Gewalt entstehen dieselben Haßgestalten, die dann zum Schluß die Macht haben, wie Stalin«. Dieses Buch also ist als höchst gefährlich verboten? Sollte es nicht vielmehr propagiert werden als ein Bekenntnis zur Gewaltlosigkeit? (Selbst wenn an einer Stelle steht, unter gewissen Umständen könne die Anwendung von Gewalt unerläßlich sein. Aber das

steht auch in der berühmten Encyclica Papst Pius XI. Aber: hat Bommi Baumann nicht geschrieben, er stehe zu allen Gewalttaten, die er begangen hat? Zeigt er kein bißchen Zerknirschung über seine Terrortaten? Nein. Er sagt: »Das war mein Weg, den mußte ich gehen.« Er sei richtig gewesen in einer bestimmten Zeit. Aber die Frage ist: Was für dich, Bommi Baumann, richtig war innerhalb deiner Entwicklung, war das auch richtig gegenüber der Gesellschaft, die du terrorisiert hast? Gegenfrage: Wer wurde zuerst terrorisiert, die Anarchisten durch die Gesellschaft oder die Gesellschaft durch die Anarchisten?
Was mich an dem Buch Baumanns* am meisten interessiert, ist: daß es ein Arbeiter schrieb, kein Student, und daß er fähig ist, mit verblüffender Ehrlichkeit zu zeigen, wie komplex die Motivation der Terroristen ist: persönliches Leiden durch Unterdrückung in Familie, Schule, Arbeitsstätte; allgemeine Leiden durch die Erkenntnis, daß viele Jugendliche unter gleich schlechten Verhältnissen zu leben gezwungen sind; Objektivierung dieser Erfahrung in politischem Denken; Umsetzen dieses Denkens in Aktion.
Zweimal habe ich das Buch gelesen, ich habe viel daraus gelernt. Aber es ist verboten...

In einer alten Nummer der DDR-Zeitschrift ›Sinn und Form‹ (wie gut sie doch war 1960 unter Peter Huchel!) einen Aufsatz von Ilja Ehrenburg gelesen: »Die Fähigkeit, einen Tag oder eine Stunde im Leben einer oder mehrerer Personen wahrheitsgetreu künstlerisch darzustellen, das ist die erregende Schule zur Meisterschaft.« Ja, aber »wahrheitsgetreu« heißt nicht: naturalistisch. Das ist der springende Punkt: »wahrheitsgetreu UND künstlerisch«. Das zielt auf die INNERE Wahrhaftigkeit. Und wie schwer es ist, so zu arbeiten!

Bieneninvasion im Juni. Es sind sehr kleine Bienen, mir scheinen sie eher Wildbienen, sie sind nicht golden, sondern staubgrau und sandfarben, unansehnlich, willenskräftig, eigensinnig, aufdringlich, blind opferbereit, sie rücken an wie ein Heer von sozialistisch organisierten Bauarbeitern, die es ungeheuer eilig haben. Tatsächlich haben sie es sich in den Kollektiv-Kopf gesetzt,

* Verbot ist aufgehoben.

auf meinem Dach zu bauen, und zwar im Schornstein des Kamins. Das war letztes Jahr. Sie waren nicht zu verjagen. Wir machten großes Feuer im Kamin, der Rauch vertrieb sie, nach einer Stunde waren sie wieder da. Wir verstopften alle Lücken im Kamin mit Papier, sie nagten es durch. Sie blieben. Es war ein selbstmörderisches Unterfangen: im Lauf der Monate starben an die dreihundert, und die ersten Winterfröste töteten die allerletzten Überlebenden. Und was hatte ich gegen sie? Wären sie auf dem Dach geblieben, hätte ich sie ertragen. Das an- und abschwellende Brausen war wie windverwehte Orgelmusik. Manchmal geht einem so etwas freilich auf die Nerven, wenn es nicht abzustellen ist. Aber: sie kamen ins Zimmer, tot oder lebendig. Ohne verständliche Ursache flogen sie im Kaminschacht abwärts. Dabei starben schon einige und fielen mit einem kleinen dumpfen Geräusch auf das Eisenblech, das den Kamin, wenn kein Feuer brennt, nach unten abschließt. Jeden Morgen kehrte ich ein Dutzend und mehr Leichen heraus. Die andern, vermutlich die kleineren, zwängten sich durch engste Ritzen zwischen Stein und Eisen ins Freie. Nie konnten wir solche Ritzen entdecken, aber es gab sie, die Bienen fanden sie. Da kamen sie dann herausgekrochen, halb zerquetscht und benommen, und viele starben sofort danach. Die kräftigeren blieben eine Weile erschöpft liegen, dann erholten sie sich und flogen zuerst zur Decke und dann in irrem Spiralflug durchs Zimmer, mir um den Kopf, dem Hund um die Schnauze, er schnappte danach und biß manchmal eine tot, wobei es ihn vor Ekel schüttelte. Manchmal gelang es mir mit viel Vorsicht, eine im Glas zu fangen und hinauszutragen, aber natürlich: sie kehrte durch den Kamin zurück. Die meisten starben einen Unfalltod: sie stießen mit ihren Köpfen an das dicke Fensterglas und fielen zu Boden. Jeden Morgen fand ich sie da als trockene Leichen.

Dieses Jahr wird es nicht wieder so sein. Als das erste Brausen zu hören war, stieg Attilio aufs Dach und machte oben im Schornstein ein Feuer, als wollte er das Haus anzünden. Dreimal flüchteten sie, dreimal kamen sie zurück, aber dann sahen sie ein, daß sie verloren hatten. Ein Jahr sie, ein Jahr ich.

Nun frage ich: Warum kamen sie wieder, die Unglückseligen? Eine Botin muß ihnen den Platz verraten haben. Sonst wären sie ja wohl nicht wiedergekommen. Warum hat ihnen diese nicht gesagt, daß es ein Katastrophenplatz ist, den sie ihnen anzeigt? Haben sie ihr nicht geglaubt? Waren sie finster entschlossen, dem Schicksal zu trotzen? Oder sind sie einfach blind und taub für

Warnungen? Das glaube ich nicht. War es die dicke Königin, die sie in den Tod jagte wie ein verzweifelter Feldherr seine Soldaten? Wer weiß. Ich bin neugierig, was sie nächstes Jahr tun.

Der Konflikt. In Rom gesehen: Ein Arbeiter, Maurer, kalkbespritzt, auf einem alten Motorrad, biegt in die Via Bocca di Leone ein. Die Straße ist Einbahnstraße in Gegenrichtung. Ein Polizist sieht es, tut nichts. Bald darauf biegt in die verbotene Straße ein Porsche ein. Der Polizist springt vor, zückt den Block, notiert die Nummer. Dann steht er unschlüssig da, tritt mehrmals von einem Fuß auf den andern, nimmt die Mütze ab, setzt sie wieder auf. Schließlich reißt er das Blatt aus dem Block, zerknüllt es, schiebt es in die Tasche. Als gleich darauf ein Mercedes falsch einbiegt, schaut er einfach weg. Dann geht er. Der Konflikt hat ihn erschöpft.

Wirkung der Literatur. Saarbrücken. Ich soll lesen in einem Saal, der nur durch eine Trennwand abgeschlossen ist gegen den Saal nebenan, in dem ein Ärztekongreß tagt. Man hört von drüben jedes Wort. Wir ziehen um. Es gibt nur einen einzigen freien Raum im Haus: das Café. Es ist leer um diese Stunde, bis auf zwei Männer, die im hintersten Winkel ihr Bier trinken. Sie haben nichts dagegen, daß ich hier etwas vorlese. Als ihnen die Kellnerin später ein weiteres Bier bringen will, winken sie ab. Sie hören zu. Nach der Lesung, bei der Diskussion, meldet sich der eine zu Wort: er sei Ingenieur, habe nie in seinem Leben eine solche Art Literatur gelesen, das habe er für Zeitverschwendung gehalten, aber jetzt habe er auf einmal begriffen, daß man lesen müsse, es sei wichtig. (Er kauft am Bücherstand gleich alle meine Bücher.) Dann sagt er: »Jetzt lebe ich schon fünfzig Jahre lang, und heut, bei ihrer Lesung, da hab' ich mich auf einmal gefragt: Ja wozu leb' ich denn?« (Ich hatte sehr »direkte« Szenen gelesen: die im Altersheim aus ›Der schwarze Esel‹, die andre aus ›Bruder Feuer‹.)

Die Taube, ich habe sie Pallas Athene genannt. Immer sind die Tauben der Nachbarn in meinem Garten. Es gibt viel Wechsel unter ihnen: sie werden gezüchtet, geschlachtet, gegessen. Tauben sind monogam. Fast immer sind Gleichfarbige gepaart. Bleibt ein Partner allein zurück, dauert die Witwenschaft nicht lange. Schon bald beginnt die neue Balz: Der zweite Partner hat fast immer Ähnlichkeit mit dem ersten. Meine Pallas Athene war nie gepaart. Sie ist allein, absolut allein. Sie ist leuchtend weiß, nur die Flügelspitzen sind silbrig und die Flügel auf raffinierte Art zart graulila quergestreift bebändert. Eine sehr Schöne ist das und eine Stolze. Wie sie ihren Kopf zurückwirft, wie gemessen sie geht, wie gelassen sie verschmäht, mit den andern nach einem Futterbrocken zu laufen. Eine Aristokratin ist sie. Sie hatte schon Werber. Einer war hirnverbrannt verliebt. Er tanzte vor ihr bis zur Erschöpfung. Sie schaute nicht hin. Er war rein Luft für sie. Jetzt hat ers aufgegeben und sich eine andre genommen, eine ganz gewöhnliche. Pallas Athene ist wieder allein. Sie will es so. Sie ist jungfräulich von Natur. Das gibt ihr Erlesenheit.

Das Wichtigste. August, nach dem großen Erdbeben in China: ein italienischer Reporter (im TV gezeigt) fragt in China, wie viele Tote es gebe. Der Chinese: »Wir haben keine Zeit, die Toten zu zählen, wir kümmern uns um die Lebenden.«

Politik. Franca, keineswegs wohlhabend, beschwert sich: »Jetzt hat der kommunistische Bürgermeister von Rom einen ganz großen Teil vom Strand zwischen Ostia und Torvaianica freigegeben für die Badenden. Und wer, bitte, zahlt jetzt noch? Und wovon sollen die Leute leben, denen bis jetzt die Bade-Anstalten gehörten? So fängt es an mit den Kommunisten.« – »Franca«, sage ich, »und wenn Sie nicht Ihr Häuschen am Meer hätten und den freien Strand, und Sie müßten für sich und die Kinder pro Person fünfhundert Lire zahlen...? Sollen nur die Reichen baden gehen dürfen?« Sie ist verblüfft. Erst wenn man ihr die politische Realität auf ihre eigene zuschneidet, begreift sie.

In-Bild. Eine enge Schlucht ziemlich hoch in einem Gebirge, keine wilde oder heroische Landschaft, auch keine romantische oder phantastische, sie hat eine ernste, kühle Geschlossenheit und ist nach menschlichem Maß gemacht, weist aber Fremde bestimmt ab und verlangt von dem, der hier wohnt, große Verzichte, die aber eben für den, dem sie abverlangt werden, keine Verzichte mehr sind, sondern barer Zugewinn. Wer hier wohnt, das bin ich. Ich hause in einer Höhle, sehr hoch im Gebirge. Ich

habe sie mir wohnlich gemacht mit Fellen und Holzverschalungen. Geflochtene Lianen bilden den Vorhang. Ein fester Prügel, in zwei Astgabeln gelegt, ist eine Winde für ein Seil aus Schlingpflanzen, daran lasse ich jeden Morgen einen Korb hinunter. Ich liebe das trockene Knarren der Winde am frühen kalten Morgen. Wenn ich den Korb heraufziehe, liegt darin Brot, Obst, Tee und was ich sonst brauche, es ist wenig. Oft liegen auch Briefe im Korb, ich habe nämlich Verbindung mit der Welt, ich schreibe Briefe, sonst aber tu ich nichts außer Matten und Stricke flechten, die lege ich auch in den Korb, dafür bekomme ich das Essen. Die Personen, die den Tausch besorgen, sehe ich nie mehr. Ich höre beim Flechten und auch nachts dem Rauschen und Rieseln des Wassers zu: ein Bergbach stürzt von Fels zu Fels abwärts, bespritzt Büsche und Gräser und die grünen Moose, die den Fels überziehen. Kletterpflanzen, großblättrig und mit glockenförmigen Blüten, hängen über die Felsen und sind Vogel-Schaukeln. Meine Gefährten sind Uhus, Wildkaninchen, Bergziegen, Eidechsen und Singvögel, die nie fortziehen. Es ist nie kalt hier und nie heiß, nur am Morgen ist es winterkühl, bis die Sonne einfällt. Dann ist das Wassergesprühe wie ein Funkenregen, und bei Vollmond wie Gespritz von flüssigem Silber. Das sind meine Sensationen. Mein Lieblingsplatz ist vor der Höhle. Der Platz ist so schmal, daß meine Beine überm Abgrund hängen. Vor mir, über mir, unter mir ist Leere. Ein kleines falsches Verschieben des Gleichgewichts, und ich würde abstürzen. Aber hier mache ich nichts falsch. Ich bin im Gleichgewicht, denn da ist kein Ich mehr, das drängt, mißt, plant, sich ereifert, sich erinnert, sich sehnt. Ich bin angekommen.
Und wo ist diese Landschaft?

Propaganda.
I. Chile. Auf dem langweiligen internationalen Schriftstellerinnen-Kongreß in Nizza 1975, auf dem nur ein paar scharfzüngige, ungeheuer selbstsichere Französinnen sich die Bälle zuwerfen, schließt sich mir eine ältere chilenische Kinderbuch-Autorin an. Sie hat das Geld, und, was viel wichtiger ist, die Erlaubnis, frei in der Welt herumzureisen. Die meisten ihrer Kollegen haben weder das eine noch das andre: es ist das Chile nach der Ermordung Allendes, das Chile Pinochets, das Chile der großen Konzentrationslager. Ich hoffe, von der Chilenin Fakten zu erfahren. Ich erfahre: Allende war ein Erzkommunist, der sein Land in den wirtschaftlichen Ruin gestürzt hat. Ich erfahre an Hand eines Propaganda-Hefts (mit schlechten Reproduktionen auf misera-

blem grauem Papier), welch gewaltigen Aufschwung Chile seit Allendes Tod machte: links die Bilder von früher, rechts die von heute. Links: ein halbverhungertes Kind im Dreck, rechts: ein pausbäckiges, sauberes, mit einem Apfel in der Hand; links zertrümmerte Geschäfte, rechts saubere Straßen; links verhärmte alte Frauen, rechts lachende junge Arbeiterinnen. Und so fort. Billig. Ich frage: Und die Lager für die Sozialisten?
Entrüstung: Lügen, Feindpropaganda.
Und die Fotos der ausländischen Reporter?
Lügenfotos, gestellte.
Und die Zeugnisse der Gefolterten, der Nonnen und Priester zum Beispiel?
(Sie schluckt, sie ist Katholikin.) Auch das nur Lügen.
Und die Namen der Toten, die man kennt?
Terroristen, die ihr Schicksal herausgefordert haben und kein besseres verdienen.
Und Sie, Frau X, glauben das alles?
Wie denn nicht? Ich lebe ja in Chile.

II. Argentinien. Eine Frau, die ich, selber noch ein junges Mädchen, kannte, als sie fünfjährig mit ihren deutschstämmigen Eltern aus Argentinien nach Deutschland zurückkam, wo ihr Vater Arbeit suchte als Zeichenlehrer. Mein Vater nahm sich seiner an. Die Kleine von damals war schon vor einigen Jahren einmal bei mir, jetzt kommt sie wieder, diesmal ohne ihren Mann, einen Anwalt in Buenos Aires. Sie ist sehr teuer gekleidet und mit viel echtem Schmuck behangen. Sie kommt aus Athen, wo sie in der Argentinischen Botschaft eine Ausstellung ihrer Bilder hatte. Sie malt, sie dichtet, sie tanzt, von allem etwas. Die Familie ihres Bruders und ihres Mannes ist reich. Viele ihrer Verwandten haben hohe Staatsstellen, einer ist Minister unter Isabel Perón. Eigentlich brauche ich weiter nichts zu wissen. Ich frage sie aber doch nach den politischen und sozialen Zuständen. Sie sagt: »Die Welt ist falsch informiert, man will das Land in Unruhe stürzen und so dem Kommunismus den Weg bereiten, es geht uns aber allen gut; für Politik interessiere ich mich nicht, das überlasse ich den Männern.« Ich erzähle ihr von den Informationen, die einer meiner jungen Freunde mir regelmäßig zukommen läßt: er ging als Entwicklungshelfer nach Argentinien, dann machte er sich selbständig, er sammelte die Indio-Waisenkinder und gründete ein Heim und eine Schule. Eben aber hatte man ihn des Kommunismus verdächtigt und das Heim geschlossen. Eine seiner Mitarbeiterinnen hat man erschossen, eins der Kinder fand er zerstückt im Gebüsch. Er ist in Gefahr, ausgewiesen zu werden. Nur weil er sich der Ärmsten annahm, nennt man ihn einen Kommunisten. Was sagt die Argentinierin? »Mag sein. Es gibt Ausnahmen.«

III. Südkorea. New York 1977. Kongreß für die US-Korea-Politik Carters. Wir sind eine Gruppe von etwa hundert Leuten: Exilkoreanern, Japanern, Nordamerikanern, Europäern. Am ersten Tag drücken uns Südkoreaner am Eingang zum Kongreßgebäude Flugblätter in die Hand: unterzeichnet von »Christlichen Kreuzfahrern«, (Erinnert mich sofort an die Cristo Rey-Bewegung im Franco-Spanien: katholisch kirchlich getarnte scharfe Franquisten, Militaristen, Propagandisten. Diese christlichen Kreuzfahrer aus Korea bezichtigen uns der Lüge: es gebe keine Unterdrückung in Südkorea, es seien nicht Tausende in den Gefängnissen (nur einige ganz Unbelehrbare, die dem Staat und Volk gefährlich seien), und wir seien die Opfer der nordkoreanisch-kommunistischen Gehirnwäsche ... Nun: ich war in Südkorea, ich habe mit Gefolterten gesprochen, und jetzt sitzen mehrere meiner Freunde im Gefängnis, und viele Universitätslehrer, die ich kenne, sind ihres Amts enthoben, und ich weiß, daß Hunderte von Studenten in den Gefängnissen einfach vergessen werden. Ich weiß das. Ich weiß, daß Kim Chi Ha, der Dichter, gefoltert und zu Tode geplagt wird, ich sprach mit seiner Mutter. Ich weiß, daß mein Freund Isang Yun zwei Jahre im Kerker war, gefoltert, krank, und gänzlich unschuldig – außer man sähe seine demokratische Gesinnung für ein Verbrechen an, wie es der Diktator Park Chung Hee tut. Das alles ist Lüge, Feindpropaganda? Und was ist das, daß die Eltern der Kinder, die in New York zu Ehren Isang Yuns einen koreanischen Abend mit Gesang und Tanz machen wollten, vom südkoreanischen Geheimdienst bedroht wurden und daß man ihnen sagte, ihre Verwandten in Südkorea würden dafür büßen, ließen sie ihre Kinder teilnehmen? Der Abend kam nicht zustande.
Wie gut wir das alles aus Hitler-Deutschland kennen! Konzentrationslager? Sippenhaft? Judenvergasung? Aber was denn! Nichts als Feindpropaganda ...
Wie sich nur die Diktaturen von rechts und links nicht schämen, so dumm und frech zu lügen!

Oktober 76. Anzio. Auf der Mole hocken Matrosen, ein Italiener und vier Fernöstliche, ganz sicher Koreaner. Süd oder

Nord? frage ich. Süd natürlich. Leider sprechen sie nicht Englisch, nur ein wenig Spanisch, der Italiener übersetzt, so gut ers kann. Ich frage: Seoul? Pusan? Gwangdschu? Taegù? Ich zähle die Städte auf, die ich sah, ich reihe sie aneinander wie magische Formeln. Ihre Augen leuchten. Sie stammen aus Pusan. Ich frage deutlich scherzend: Freunde von Präsident Park? Die typische fernöstliche Reaktion: verlegenes Lächeln mit beiseite gewendetem Gesicht. Schon gut, sage ich, ich bin nicht vom KCIA (vom koreanischen Geheimdienst). Sie lachen ein wenig. Dann zeigen sie aufs Meer und sagen etwas, was der Italiener übersetzt mit »Ammirare la nostra nave«. Ein koreanisches Schiff? Nein, es ist ein italienisches, es liegt im Hafen, vielmehr es wird eben vorsichtig hineinmanövriert. Ein ziemlich großes Schiff, ein Fischkutter, funkelnagelneu, kommt eben von Livorno, da wurde es gemacht, pompejanisch rot am Bauch, oben schwarz. Erste Fahrt, Jungfernfahrt. Buntbewimpelt. »Assunta Tondini madre« heißt es. Ein prächtiges Schiff, ein junges, gesundes. Ich habe den ganzen Sommer hindurch (wieder einmal) mit heißem Entzücken Joseph Conrad gelesen, Buch um Buch, und nicht vergebens, ich weiß, was ein Schiff ist und wie man es lieben kann. Dieses da ist zum Verlieben, mit den Augen des Kapitäns und Dichters Conrad gesehen, und mit den meinen auch. Ein starkes, aber schlankes Schiff mit einem hochgemuten Heck. Langsam langsam legt es an. Jetzt sind die Koreaner wieder da in ihren abgewetzten grüngraugelben amerikanischen Militärhosen, warum gibt man ihnen keine anständige Arbeitskleidung? Sie tun die Hauptarbeit beim Vertäuen: sie werfen kreiselnd die Seile mit den Gewichtkugeln aufs Schiff, sie fangen die starken Taue auf, die man ihnen von Bord aus zuwirft, sie schlingen sie um die eisernen Ambosse am Kai, sie schwitzen. Der Steuermann, unsichtbar, macht exzellente Arbeit: haarscharf, aber sicher berechnet an einem Mauervorsprung und an einem vertäuten Segelboot vorbei bringt er sein Schiff ein. Ich sehe beruhigt zwischen Kai und Schiff einige Rollen aneinandergebundener Lastauto-Reifen als Puffer, so kann nichts passieren. Bekäme das Schiff auch nur den kleinsten Kratzer – ich wäre gekränkt.
Viel Volk hat sich eingefunden. Eine festliche Stimmung kommt auf, eine heitere Aufregung. Möwenweiße Uniformen mit etwas Goldgestreif am Arm spazieren selbstbewußt herum, und Mädchen mit wiegenden Hüften machen ihnen schöne runde Augen, aber da ist jetzt nichts zu wollen, die Uniformen sind im Dienst, der darin besteht, herumzugehen und sich bewundern zu lassen.

Es ist die künftige Mannschaft dieses schönen Schiffs oben im Licht. Unten im Maschinenraum werden die Koreaner arbeiten. Zum Teufel: kann ich denn nichts mehr unbefangen ansehen und mich ohne politische Erbitterung an etwas freuen? Ist denn nichts mehr einfach schön? Nein: einmal auf die Blutspur der Unterdrückten gesetzt, bleibt man darauf. Sie zu verlassen, ist Sünde.

Heimweh. Zeit der Schmerzen. Was aber macht mir Schmerzen? Alles. Mein Dasein. Das Daseinmüssen. Aber ich lebe doch gern, ich lebe mit Leidenschaft gern, ich freue mich über vieles. Jedoch: auch in der Freude ist Schmerz. Immer derselbe. Was für ein sonderbarer Schmerz ist denn das? Keine Depression. Die kenne ich auch, natürlich. Ich finde keinen Anlaß für meinen Schmerz, vielmehr allen Grund, mich zu freuen. Aber der Schmerz ist da.
Etwas zieht an mir, etwas zieht mich aus mir heraus. Geburtswehen: ich muß mich gebären. Das ist kein literarisches Bild, das ist die genaue Darstellung eines Geschehens.
Was für ein ungeheuerlicher Vorgang: der Mensch schaut sich beim Selbst-Werden zu! Keine Schizophrenie, kein krankes Gespaltensein in »zwei Seelen«, sondern die normale Situation des Menschen. Aber wie ist das: ein Mensch sucht sich selber... Wo vermutet er sich denn, wo sucht er sich? Das eben ist zu wissen.
Manchmal SEHE ich mich: meine eigentliche »Seele«, die vom »Himmel« her mich anschaut und sich mit mir wieder vereinigen möchte. Ich möchte zu ihr kommen, aber ich kann es noch nicht. Das Heimweh macht mich leiden. Es ist aber mein schöpferischer Antrieb dazu, »gut« zu sein, das heißt: zu erkennen.
In vielen Leserbriefen steht etwas von einer »unnennbaren und unheilbaren Schwermut«, die nagt und zieht. Heimweh ists nach dem »Himmel«. Das Beste, was uns die Himmlischen auf unsern Erdenweg mitgeben konnten: dieses Heimweh.

BURUNDI. Ein Unbekannter, Pater Soundso, ruft mich an: Morgen will ein junger Mediziner aus Burundi zu Ihnen kommen. Nun gut, soll er kommen. Er kommt: klein, sehr schwarz, intelligent, bescheiden, mit dem sanften und rührenden Charme des Fremden, der um Sympathie wirbt. Was aber will er von mir?

Ich habe Burundi im Atlas gesucht: ein vergleichsweise winziges Land in Zentralafrika, südwestlich des Victoria-Sees, zwischen Zaïre, Uganda und Tansania eingezwängt. Ich erinnere mich: eines der Hefte ›Pogrom‹ (herausgegeben von der Gesellschaft für bedrohte Völker, zu deren Schutzherren ich gehöre, aber, mein Gott, was habe ich schon dafür getan?) handelte von Burundi. Da war doch vor einigen Jahren ... ja, 1972, ein Massaker, ein Völkermord. Mehr weiß ich nicht.
Der junge Mediziner ist mit knapper Not entkommen. Seine Eltern, ausgewiesen oder geflohen, leben in Zaïre. Burundi (wer weiß das?) war bis 1919 deutsche Kolonie (Teil von Deutsch-Ostafrika). Die Deutschen taten dort nichts Böses, im Gegenteil, ihnen verdankt Burundi einen gewissen wirtschaftlichen Aufschwung. Die Belgier, die danach kamen, waren auch nicht schlecht. Aber schlecht waren die Burundesen selbst. Immer gab es dort, in einem überdicht besiedelten Gebiet, Machtkämpfe zwischen den beiden ethnischen Gruppen, den Hutu und den Tutsi. Die Hutu waren (sind) die Gebildeten, die Fortschrittlichen und die Friedlichen, die Tutsi die plump Aggressiven. Die Gruppen sind streng getrennt. Selbst die Tiere nehmen am System teil: mischt sich eine Kuh der Tutsi in eine Herde der Hutu, so wird die Herde verunreinigt. Als 1915 der König der Hutus (oder der Tutsi, ich vergaß) starb, opferte man einen Mann des feindlichen Stammes: man warf den Mann gefesselt zu Boden dort, wo die königlichen Kühe zur Tränke gingen; sie zertrampelten ihn; sein Blut sollte dem Thronfolger Glück bringen. Viele Eigennamen, sagt mein burundesischer Besucher, drücken die Grundstimmung des Landes aus. Da heißt man zum Beispiel »Barampama«, das bedeutet: »Man verfolgt mich«, oder: »Bandyambona«: »Man frißt mich bei lebendigem Leib«, oder »Nzikobanyanka«: »Ich weiß, daß man mich haßt«. 1957 wollte Burundi seine staatliche Souveränität und eine Demokratie. Man wählte. Die Hutu, die gebildete Elite, gewannen. Aber die Tutsi, ganz unfähig zu demokratischem Denken, widersetzten sich der Wahl mit Gewalt. Sie brachten die andern einfach um, wo immer sie sie fanden, auch in Schulen und Krankenhäusern. Man schätzt die Toten nach denen, die man in den Massengräbern fand, auf mindestens hunderttausend. Das ist, sagt mein Besucher, so, als brächte man in Frankreich zwei Millionen um. Ja, aber, so frage ich, wieso konnten die Tutsi, die doch in der Minderheit waren, die Hutu umbringen? Ach, sagt der sanfte Schwarze, das kommt daher, daß die Hutu gar nicht auf Gewalt vorbereitet waren, sie glaubten zuerst an einen Irrtum, sie

fühlten sich schuldlos, sie begriffen das Böse nicht, das geschah, ihre Unschuld machte sie wehrlos.
Und, frage ich (da ich weiß, mein Besucher ist katholisch), und – was tat die katholische burundesische Kirche dabei? Nichts. Vielmehr: sie schwieg dazu. Das ist ein intensives Tun: dadurch arbeitet sie mit der Tutsi-Regierung zusammen und webt mit am dichten Schleier, der das Schicksal Burundis vor den Augen der Welt verbirgt. Und die ausländischen Regierungen? Sie geben Finanzhilfe – den Tutsi natürlich.
Und was kann ich tun? Darüber berichten. Ich schlage ihm vor, es selbst zu tun. Er soll einfach Fakten berichten: was er und was seine Eltern erlebt haben. Ohne Anklage, ohne Haß.
Nachdem er gegangen ist, fühle ich mich zerschlagen und gelähmt. David mit der Kinderschleuder. Goliath wird von meinen Worten nicht einmal an der Haut geritzt. Aber Davids Schicksals-Aufgabe ist es, das Steinchen zu schleudern.

Eindrücke von der Buchmesse 76. Die großen Verlage haben mit triumphaler Selbstverständlichkeit ihre Lager aufgeschlagen. Unangreifbar wie alte Büffel beharren sie auf ihrem Platz, mitten auf fettester Weide, grasen den Markt ab, schlingen Bestseller-Bestellungen in sich hinein, und wiederkäuen. An den mageren Weiderändern, an den wenig begangenen Seitenpfaden, haben sich die andern angesiedelt, die kleinen und ganz kleinen Verlage, die Jungen, die Linken, die Finanzschwachen, die verzweifelt tapferen Davide, die mit Kinderschleudern spitze Kiesel schnellen gegen Goliaths eisengepanzerte Stirn, an der diese Marx- und Mao-Sekundärliteratur abprallt. Ich habe offenen Auges eine Vision: Franziskus von Assisi geht durch die Buchmesse. Wo würde er sich, wenn überhaupt, zu Gesprächen niederlassen?

Der Literaturkritiker, der seinen ersten Roman schrieb und damit keinen Erfolg hatte, vielmehr handfeste Verrisse bekam: er ist niedergeschlagen, schier verzweifelt, er meint, man tue ihm Unrecht, man habe ihn nicht genau gelesen, man sei voreingenommen gegen ihn, und nie mehr werde er derlei schreiben. Tja, sage ich, sehen Sie, so geht es uns armen Autoren: wir schreiben ein zwei Jahre an einem Buch, wir setzen all unsre Hoffnung auf einen verständnisvollen Rezensenten, wir brauchen den Erfolg, wir brauchen das Geld, wir haben eine Familie, wir brauchen Ermutigung, denn wir schreiben ja immer gegen unsre Skepsis, gegen unsre Inferioritätsgefühle an, ja, und dann kommt so ein allmächtiger Kritiker, liest das Buch »diagonal«, mag es nicht, mag den Autor nicht, findet Autor und Buch zu links oder zu rechts, zu konservativ, zu gekonnt, zu wenig gekonnt, zu ... und schreibt in einer Stunde schlechtgelaunt einen Verriß; es ist sein Metier, zu zeigen, daß ers viel besser könnte als der Autor, wenn er selber so einen Roman schriebe, und der Autor liest den Verriß, wird vom Gifthauch des Drachen getroffen, ist verzweifelt, erwägt den Selbstmord, das Buch wird kein Erfolg, man liest es nicht, weil der große Kritiker es verrissen hat, der Autor hat keinen Mut mehr weiterzuschreiben, beginnt zu saufen. Ob unsre Kritiker je überlegen, wie unvorsichtig sie umgehen mit der Waffe Wort? Schreibtischtäter, fahrlässige Mörder.

Bei Ezra Pound in seiner Einführung zu ›No-Spiele‹ gelesen: Ein junger japanischer Schauspieler will, um eine Rolle besonders gut spielen zu können, das Benehmen einer »würdigen Greisin von achtzig Jahren« studieren; er geht ihr auf der Straße nach und prägt sich jede ihrer Bewegungen ein. Nach einer Weile bemerkt sie das, dreht sich um und fragt ihn, was er denn von ihr wolle. Er sagt es ihr. Sie tadelt ihn, er mache etwas Törichtes und Falsches. Wer etwas Vorhandenes in der Wirklichkeit kopiere, werde schlechtes Theater machen; man müsse vielmehr das Wesen einer Rolle von INNEN her erfassen. Daran mußte ich denken, als ich Hans Benders schönen Aufsatz über mich las, in dem er mich lobt dafür, wie genau ich beobachte; das hat auch Joachim Kaiser geschrieben. Aber die beiden irren: ich beobachte gar nicht viel und nichts einzelnes, ich schaue etwas an, im Ganzen, ich nehme die Person als Ganzes in mich auf, per intuitionem, und wenn ich sie ganz »in mir habe«, dann weiß ich alles über sie, ich weiß, wie sie sich bewegt, wie ihre Stimme klingt, wie sie ißt und wie sie schläft, ich brauche gar nicht mehr hinzusehen, um nachzuprüfen, die Details stimmen so sicher wie das Ergebnis einer mathematischen Aufgabe. Sie MÜSSEN stimmen, andernfalls ist die Person falsch angelegt, und die Geschichte ist schlecht im Kern.

Rom, Januar 76. Bei der RAI das Band mit meinem Hörspiel ›Un anno come gli altri‹ abgehört. (Deutscher Originaltitel: ›Das unheilige Jahr‹.) Warum fühle ich mich so äußerst unbehaglich im Studio? Jetzt sehe ich es: sämtliche Blattpflanzen sind Leichen, erstickt, vergiftet, vertrocknet, eines qualvollen langsamen Todes gestorben. Das Studio ist eine Leichenhalle, und niemand bemerkt es. Mit gleichgültigen Gesichtern und nervösen Gebärden drücken alle ihre Zigaretten in den Blumentöpfen ab. Der Redakteur, der hier arbeitet, heißt Malatino. (Malato: krank.)

Berlin, ich geh am frühen Morgen um den Lietzensee. Es nieselt. Ein trostloser Morgen. Ein Mann kehrt die Straße. Ich sage versuchsweise: Kali mera! Er schaut überrascht auf, er strahlt, er redet, aber leider: ich kann nicht Griechisch außer ein paar Worten, die mir im Gedächtnis blieben von der Reise 1956. Ich sage es ihm, er versteht, er sagt: Macht nix. Ich frage: Woher? Delphi? Athen? Nauplia? Er sagt: Sparta.
»Wanderer, kommst du nach Sparta, verkündige dorten, du habest uns hier liegen gesehn, wie das Gesetz es befahl.« Das Gesetz, es befiehlt auch, daß dieser Mann hier den Dreck wegfegt, den wir, die Sklavenhalter, machen. Aber freilich, diese armen Luder sind froh, hier Geld zu verdienen ... Ich weiß. Das ist so. So ist die Welt nun einmal. Ich schäme mich. Es gibt eine Scham, die nie zu fühlen eine Schande ist.

Pasolini ermordet! Wer hats getan? Ein Strichjunge ist geständig. Was er sagt, ist glaubhaft. Warum glaube ich es nicht? Ich habe einmal Pasolinis Freund, einen Jesuiten, kennengelernt, er hielt viel von Pasolinis Religiosität. Und einmal habe ich Pasolini selber kennengelernt: ich sollte ihn überreden, zu einer Tagung der Katholischen Akademie nach München zu kommen und über seine Filme zu sprechen. ›Film und Religion‹ hieß das Thema der Tagung. Er kam, er sprach auch, und sein Film ›Teorema‹ wurde gezeigt. Ich habe sein Gesicht lang anschauen können: ein gezeichnetes Gesicht, aufgerissen, zerpflügt, verwundet, zerlitten, gespannt. Lebendig, sehr lebendig. Ein Gesicht mit einem Brandmal, unsichtbar doch unübersehbar. Ein Homosexueller, Päderast, ein Kommunist, ein großartiger Filmemacher und ein Dichter, ja, ein großer Dichter, behaupte ich, nachdem ich außer ›Teorema‹ noch ›Königsmord‹ gelesen habe. Und ein Christ, einer, der die Ausgestoßenen liebt und sich vor keinem der finsteren Orte scheut, an denen der »Abschaum« sich einfindet: die Zuhälter, die Diebe, die Strichjungen. Und der dort umkommt mit unheimlicher Schicksalslogik.

Gestern, beim Abendessen bei den F.s, wurde sein Tod natürlich besprochen. Ich wollte nichts sagen, aber dann mußte ich doch reden, und ich wurde heftig, alle wurden wir plötzlich heftig, an Pasolini schieden sich die Geister. Sie fielen über ihn her, Italiener und Schweizer. Er sei homosexuell gewesen, ja, das toleriere man, aber daß er so viele Knaben verführt hat, das sei schlechthin schändlich, und sein Hang zum Untergrund, zu den Verbrechern ... Ich sage: »Genau das haben die Pharisäer Jesus vorgeworfen. Der hatte auch so einen Hang zu den Geächteten, den Dirnen und Zöllnern.« Aber das ließ man nicht gelten: Jesus hat keine Knaben verführt und war nicht gefährdet, er ging zu den Leuten, um sie zu retten. Und Pasolini? Er ging zu den Ausgestoßenen, weil er sich ihnen verbunden fühlte in der Not, im Abgesondertsein vom »Normalen«, von der bürgerlichen Gesellschaft, von den Selbstgerechten, den »Pharisäern«. Er gestand sich sein Elend ein, seine Gewissensangst, seine Verzweiflung. Er sah sich und die andern nackt und bloß. Er liebte die Verachteten. Sein Platz war bei ihnen. Auch Dostojewski ging zu den Säufern, Spielern, Dirnen, Mördern.

Nur wer seinen eigenen Schatten kennt und bejaht, der kann es wagen, den Schatten der andern zu begegnen. Aber Jesus? Nun: hatte der keinen Schatten? Was war denn mit der Versuchung in der Wüste? Wer ihn da versuchte, das war freilich kein kleiner sexueller oder diebischer Teufel. Das war einer, der dem großen Licht entsprach. Und war das ein Teufel, der einfach so von außen herangeschlichen kam? Das war etwas in Jesus selbst, das da versuchbar war: das Machtstreben, das Bewußtsein, der allergrößte Magier aller Zeiten sein zu können, wenn er nur wollte; die Vorstellung, daß er Steine zu Brot machen könne! Was für eine Versuchung für einen Liebenden, der große Brotmacher zu werden, der alle Nahrungssorgen ein für alle Male aus der Welt schaffen könnte, der perfekte Erfüller aller sozialistischen Träume, den das Volk zum Erdenkönig wählen würde ... Wenn einer von uns vom Teufel angeboten bekäme die Kraft, die ganze dritte Welt für immer satt zu machen, so daß kein Kind mehr Hungers stürbe ...? Nun: Jesus hat widerstanden. Sein Reich war nicht das der Magie. Sein Weg war der nackte demütige Kreuzweg. Aber DA war er, der Schatten, sehr groß und mächtig.

Und Pasolini, der Christ, sollte keinen Schatten gehabt haben? Und die ihn verurteilen beim Abendessen, die sind allesamt Christen. Ich frage: Was ist besser: die dreckigen kranken Füße der Verworfenen zu waschen als zum hundertsten Mal die eigenen Hände, die doch nie sauber werden? Der Abend hat mich tief verstört.

Großstadtsymphonie 76. Drei Wochen anhaltender intensiver Beschäftigung mit moderner Musik haben mir Ohr und musikalisches Bewußtsein geschärft. Ich höre anders, ich höre mehr und anderes als vorher. Was mir vordem mißliebiger Lärm oder gleichgültiges Geräusch war, erkenne ich jetzt als Musik. An mir ist es, mich auf die verschiedenen Frequenzen einzustellen. Alles ist Schwingung, nur die Wellenlängen sind verschieden. Als was ich sie höre, darüber entscheidet meine Klangphantasie. Der Wind streicht durch eine enge Ritze: ich höre ein Geigen-glissando auf zwei Saiten. Aus einem Loch in der Dachrinne tropft Regenwasser auf ein Blech: ich höre ein Bratschen-pizzicato. Was die Elektronenmusiker mit Hilfe der Technik zuwege bringen, nämlich: Schwingungen so zu steuern, daß sie, auf eine bestimmte Länge und damit Tonhöhe gebracht, Klang werden, das schafft meine Phantasie aus dem akustisch Gegebenen. Musica mundi, sie ist immer da. An diesem klaren, hellhörigen Berliner Sonntagmorgen, auf dem Balkon der Akademie stehend, greife ich ein Stück heraus, ein Wellenbündel hier, eins dort, webe mir einen Klangteppich daraus, hänge ihn höher oder tiefer, wie jenes Gesetz befiehlt, das ich beim Analysieren der Musik Isang Yuns hören lernte.
Ich setze einen willkürlichen Anfang: ein Flugzeug, fern und sehr hoch, wird hörbar, der Ton ist dünn wie das Summen einer Biene, schwillt langsam an, wird zum Cellosolo, crescendo, makellos gestrichen bis zum forte, wechselt vom Cello auf den Baß, über meinem Kopf übernimmt den Ton die Tuba, ein Orgel-Akkord baut sich auf, feierlich, wird eine Weile gehalten, dann ein decrescendo, langsam und meisterlich gleichmäßig, bis wieder der reine Celloton übrigbleibt und mit einem pianissimo morendo ins Unhörbare sich verliert. Pause. Plötzlicher präziser Streicher-Einsatz: die Autos an der Verkehrsampel fahren los in beiden Richtungen, an der Kurve scharfe pfeifende glissandi. Stille. Kurze Pause. Dann ein Schlag auf den tiefen Gong: die große Glocke einer der beiden Kirchen, und dann setzt das Gamelan-Orchester

der andern Glocken ein, die verschieden gestimmt sind. Kurzer Wohlklang, eine Pause im Verkehr, die Ampeln stehen auf Rot. Plötzlicher Lichtwechsel: voller Streicher-Einsatz, diesmal in tieferer Lage: ein paar Sportwagen sind dabei und ein schwer dröhnendes Motorrad. Kurzer furioso-Satz. Stille. Wieder der Glockenklang, aber jetzt hämmernd skandiert von der Perkussion der S-Bahn, die, nach dem fortissimo über der Brücke, noch eine Weile (bei Nordostwind) als rhythmisch pochendes ostinato den Glockenpart untermalt. Plötzlich ein Trompetenstoß in reinem C-Dur: eine Dreiklanghupe, ungeduldig sich wiederholend, bis ein Fenster sich öffnet und zusammen mit einem Koloraturlachen ein paar Takte einer Bachkantate herausquellen. Generalpause. Das Glockenspiel wird leiser, die Töne schwanken: der Wind hat sich verstärkt, er streicht durch den Park und raschelt in den welken Blättern: sehr rasches Streichen auf Geigen mit sordino, ein raffiniertes ostinato für einen seltsamen Ton, es könnte eine Mundorgel sein, was ich höre: der Wind fährt durch den langen Korridor der Akademie, jemand hat Tür und Fenster geöffnet. Dazu ein überraschendes Xylophonsolo hinter meinem Rücken: mein Wasserhahn, der bisweilen aus freien Stücken zu tropfen beginnt. Jetzt fallen die Tropfen rhythmisch in einen tiefen Blechtopf. Lange nichts als das. Beruhigend und aufreizend zugleich wie jede allzu insistierende Wiederholung. Plötzlich großer Orchester-Einsatz: die Kirchenglocken (zweiter und letzter Ruf zum Gottesdienst), die S-Bahn, die Autos an der Ampel, ein Staubsauger, Kindergeschrei, das Gebell des Hausmeister-Foxterriers, Zuschlagen von Türen. Allegro furioso. Unvermutet klopft der Dirigent ab. Pause. Und schließlich wieder der hohe reine Celloton eines fernen Flugzeugs. Ich schließe die Balkontür, mache den doppelten Schlußstrich. FINE. Aber die Musik, musica eterna, geht weiter, und auch bei geschlossener Tür antworte ich auf sie wie das abgestimmte Glas auf den Geigenton.
1977: Mir fällt ein: hätte ich in musikalischer Schrift notiert, was ich da hörte, so hätte ich »musique concrète« komponiert!

Berliner Arbeitswochen 76. Das ist ganz genau die Art zu leben, die mir paßt: ein kleines karges Zimmer in der Akademie, nur mit dem Allernötigsten eingerichtet, eine Nische mit einer Kochplatte, ein ganz einfaches Bad. Meine Habe hat in einem Koffer Platz, und sie wird hier um nichts vermehrt als um einen Stoß beschriebenen Papiers: die Notizen zum neuen Buch. Eine

Mönchszelle, ein streng geordneter Tageslauf: frühes Aufstehen, der Gang durch den Park, bei jedem Wetter, dabei Überdenken der Fragen, die ich I. Y. stellen werde, wieder daheim, Durcharbeiten der Notizen vom Vortag, Auszüge machen aus den Stößen von Zeitungsnotizen, alten und neuen Kritiken und Aufsätzen, die mir Isang Yun anschleppt, dann, um halb zehn er selbst, pflichtbewußt und voller Widerstände gegen das Reden über sich selbst, dann drei Stunden Arbeit, Frage und Antwort, auf Band genommen, Mittagspause, in der er heimfährt und ich mir Tee mache und Dosenwürste wärme, von vier bis sieben wieder das Gespräch, bis zur Erschöpfung. Abendgang durch den Park, Fernsehen (zur Abwechslung DDR) anschauen oder Lesen in andern Musiker-Biographien, um zu lernen, wie man derlei macht und wie ichs nicht machen werde. Und so drei volle Wochen. An den beiden Wochentagen, an denen I. Y. nicht oder nur kurz kommt, weil er Unterricht hat an der Hochschule, arbeite ich weiter Notizen aus, oder fahre zum SFB und höre mir Bandaufnahmen I. Y.s Musik an, Partitur lesend dabei, und wenn in der Akademie ein Vortrag ist oder ein Konzert, das mich interessiert, so höre ichs an: ein Lasker-Schüler-Abend, ein Boris-Blacher-Konzert, der Vortrag einer alten Frau, welche zur Zeit des Großen Marsches in China war und Maos und Tschu En Lais Zahnärztin. So ein Leben äußerster Konzentration auf eine Sache, einen Menschen, eine Idee wirkt reinigend.

Weihnachtsabend im italienischen Fernsehen 1976. Beispielhaft. Der erste Teil: in Kalkutta, im Haus der Mutter Teresa, die Christmette mit den indischen Nonnen, ohne Priester, Frauen teilen das Brot aus. Armut, Frömmigkeit. Glaubwürdiges Zeugnis.

Zweiter Teil: bei den Volkssingern in Chile. Intensive Stimmung ohne Gewalttat, aber jedes Lied ein Schrei nach der Freiheit. Plötzlich die Polizei, sie räumt mit Knüppeln den Saal.

Dritter Teil: Irland. Der kleine Sohn der Betty Williams. Er ist sieben Jahre alt und hat noch nie einen Tag Frieden erlebt, seit er auf dieser Erde lebt.

Vierter Teil: in Turin beim zwanzigjährigen Sohn eines von Terroristen ermordeten Industriellen. Die Frage des Reporters: Können Sie dem Mörder verzeihen? Nein, sagt er, das könne er noch nicht, und vielleicht dürfe er es nie können. Eindrucksvoll seine Ehrlichkeit und daß sie ihm selber Qual bereitete. Er hätte, für Weihnachten, eine schöne Phrase sagen können. Er sagte sie nicht.

Staatsbürger sein. Ende Dezember mit Christoph am Nemisee. Die ersten Narzissen blühen. Sanfte weiße Jagdhunde folgen uns lautlos auf den schmalen, überwachsenen Pfaden. Plötzlich ein Schuß. Wir sehen den Jäger später weiter oben. Ich frage ihn, was er schieße. Er zieht eine Drossel aus der Hosentasche, sie ist noch weich und warm. Was tun Sie mit dem Vogel, essen Sie ihn? Nein, ich werf ihn weg. Und warum schießen Sie ihn dann? Nur so, aus Vergnügen. Wissen Sie, was Sie damit tun? Ich sage ihm, daß er mithelfe, seine Kinder und Enkel zu vergiften: je weniger Vögel, desto mehr Insekten, desto mehr DDT. Er zuckt die Achseln: Wenns so schlecht ist, warum verbietet es die Regierung nicht? fragt er. (Das frage ich auch.) Ich sage: Warten Sie immer, bis die Regierung etwas erlaubt oder verbietet? Und wenn Ihnen die Regierung befiehlt, auf Menschen zu schießen statt auf Vögel? Er zuckt die Achsel, mit dieser Frage ist er überfordert.

Pascal gelesen (›Über die christliche Religion‹). Unter sehr schönen Abschnitten einen gefunden, der mich entsetzt: »Es ist unmöglich, alle Beweise für die christliche Religion zugleich ins Auge zu fassen ... Man betrachte die Gründung: eine Religion, der Natur so sehr entgegen, verbreitet sich durch sich selbst, so still, ohne alle Gewalt, ohne Zwang ...« Welche Geschichtsbücher hat Pascal gelesen, daß er derlei sagen kann? Hat er nichts gehört über Karls des Großen gewaltsame Bekehrung der Sachsen? Da gings nur mit Gewalt, es war ein großes Schlachten. Und die religiösen Kämpfe der Byzantiner? Und die Kreuzzüge? Und die Methoden, deren sich manche Missionare bedienten, um »Heiden« zu bekehren? Nein: unter Jesu Nachfolgern waren Terroristen, Militaristen, Folterer. Man muß eher sagen: daß das Christentum TROTZ der Gewalttaten bei seiner Ausbreitung fähig blieb, charismatisch zu wirken, DAS ist ein Beweis für die ungeheure Kraft der Lehre und der göttlichen Anwesenheit des Stifters.

Jugend 1976. Ein Fünfzehnjähriger schickte mir eine kurze Geschichte zur Beurteilung. Der Inhalt: Ein Junge sitzt allein in seinem Zimmer. Nebenan sind andre, die tanzen. Er hört die Musik. Er ist sterbenstraurig, warum? Weil er allein ist. Weil das Mädchen, das er liebt, nicht zu ihm kommt. Weil er sich rundum unverstanden fühlt. Weil er malen will, ernsthaft, nicht als Hobby WIE DIE ANDERN. Weil er anders ist als die andern. Interessant: die jungen Werthers gibts immer. Das ist tröstlich, denn es garantiert die Kontinuität des Menschlichen: es ist menschlich, auf solche Weise am Leben zu leiden. Das garantiert auch die Kontinuität des Literatur-Verständnisses: Eine Generation um die andre kann sich mit Gestalten, von den Dichtern geschaffen, aus andern Generationen identifizieren. Andrerseits – mir bereitet diese junge Geschichte Unbehagen: da hockt dieser Bub und hat Welt- und Liebesschmerz. Steppenwolf-Haltung. Weltflucht. Resignation. Wie hätte ichs denn lieber? Ich denke an 1968. Jene Aufständischen hatten ihr Privates überstiegen, sie sahen große allgemeine Ziele, sie hatten keine Zeit für ein sensibles Innenleben, sie hatten etwas Konkretes, wenn auch Utopisches, zu tun. Ich bin immer auf der Seite der politischen Revolutionäre, wenn auch nicht auf der Seite der Gewalttäter. Aber: im Kämmerchen sitzen und weinen, ich weiß nicht ... Kehrt Werther zurück? Aber interessant ist dies: der Junge ist kein Eroberer, sondern ein Wartender, er geht nicht zum Mädchen, es muß zu ihm kommen, und er gestattet sich zu weinen und es auch noch zu sagen, daß er weint. Der Männlichkeitswahn ist überwunden. Ich frage: Kann man, kann ein Mann seinen Anima-Teil entfalten, ohne zu ver-weichlichen? (Kann eine Frau ihren Animus-Teil entfalten, ohne zu verhärten?) Ich schrieb dem Jungen, daß ich meine, er sei begabt, das wohl, aber seine Geschichte sei mir zu privat, sie rege andere junge Leute nicht an, zu nichts. Damit provoziere ich ihn. Er antwortet, ich habe damit recht und er wolle lernen, Welt hinzuzunehmen, wie ichs ihm riet. Ich hoffe, ich habe ihm keine falsche Wegweisung gegeben. Ich bin dessen nicht ganz sicher.

Atomkraftwerke, oder: wie man uns verdummt und betrügt. Ein Besucher, holländischer Architekt, erzählt mir, man mache in Holland in einer von einem katholischen Orden geleiteten landwirtschaftlichen Anstalt Methangas aus dem Kuhdünger und betreibe mit dem Gas eine Anlage zur Energie-Produktion. In Holland sei man über diesen Versuch sehr froh. In Oberbayern, meiner Heimat, tun das die Salesianer in Kloster Benediktbeuern seit den stromarmen Nachkriegsjahren. Sie können sich zwar

nicht ganz selbst versorgen mit Energie, aber doch zu einem großen Teil. Gut. Was aber geschah jetzt eben? Die Bayernwerke, die das Monopol haben zur Erzeugung von Elektro-Energie, verboten es dem Kloster. Wenn es nicht aufhöre, sich selbst zu versorgen, würde ihm die Stromzufuhr ganz abgeschnitten.
Meine Frage: Wenn die Bayernwerke so viel Strom produzieren, daß ihnen eine zusätzliche Energie unerwünscht ist, dann haben sie offenbar übergenug Strom; wozu dann Atomkraftwerke? Ich weiß die Antwort. Sie ist die gleiche, wie sie gedacht werden muß auf alle ähnlichen Fragen: Warum haben unsre Autos immer noch nicht den Elektromotor, der längst erfunden ist? Warum haben wir die Sonnen-Energie nicht längst genutzt? Warum werden alle Vorschläge von Erfindern, auch wenn als gut erkannt, abgelehnt?
Warum läßt man lieber die Menschheit ersticken, erfrieren, vergiften, als daß die großen Unternehmer und Konzerne ein bißchen weniger reich würden?
Wer fürchtet eigentlich noch den bösen Wolf, den an alle Wände gemalten Teufel, genannt Energie-Lücke? Wer glaubt dem Staat überhaupt noch etwas? Wer hält noch etwas von Regierungen, rechten, linken, brav demokratischen, wenn sie uns so dumm und frech belügen? Wer wundert sich da noch über unsre Jugend, wenn sie solche Staatswesen zerstören will? Können Anarchisten böser und schädlicher sein als Staaten, die uns fahrlässig hinmorden?

Bei B. Baumann gelesen: »Zur Rockmusik hat ein Arbeiter mehr Beziehung wie ein Intellektueller, bei der läuft ein bißchen mehr übern Körper, du wirst ja nur auf Körper getrimmt, nicht auf Gehirn ... Diese Musik ist ja nicht so wie ein Beethoven, ein Headmovie, sondern reine Körpergeschichte. Klar: kommt vom Blues, also vom Baumwollpflücken, die diesen Drive, zu dem sie den ganzen Tag gezwungen werden, einfach in Freude umwandeln, also noch das Beste rausholen. Durch so eine Musik haben solche Sachen mehr proletarische Kreise erfaßt als intellektuelle.«
Als ich 1952 im Auftrag einer Zeitung, der ›Weltwoche‹, in Konnersreuth war bei der stigmatisierten Therese Neumann, schaute sie mich mitten in ihrem Gespräch mit andern Leuten an und sagte: »Gel, so möchst schreibn, daß die ganz die Einfachen grad so gut verstehn wie die ganz die Gescheitn.« Sie hatte, ohne überhaupt etwas von mir zu wissen, ohne je mit mir gesprochen zu

haben, mein Zentralproblem GESEHEN. Wenn ich die Reaktionen meiner Leser betrachte, meine ich, daß mich »die ganz die Einfachen« verstehen. Die andern nehmen mirs übel, daß es so ist. Seltsame Welt. Aber an diejenigen, von denen B. Baumann redet, komme ich nicht heran. Die Kluft zwischen Intellektuellen und denen, die man »Proletarier« zu nennen gewöhnt ist, die besteht.

Die Idealistin. Brief einer Achtzehnjährigen, die in einem meiner Bücher den Satz gelesen hat: »Nichts zählt als das, was aus dem Mitleiden geboren wird.« Sie will Psychagogin werden, aber alle ihre Freunde raten ihr ab; sie sei zu mitleidig, zu weich, sie sei eine jugendliche Idealistin, das verliere sich später. Sie schreibt: »Sie sagen alle, in der Jugend habe man halt noch Ideale ... Ich kann das schon nicht mehr hören. Warum haben die keine Ideale mehr, die so reden? Ich ertrage den Gedanken nicht, daß auch ich eines Tages gebrochen sein werde und mich darein füge. Es ist ja fast so, als ob sie aus Neid so reden und andern die Begeisterungsfähigkeit rauben wollen, die sie selber nicht mehr haben. Ich verstehe, wenn sie sagen, daß die Jugend revolutionär ist, ich war mir dessen vorher nicht bewußt. Sie, Frau R., sind jung geblieben, fragend, suchend, nicht einverstanden und in diesem Sinne revolutionär. Es geht also doch, daß man nicht gebrochen wird?«
Ja, es geht. Aber wie denn? Wie gings bei mir?
Ich habe mich der schwierigen Gnade, »geistige Unruhe« genannt, ausgesetzt. Konkret heißt das: ich habe alles Neue, auch wenn es mir nicht gefiel, aufgenommen, es intensiv durchlebt, aber mich nicht eingenistet, sondern bin hindurchgegangen, immer bereichert. Mein konservativer Vater fand mich in meiner Jugend, auch später noch, wankelmütig, ja charakterlos. Er verstand nie, daß man sich wandeln kann. »Wandelmutig«, nicht wankelmütig war und bin ich. Allerdings habe ich einige Erfahrungen ausgespart, die meinem Wesen konträr waren und sind: alles, was mit Gewalt zu tun hat, also Faschismus (Nationalsozialismus) und den Links-Extremismus, der zu Waffen greift. Intellektuell habe ich mich aber auch damit auseinandergesetzt. Ich habe mich auch mit jeder neuen Kunstrichtung beschäftigt und mit jeder neuen Philosophie und Theologie. Das war mir meist kein Vergnügen, sondern Beschwerlichkeit. Es ist bequemer, sich ein für allemal irgendwo einzunisten und zu sagen: so, ich bin angekommen, und

da bleibe ich. Aber das zu tun, bedeutet sich der Sünde der geistigen Trägheit schuldig machen und sich vom wirklichen Leben abschneiden. Das Leben ist dynamisch, und Gott ist ein Gott der Lebenden, also ein Gott der Bewegung, und nur der, welcher zu Bewegung und Wandel bereit ist, steht auf der Seite des lebendigen Gottes. Die Jugend ist, wenn sie wirklich jung ist, auf dieser Seite. Darum bin ich immer auf der Seite der Jugend, welche die Geschichte vorantreibt. Auf seiten der Jugend zu sein, ist unbequem, weil man sich dadurch immer aufs neue in Frage gestellt sieht. Man muß immer aufs neue seine eigene Position prüfen und sich wandeln. Man muß auch immer offen sein für Menschen, die einem begegnen.

Ja, schon, wird meine junge Leserin sagen, aber das ist nicht die Antwort auf meine Frage; ich möchte wissen, woher Sie die Kraft nehmen, zu glauben, daß der immerwährende Wandel sinnvoll ist.

Mit andern Worten: sie stellt die Frage nach der Quelle des »Idealismus«, also die Frage nach dem Ursprung und der Berechtigung zu HOFFEN. Denn »Idealismus«, wie sie es meint, ist jene Einstellung zum Leben, welche sich nicht von der sogenannten »Wirklichkeit« conditionieren läßt, sondern einer »Idee« folgt, einer »Utopie«, einer inneren Gewißheit davon, daß es innerhalb, außerhalb, oberhalb der Wirklichkeit eine andre, wahre Wirklichkeit gibt, in der all das nicht zählt, was in der unteren Wirklichkeit gilt: Geld, Besitz, Macht, dafür aber Erkenntnis, Liebe, Barmherzigkeit, freiwillige Armut, Hingabe an eine Idee, die einem nichts einbringt.

Daß diejenigen, die sich in der untern Wirklichkeit eingerichtet und resigniert haben, auch andern den Idealismus ausreden und absprechen wollen, ist klar: sie neiden den andern den Geist.

Sich nicht von ihnen anstecken und lähmen zu lassen, erfordert Kraft, aber diese Kraft kommt eben aus dem Entschluß, einer Idee zu folgen. Je mehr Glauben, desto mehr Kraft. Das klingt so simpel wie eine Rechnung aus der Volksschule. Aber es ist das Ergebnis der langen harten Erfahrung.

Ich hoffe, daß meine achtzehnjährige Leserin, die diese Blätter bekommt, damit leben kann.

Ernst Bloch. Wir (Berliner Akademie der Künste) haben ihn zum Ehrenmitglied gewählt (warum so spät? Er ist neunzig!), und wir fahren zu ihm nach Tübingen, ihn zu feiern. Beim

Abendessen im Hotel ›Krone‹ ist er anwesend und nicht nur dem Leibe nach, er scheint wohlauf. Aber zur eigentlichen Feier am nächsten Tag, sagt seine Frau, werde er nicht kommen, das sei denn doch zu anstrengend. Aber er kommt. Er kommt auf den Arm seiner Frau gestützt und dann von Walter Jens zum Sessel geführt. Nicht als wäre er gebrechlich, hinfällig, nein, er ist nur fast blind. So kommt er also herein, weißmähnig, schön anzusehen. Teiresias, Jeremias, blinder Sänger, chassidischer Weiser. Aus seinem Gesicht haben die Jahre alles Überflüssige weggenommen, aber es wurde dadurch nicht karg und mager, nicht hart und nicht verbraucht, es wurde groß und klar, es ist uralt und jung und ganz in sich gesammelt. Obwohl ich weiß, daß diese Augen nichts sehen, habe ich den Eindruck, als nähmen sie alles wahr, alles, auch das, was nicht sichtbar ist. Ich schaue ihn an und sage mir: Vielleicht siehst du ihn nie wieder. Ich sage mir auch: Schau ihn an, du siehst so einen vielleicht nie wieder; dies ist einer der »Gerechten«, von denen es, wie die Chassidim sagen, in jeder Epoche nur sechsunddreißig gibt, über die ganze Erde hin verstreut.
Er hört sich die Laudatio an, oder er hört sie auch nicht an, wer weiß, was er denkt und wo sein Geist umherschweift. Vermutlich hat er sich auf seine Rede vorbereitet, die er dann hält, frei natürlich, denn ablesen kann er ja nicht. Er improvisiert, aber es erweist sich, daß er, in sich hineinhorchend, dort ein klares Konzept vorfindet. Es ist eine wunderbar gebaute Rede. Nach zehn Minuten ungefähr stockt er. Schon bekomme ich Angst, er habe nun doch den Faden verloren und verrate ein wenig Senilität. Weit gefehlt: er machte nur eine Zäsur, um dann den zweiten Teil aufzubauen. Makellos führt er die Rede zu Ende. Danach ist er keineswegs erschöpft, sondern läßt sich Leute zuführen und wechselt einige Worte mit ihnen. Ich halte mich im Hintergrund, aber Walter Jens zieht mich zu Bloch hin. »Ah«, sagt Bloch, »setzen Sie sich, kommen Sie näher her.« Und dann, ohne jede Überleitung, sagt er: »Wie übersetzen Sie eigentlich TAO?« Wie um alles in der Welt kommt er dazu, mir diese Frage zu stellen? Ich bin doch keine Expertin für Taoismus. Wie kann Bloch wissen, daß ich mich seit Monaten damit beschäftige? Ich habe keine Zeit zur Bestürzung, ich antworte. Ich sage ungefähr so: TAO wird doch allgemein übersetzt mit SINN, aber das ist nur ein Hilfswort, es gibt kein Wort dafür, weil jedes das Wort verfälscht, verkleinert, eigentlich negiert, was TAO ist. Aber ich habe ein anderes Wort gefunden, das die Anwendung des TAO auf das Leben ist. Ich sage: ›Der WEG‹. Bloch

wendet mir überrascht sein Gesicht voll zu, dann nickt er. Der WEG, wiederholt er. Ja, sage ich etwas zaghaft, es gibt nämlich im Evangelium ein Wort des Christus. Ich bin DER WEG, die Wahrheit ... Sehr gut, sagt Bloch, der SINN, der WEG ... Den WEG gehend, erfährt man den SINN. Ich weiß nicht mehr viel sonst von unserm Gespräch. Ich sitze verzaubert da, ganz hineingenommen in Blochs Denken. Aber man läßt uns nicht sehr lange reden, auch andre Leute natürlich wollen ein paar Worte vom Meister hören. Hernach erst überfällt mich die Verwunderung: wieso hatte er gerade an mich diese Frage gestellt? So gestellt, als nähme er einfach ein Gespräch wieder auf, das wir vor Jahrhunderten abgebrochen hatten?
Walter Jens erzählt mir, Bloch habe, als er letzthin im Krankenhaus war, gesagt, er habe den Teufel gesehen. Jens habe ungläubig gelächelt und es dann für einen Scherz genommen. Bloch beharrte darauf: Ich habe den Teufel gesehen. Früher einmal hatte er zu seinem jungen Freund Baptist Metz gesagt, er habe seine tote erste Frau GESEHEN. Bloch, der scharfe Denker, der gelernte Marxist, der Fromme, der Mystiker. Sein konsequentes Denken führte ihn zum Schauen.

Südkorea. Des Glockengießers Töchterlein. Im Garten des neuen Museums von Bulgugsa in Korea hängt die große Glocke mit Namen Emillae. Ich wünsche mir sehr, ihren Ton zu hören. Aber sie wird nur einmal im Jahr geläutet. Jetzt ist nicht der Tag und nicht der Anlaß zu läuten. Dennoch bekomme ich die Erlaubnis sie zu hören, ja selbst zu läuten. Aber wie: sie hat keinen Klöppel. Dafür hängt an zwei starken Ketten ein mächtiger Querbalken, den muß man zuerst nach rückwärts ziehen, dann loslassen, so daß der Balken gegen die Glocke stößt. Einfach gesagt! Ich ziehe aus Leibeskräften, der Balken erreicht eben den Glockenmantel, die Glocke gibt nicht mehr her als ein dunkles Summen. Dann muß ich beiseite treten: zwei Männer ziehen den Balken und lassen ihn vorwärts schnellen: ein ungeheurer Ton. Ich fühle das Beben des Metalls, das Beben der Luft in meinem Körper. Ein zweites und drittes Mal stoßen die Männer zu, dann lassen sie die Glocke ausschwingen. Lange ist nichts da außer dem dunklen Dröhnen. Die Sonne geht darüber unter, die Dämmerung breitet sich über den Reisfeldern aus, es wird dunkel, und immer noch summt die Glocke. Zuletzt hört es sich an wie ferne Bienenschwärme. Man sagt mir, ich soll jetzt die Glocke berühren: das

Nachbeben geht in mich über, ich bebe mit. Ich habe das Herz Koreas berührt.
Die Glocke ist alt, sie hat eine Geschichte. Diese Geschichte gibt es in vielen Ländern, im Westen wie im Osten. Die Grundfigur: ein Glockengießer hat eine große Glocke gegossen, aber sie klingt nicht, sie ist stumm. Es fehlt ihr etwas: die Seele. Ein Opfer, ein Menschenopfer, muß geschehen: der Gießer wirft seine eigene geliebte Tochter in die flüssige glühende Glockenspeise. Und nun klingt die Glocke. Wir sind rasch zur Hand mit der Deutung: es ist natürlich eine Symbolgeschichte, die besagt, daß man für ein vollkommenes Werk das Liebste opfern muß: ein Stück vom eigenen Fleisch und Blut, ein Kind, das die Garantie wäre dafür, daß der Künstler in ihm weiterlebe. Mit dem Kind wirft er seine eigene Zukunft ins Werk. Nichts zählt und wiegt als eben dieses eine, DAS Werk seines Lebens. Eine grausame Deutung, eine, die nur ein Künstler akzeptieren kann. Er weiß nämlich, daß Kunst unerbittlich Opfer fordert. Andere Deutung: kein Werk lebt, das nicht vom Geist beseelt ist. Der Geist ist das spezifisch Humane. Nur der Geist macht, daß die Materie, das Material, lebt und klingt.
Als ich in Indonesien war, erzählte man mir (und es war kein Märchen!), daß man ein Jahrzehnt vorher beim Bau einer hohen Brücke einige Kinder lebendig mit eingemauert habe. Nur Menschenopfer zwingen das Wohlwollen und den Schutz der Götter. Wir entsetzen uns.
Aber wie: werden nicht überall auch heute Menschen geopfert für eine Sache? Lebendige Menschen! »Das Vaterland« opfert seine Jugend in sinnlosen Kriegen und bei militärischen Übungen mit dem Starfighter. Die Kirche opfert große, kühne Geister für die Reinhaltung des Glaubens und für die Einheit ihrer Macht. Revolutionen erfordern Menschenopfer »für eine bessere Zukunft«. Und die braven Bürger sind bereit, ihre kriminellen Kinder zu opfern in der Todesstrafe, die sie, wo es sie nicht mehr gibt, gern wieder eingeführt sähen; sie wollen lebendige Menschen opfern für ihre eigene kleine armselige bürgerliche Sicherheit. Und ist lebenslängliches Zuchthaus nicht noch schlimmer, als lebendig eingemauert zu werden?
An die Stelle der Menschenopfer heischenden Götter sind die Menschenopfer heischenden Ideologien getreten. Immer wird Glockengießers Töchterlein geopfert.

Die Jenseits-Mode. Ich werde bombardiert mit Briefberichten und Schriften über Besuche aus dem Jenseits, Erlebnisse mit Gestorbenen, mit Wiedergekehrten. Ich bemühe mich, die Menschen zu verstehen, die da förmlich um mich werben, ich möge mich zu jenen schlagen, die mit dem Jenseits Verkehr pflegen. H. war schier böse mit mir, als ich so gar kein Verlangen zeigte, jene geheimnisvollen Silberwolken zu sehen, die über ihrem Bett schwebten und in die sie ihre Hände tauchen konnte wie in kühles Wasser, woraus ihr Trost kam und die Gewißheit, nicht verloren zu sein im Weltall. H. war eine große Hellseherin, ohne Zweifel, sie hat Jahrzehnte hindurch erstaunliche Proben ihrer Sehergabe geliefert, auch vor strengen Forschern. Aber was hat das mit dem »Jenseits« zu tun? Für mich gehört das alles zum Diesseits, die Parapsychologie und der ganze Okkultismus. Kein Schritt über die Grenze. »Was außen ist, ist innen, was oben ist, ist unten.« Was jenseitig scheint, ist nichts als die Ausweitung unsrer Innenwelt, die Verfeinerung unsrer Sinne. Alle »okkulten« Erfahrungen verbleiben »system-immanent«. Es gibt nur Grade der Durchlässigkeit für Anwesenheiten in uns und um uns. Aber »das Leben nach dem Tod« ist etwas ganz anderes. Frage: Was wollen die Leute eigentlich, die da so gierig sind, ihre lieben Toten als wolkige Manifestationen wiederzusehen oder, wie Konstantin Raudive, Stimmen, Wortfetzen auf Band zu nehmen, die »aus dem Jenseits« kommen und ihm sagen, es gehe seinen verstorbenen Verwandten »dort« gut? Was ist Kern und Sinn dieser Bettelei um Botschaften aus dem »Jenseits«? Nichts als die Angst, »mit dem Tod sei alles aus«. Man will hören, es sei NICHT aus, es gehe weiter, man sei nicht verloren im Nichts. Wenn man Gesichter sieht von Leuten, die gestorben sind, wenn man ihre Stimmen hört, so ist das der strikte Beweis, daß sie noch existieren. Aber WO und WIE? Natürlich existieren sie zumindest im Innern derer, die sie rufen. Sie existieren wohl auch in einer Erdensphäre, die nicht unsre Alltagswirklichkeit ist. So schnell lösen sich Energien nicht auf, daß sie nicht noch eine Weile nach der Trennung vom materiellen Leib irgendwo und -wie anwesend und rufbar wären und »Gestalt« annehmen könnten. Aber was sagt das aus über unsre »Unsterblichkeit«? Was sagt das aus über den Sinn unsres Lebens und Sterbens? Daß wir weiterleben – ist das so tröstlich? Warum klammern wir uns an einen solch materiellen Strohhalm? Warum suchen wir nach Beweisen, daß wir nicht zu nichts werden? Sind diese wolkigen Manifestationen, diese bruchstückhaften Reden Beweise? Mir nicht. Ich verschmähe jeden Beweis. Mir genügt das

Bewußtsein, daß ich lebe und daß mein Leben im Stromstrich des Lebens mitfließt. Was ewig ist, das ist der Strom. Das Wasser des Lebens. Was wäre denn an mir, von dem ich meinen könnte, es müsse der Nachwelt und mir selbst erhalten bleiben? Was ich getan, geleistet, gedacht habe, das mag bleiben. Es wird schon irgendwie weiterleben. Aber ICH? Ja, »ich« auch. Nichts geht verloren. Aber was schert mich das WIE und das WO? Ehrlich gesagt: nichts. Ich habe keine Zeit zu okkulten Sitzungen und keine Lust zu theologischen Spekulationen. Ich habe mich ein für alle Male in den Urstrom geworfen. Die Antwort, die mir aus seiner Tiefe und Weite kommt, genügt, und jede andre von unwissenden »Geistern« erbettelte, erzwungene Antwort scheint mir kindisch. Einzig »der Heilige Geist« ist der Tröster, nicht die »Geister«.

Ja, sagt E., der dieses Blatt liest, ja, aber kennst du denn diese fürchterliche Angst nicht, einfach NICHTS mehr zu sein? Du mußt doch die Leute verstehen, die von solcher Angst geschüttelt sind. Sie müssen sich doch zu retten suchen.

Ob ich diese Angst nicht kenne?

Über mein Blatt Papier läuft eine winzige Spinne. Ich blase sie weg. Fort ist sie. Und ich? Was bin ich im Universum? Nichts, was der Rede wert wäre. Ein Taifun bläst mich weg; eine Erdspalte, durch ein Beben entstanden, verschluckt mich ohne Aufhebens, bei einer Überschwemmung ersaufe ich wie die Fliege in der Pfütze. Wer nimmt Notiz davon? Wer sucht meine Spur? Unauffindbar bin ich, verweht im Wüstensturm der Zeiten. Nichts bin ich.

Aber ich will etwas sein, ich will jemand sein, eine Person, ein Bewußtsein, eine Persönlichkeit. Bin ich nicht die Frucht lebenslanger harter Zucht und Arbeit? Habe ich nicht teuer bezahlt für die Gestalt, die ich jetzt bin? Tränen, Verzichte, geduldig ertragene Verluste, Hoffnungen wider alle Hoffnung, und das alles soll jetzt ein Nichts sein und im Universum zerstäuben? Wozu denn leben mit dem ständigen Blick auf die Kompaßnadel, die auf den Geistpol zielt, wozu, wenn ich hernach NICHTS bin?

Ein Käfer, auf den Rücken gefallen, strampelt, um hochzukommen. Ist da keiner, der mir zu Hilfe kommt, keiner, der mich liegen sieht? Keiner, der mich stumm schreien hört? Ist da keiner, kein einziger? Ist da kein Gott?

Du bist nicht! schreie ich. Absurdes Wort, sicherlich. Wer spricht etwas an, das nicht IST? Aber im Augenblick ists der einzige Schrei, der dem Unglück entspricht, das mich betraf: mich als ein Nichts erkannt zu haben.

Ich fühle eisige Kälte. Das ist immer das Zeichen der Nähe des Bösen. Mir kommt der Teufel, wenn er kommt, mit Eiseskälte. Ich erstarre. Mag es Gott geben oder nicht, was gehts mich an? Gibt es mich nicht, gibt es auch Gott nicht. Einfache klare Rechnung. So ists recht. Jetzt tut mir nichts mehr weh. Das ist die Seligkeit der Hölle.
Wie lange liege ich im schwarzen Frostloch, wie lange genieße ich die Erlösung durch den Teufel?
Aber kann ein Nichts denken, daß es nicht sei? Kann ich leiden an einem Mangel, wenn ich nicht weiß, daß es ein Mangel ist? Kann ich mich sehnen nach etwas, das es schlechterdings nicht gibt? Aber mein Intellekt richtet in diesem Augenblick nichts aus. Da müssen stärkere Argumente sein.
Wie, wenn meine Frage falsch wäre? Wenn es gar kein Nichts gibt, also auch nicht ein Nichtswerden meiner Person?
Wie, wenn diese Frage überhaupt keine wäre? Wenn ichs aufgäbe, sie zu stellen? Wenn ich es ganz und gar unwichtig fände, was mit mir sein wird? Stelle ich eigentlich die Frage nach meiner Herkunft? Bin ich nicht die Frucht von Jahrmillionen? Bin ich nicht ein Bündel aus Tausenden von Personen? Was gehts mich an? Und also: was gehts mich an, was geschieht, wenn ich im Tod entbündelt werde?
Unerschöpfliches Arkanwort: »Wer seine Seele verliert, der wird sie gewinnen.«
»Vater, in deine Hände empfehle ich meinen Geist.«

Volpacchiotta. Besuch bei Italo Chiusano in Frascati. Ich hole mir eine Auskunft; er weiß, Literatur betreffend, schier alles. Er weiß es in Italienisch und Deutsch, er spricht Deutsch wie ein Deutscher, besser noch, er hat einen Wortschatz zu Händen, der es ihm erlaubt, einfach so im Gespräch die allersubtilsten Wendungen zu finden. Er ist Heinrich Bölls Übersetzer hierzulande, und sein Werk über das moderne deutsche Theater ist erstaunlich. Wir sind Freunde, das ist nicht erstaunlich. Allerdings arten unsre literarischen Gespräche oft in Streit aus: politisch denken wir nicht gleich. Macht nichts. Heute haben wir weder über Literatur noch über Politik geredet. Es ist Karnevalszeit, und Italos und Leilas kleine Tochter erscheint mit einer Maske vor dem Gesicht, einer Fuchsmaske, und der größere Bruder, der sonst so wilde, streichelt sie und sagt zärtlich: »Volpacchiotta« (nicht ganz richtig zu übersetzen: Füchsleininchen müßten wir sagen). Ich wundere mich. Ja, sagt der Vater, das ist sehr sonderbar: die beiden streiten immer, und der Bub ist recht ablehnend zu seiner kleinen Schwester; aber als sie neulich zum ersten Mal diese Füchsleinmaske aufhatte, stutzte er, dann tat er etwas, was er nie vorher tat: er streichelte die Kleine und war ungemein liebevoll; aber kaum hatte sie die Maske abgelegt, wurde er wieder der Alte, der Streitsüchtige, Rauflustige, Böse. Die Kleine aber hatte schon begriffen: sie setzte die Maske wieder auf, und schon war der Bruder wieder der zärtliche Beschützer. Als Mädchen mag er die Kleine nicht, aber als Füchslein, als weibliches (»volpacchiotta« ist weiblich). Was geht da vor in ihm? Und was geht vor in dem Mädchen? Es ist ein recht selbständiges, gescheites Mädchen. Aber wenn es die Maske aufsetzt, wird es zum schutzlosen kleinen Tier. Das ruft offenbar im Bruder Beschützer-Instinkte auf.

Vermutlich aber reicht das, was da geschieht, in viel dunklere Tiefen hinunter. Atavistisches bricht da auf.

Füchsin heißt in Englisch vixen. Davon kommt das deutsche Vulgärwort wixen oder wichsen (für einen Sexualakt). Füchse galten von alters her als Symbol der Sexualität. Im ostasiatischen Schamanentum kann eine Füchsin den Körper einer Frau in Besitz nehmen (Besessenheit). Meist geht so eine Füchsin in den Körper einer jungen, erotischen Frau oder aber in den einer sehr frommen, älteren, also in eine, die ihre Sexualität überkompensiert hat in Religiosität und Asketismus.

Es gibt aber außer den gewöhnlichen Bergfüchsen solche, die heilig sind und Mensch werden wollen. Sie ziehen sich in die Einsamkeit zurück und leben streng asketisch. Außerdem machen sie bestimmte Übungen: sie stoßen bei jedem Atmen eine helle Substanz aus und fangen sie im Einatmen wieder auf, und das so lange, bis diese Substanz leuchtend hell ist: das ist die Seele, die nun zur Menschenseele geworden ist. Eine solche Füchsinnenseele kann sich des Körpers einer eben verstorbenen oder auch noch lebenden Frau bemächtigen und dort Gutes, aber auch Böses bewirken.

Die Pappmaske der »volpacchiotta« ist für den Bruder jedenfalls ein erotisches Symbol.

Ich bin immer begeistert, in unsrer Zeit die Spuren einer längst totgeglaubten Symbolwelt zu finden. Es ist ALLES aufbewahrt im Gedächtnis der Menschheit: alle Ur-Ängste, alle Paradiesfreuden, alles Wissen vom göttlichen Ursprung, alles Sich-bedroht-Wissen von der Nachtseite des göttlichen Seins.

1977

14. Januar. ›Der verwundete Drache‹ fertig.

Der überwachte Staatsbürger. Konkretes: Vor zehn Jahren schrieb ich in meinem Tagebuch ›Baustelle‹, ich habe eine Obsession: ein elektronisches Auge überwache mich. Im heißen Oktober 1977 telefoniere ich mit meinem Verlag. Herr E. sitzt allein in einem stillen Zimmer, und im Vorzimmer sitzt seine stille Sekretärin. Männerhorden gibts da nicht. Plötzlich ist unser Gespräch unterbrochen, und ich finde mich akustisch mitten in einem Raum voller Lärm: Männerstimmen. Es scheint ein Saal voller Männer zu sein. Ich höre eine Weile zu, verstehe leider nichts vom Geredeten. Ich sage: Ah, der liebe Bundesverfassungsschutz! Bezahlen wir euch dafür, daß ihr nicht einmal technisch einwandfrei abhören könnt? Im nächsten Augenblick bin ich wieder mit Herrn E. verbunden, der verdutzt fragt: Was war denn jetzt das?
Ich erlaube mir öfters, mit dem Bundesverfassungsschutz zu reden auf solche Weise. Die dort nehmen alles auf Band. Mein Dossier muß schon ganz beträchtlich dick sein. Und was hören die Herren? Was könnten sie hören? Spräche ich Hochpolitisches, Hochverräterisches ausgerechnet per Telefon? Und mit wem, bitte? Und was? Wahnsinn, Wahnsinn mit Methode: Versuche der Einschüchterung. Haben die immer noch nicht bemerkt, daß meine Gespräche, per Telefon oder nicht, auf ganz andrer Ebene liegen? Etwas an mir ist denen verdächtig. Was anderes kann das sein als meine radikale Christlichkeit?
Obsession? Seit ich unfreundlich (nicht unfreundlich genug) über den südkoreanischen Diktator Park geschrieben habe, überwacht mich auch der Koreanische Geheimdienst. Beweis: Ein Südkoreaner, braver Katholik, hatte mir ein Buch über Korea geliehen. Es ist geschrieben von einem ebenfalls braven Benediktinerabt, es ist schon veraltet und gänzlich unpolitisch. Ich will das Buch gleich wieder zurückschicken, weiß aber, daß der Mann, dem es gehört, zur Zeit nicht in München ist. Ich aber muß nach Rom zurück. Darum schreibe ich ihm auf einer Postkarte, er möge das Buch

doch in meiner Wohnung abholen. Frau E. R. werde es ihm geben.
Ich komme vier Wochen später wieder nach München und sehe, daß das Buch abgeholt worden ist. Aber sein Besitzer, der später anruft, sagt, er habe es nicht abgeholt. Wer tat es? Es war ein Koreaner, jedenfalls ein Ostasiate, nach der Beschreibung Frau E. R.s. Wer hatte die Postkarte gelesen? Wer argwöhnte da Illegales? Wer anders als der Koreanische Geheimdienst! Unter zehn Südkoreanern in der Bundesrepublik sind mindestens zwei Spitzel. Die armen Luder: man bezahlt sie dafür, und sie brauchen das Geld für ihre armen Familien in Südkorea. Und manche sind auch stolz darauf, ihrem Vaterland einen Dienst erweisen zu dürfen. Beim KCIA zu sein, das macht einen kleinen Mann oder eine kleine Frau zu einer wichtigen Person. Verstehen kann mans schon. Wie viele Deutsche sind beim Geheimdienst? Wie arbeiten die Geheimdienste aller Länder zusammen? Wir harmlosen Bürger: kleine Fliegen im Netz der großen Spinne. Obsession? Oh, nein. Böse Logik: Ein Diktator ist ein Mann (ein MANN), der den Menschen zutiefst verachtet, ihn für ein Charakterschwein und potentiellen Verbrecher hält, welcher nur dann funktioniert, wenn er ständig überwacht wird. Ein Diktator weiß, daß »das Gesetz die Sünde schafft« (Paulus). Je mehr Gesetze, desto mehr Gesetzesbrecher. Je mehr Gesetzesbrecher, desto nötiger die Vermehrung und Verschärfung der Überwacher und Bestrafer und desto plausibler die Notwendigkeit der autoritären Diktatur. Da aber der pessimistisch-zynische Diktator KEINEM Menschen traut, traut er auch den Überwachern nicht. Deshalb läßt er die Überwacher überwachen. Da aber auch die Überwacher-Überwacher grundsätzlich Schweine sind, müssen auch sie überwacht werden. Und so fort. So wird schließlich das ganze Volk ein Heer von Spitzeln. Wie aber ist so einer, dem es der Mühe wert scheint, ein Volk von Subalternen und hörigen Spitzeln zu regieren?

Demagogie im Schafspelz. Was man mir alles zuschickt, vermutlich zu meiner Bekehrung, wozu sonst? Der katholische Pressebund, Sitz Köln, schickt mir ein gelbes Faltblatt. Titel: »5 Wunden Europas«. (Ich habs schon nicht gern, wenn man mit mystischen Symbolen, wie den fünf Wunden des Christus Jesus, propagandistisch hantiert.) Also die 5 Wunden Europas sind: Rauschgiftsucht, Pornographie, Abtreibung, Terroristen. Und die »Herzwunde: Gottes Sache hat keine Presse.« (Ich zitiere.) Gemeint ist, es gebe zu wenige katholische Zeitungen. Nun, dafür gibts doch die ›Bildzeitung‹ und sonstige Blätter der Springerpresse. Die arbeitet doch wohl im Sinne dieser Herzwunde. Wieso wettert das Blättchen dagegen, daß die Leute in der Kirche kaum zwanzig Minuten dem Wort Gottes lauschen, während sie stundenlang den Predigern der »Großkanzeln« zuhören: Zeitung, Radio, Fernsehen. Als ob nicht heute die Großkanzelprediger genau das sagten, was die katholischen Blätter auch sagen, ohne sich dabei direkt auf das Evangelium zu berufen. Nicht recht logisch ist es darum, wenn dasselbe Faltblatt das Fernsehen lobt: »Zimmermann München mit seiner Sendung Fall XY ungeklärt ist mehr als ein bloßer Unterhalter. Er rüttelt das Gewissen seines [!] Volkes auf, sich vom Rechtsbrecher zu distanzieren. Und zwar gründlich und deutlich.« [Wörtlich zitiert.] »Und zwar gründlich und deutlich.« [Erinnert fatal an einen gewissen Ausspruch des F. J. S., daß das Volk schon fertig würde mit Terroristen und ihren Sympathisanten, gäbe man sie ihm preis.] Gründlich und deutlich. Ich zitiere weiter:

»Wozu noch kommt, daß im Volk der Dichter und Denker etliche Intellektuelle es sich nicht verkneifen können, den Sympathisanten und – den Hehler zu spielen. Das muß so ausgehen, daß dem Mitverbrecher[!?!] gegen die Sicherheit des Lebens diese Sympathie zum teuersten Spaß seines Lebens wird. [...] UNSER VOLK VERSTEHT DEN, DER DURCHGREIFT.« [Wer ist das denn???] Das Blättchen sagt weiter: »Der Arzt für die 5 Wunden ist Christus.« Wie denn? Das Blättchen verrät es: man muß nur »die Waffe der guten Presse gegen die schlechte Presse gebrauchen«. Und was ist die gute Presse? Wir lesen es: »An Tageszeitungen, die sich offen als katholische bezeichnen, ist uns nur die Deutsche Tagespost Würzburg bekannt [...] und das Kölner Bistumsblatt. Die Statistik weist aus, daß es nur in 33 Prozent aller katholischen Haushaltungen kommt [...] Eine zielbewußte Werbung. [...]« Und: »WER KEINE KATHOLISCHE ZEITUNG HÄLT, HAT KEIN RECHT SICH EIN KIND DER KIRCHE ZU NENNEN!« Ist ›Publik-Forum‹ eine katholische Zeitung? Andernfalls bin ich kein Kind der Kirche mehr. Ich glaube auch nicht, daß unsre Theologen von Rang das ›Kölner Bistumsblatt‹ und die ›Tagespost‹ lesen. Aber das ist es ja, nicht wahr: drum sind sie ja alle Ketzer.

Die fünf Wunden Europas, die fünf Wunden Christi, sie dienen zur Werbung für katholische Blättchen und katholische Politik. Und ich bin immer noch in dieser katholischen Kirche, die nicht gegen den Mißbrauch der hohen Lehre Jesu einschreitet, im

Gegenteil: der die infame Dummheit solcher Schreiberlinge gerade recht ist. Und da soll unsre Jugend katholisch sein mögen? (Ich finde mich in zornigen Tränen und in bitterem Gelächter.) Und erwähnt das Schmierblatt vielleicht die Ursachen dieser fünf Wunden? Wer eigentlich hat sie dem mystischen Leib des Christus geschlagen? Ist für diese Katholiken eigentlich das Evangelium noch eine verbindliche Wirklichkeit? Und gesellschaftspolitische, wirtschaftspolitische Ursachen für die fünf Wunden gibt's nicht? Und die Kirche selbst – hat sie dem Leib Christi keine Wunden zugefügt? Auf dem Briefumschlag, in dem das Blättchen ankam, ist das Zeichen der Pax Christi-Bewegung: internationale Friedensbewegung. Wie stimmt dazu die Hetze gegen Intellektuelle? »Unser Volk versteht den, der durchgreift.« Lebtest du heute, Jesus, deine Katholen würden schon gründlich mit dir fertig werden.
Im Begleitbrief des Herrn H. aus Miltenberg am Main (nahe Würzburg, nach der ›Tagespost‹) steht am Schluß: »Ich bitte Sie höfl. um Ihre Meinung worin Sie die Ursachen der Unfreiheit der menschlichen Gesellschaft sehen und ob Sie mit mir darin einiggehen, daß die Menschheit dem Untergang und Verderben entgehen kann, wenn Gottes Gebote bei allen Menschen wieder Beachtung finden werden.«
Gewiß, Herr H., bin ich darin Ihrer Meinung. Nur müssen wir uns darüber verständigen, was denn Gott in diesen Geboten anordnet.
»Du sollst den Namen Deines Gottes nicht mißbrauchen« (ich zitiere nach dem Dekalog, also ohne Numerierung).
Nun, Herr H., Sie sollen den Namen des Gottessohnes Jesus nicht mißbrauchen für die Propagierung parteipolitisch orientierter katholischer Zeitungen, und Sie sollen nicht Geschäfte machen mit dem Wort Jesu und seinen fünf Wunden. Und die katholische Kirche soll nicht im Namen ihres Gottes Machtpolitik treiben und nicht Waffen segnen und nicht Geschäfte machen mit Waffenfabrikanten, indem sie Aktien von Multinationalen kauft und arbeiten läßt (Shell zum Beispiel).
»Du sollst nicht töten.« Ja, weder auf der »Terrorszene« noch auch sonst. Du sollst nicht Waffen produzieren, mit denen Menschen ermordet werden. Du sollst nicht schweigen dazu, daß Nuklearwaffen produziert werden. Du sollst nicht durch RUFMORD töten. Du sollst Kindern kein Kriegsspielzeug geben und nicht Jugendliche diskriminieren, die das Kriegshandwerk nicht erlernen und nicht ausüben wollen, weil sie nicht töten wollen, da sie keinen

Krieg für heilig halten. Du sollst nicht schweigen dazu, wenn im Film und Fernsehen Gewalt verherrlicht wird als »legal«, wie in »Western« und in Kriegsfilmen. Du sollst auch nicht in Gedanken töten, und du sollst nicht hassen, denn Haß ist tödlich (für andere wie für dich selbst).

»Du sollst nicht ehebrechen.« Du sollst die Frau nicht als Sexualobjekt mißbrauchen, weder im Bordell noch im Ehebett. Du sollst nicht an Druck und Verbreitung törichter Pornoschriften dich beteiligen, obgleich sie weit weniger gefährlich sind als politische Hetzschriften und Aufforderungen zur Hexenjagd des Intellektuellen. »Du sollst kein falsches Zeugnis geben.« Du sollst keine Demagogie treiben mit Worten aus dem Evangelium. Du sollst nicht ungeprüft Nachrichten weitergeben, welche Ehre und Leben anderer Menschen gefährden. (Gewisse weitverbreitete Blätter.)

»Du sollst nicht stehlen.« Du sollst dich nicht bereichern, indem du andre ausbeutest, deine Arbeiter, deine Angestellten, deine Ehefrau. Du sollst nicht deine Konkurrenz abwürgen. Du sollst nicht spekulieren mit Grund und Boden, mit Häusern und Aktien, die mit Waffenproduktion zu tun haben. Du sollst nicht mithelfen, daß die Völker der dritten Welt unter dem Vorwand der »Entwicklungshilfe« ausgebeutet werden.

Nun, Herr H.?

Beim Nachlesen im ›Lexikon für Theologie und Kirche‹ fand ich einiges Interessante: wenn wir, steht da, den Dekalog in die reifen Grundhaltungen des Neuen Testaments eintragen möchten, so ist das nur unter einschneidenden Umdeutungen möglich: das Bilderverbot ist für uns gegenstandslos ... Das 5. Gebot meint GESETZLOSES Töten, also den Mord, und wird zu Unrecht von Vegetariern, PAZIFISTEN UND GEGNERN DER TODESSTRAFE angerufen, das 8. Gebot wendet sich gegen UNWAHRHAFTIGKEIT NUR IM ÖFFENTLICHEN RAUM und DAS VERBOT DES BEGEHRENS SICHERT DEN SOZIALEN FRIEDEN (IM GEGENSATZ ZUR HEUTE ETHISIERTEN NIVELLIERUNG UNTER BEJAHUNG DER UNGLEICHHEIT AN REICHTUM. Die Katechetik sollte sich aufgeschlossen der Aufgabe stellen, die Ethik des NT unmittelbar vom NT aufzuschließen, wobei der geschichtlich verstandene Dekalog seinen unersetzlichen Sinn behält – als Kern einer politischen Ethik.

Der Band erschien 1959. Also im Mittelalter.

Das gelbe Faltblatt ist eine schier unerschöpfliche Informationsquelle. Unter Wunde Nummer 5, Abtreibung, steht: »Wenn nur ein Drittel davon vermieden würde, brauchten wir nicht einen einzigen Fremdarbeiter. Aber so haben wir das wirksamste Mittel erfunden, uns zu entrechten, zu enteignen, auszurotten. Oder – sind wir so naiv zu glauben, daß die demütig ankommenden Nichtdeutschen ihre Macht durch Streik und Gesetzesforderung nicht mit logischer Kälte ausnützen werden, wenn sie [sich] einmal darüber klar geworden sind, WAS IHNEN AN MENSCHENRECHTEN ZUSTEHT.«

Zynischer und demagogischer gehts nicht mehr. Später im Text kommt das Wort von der »SozialWAFFE gegen den geheimen Mord« (Abtreibung). Diese WAFFE ist das Geld, das der Kölner Kardinal den werdenden Müttern zur Verfügung stellt. »Wir empfehlen den nationalen Selbstmord noch einmal zu überlegen.«

Die FREMDARBEITER (!) also, die sich gewerkschaftlich organisieren, sind DIE GEFAHR. Natürlich sind sie alle Kommunisten und unterwandern die BRD. Bezahlt werden sie von Moskau ... Der Dummheit ist keine Grenze gesetzt. Wenn jetzt keine Abtreibung mehr stattfindet, können wir nächstes Jahr alle »Fremdarbeiter« heimschicken ... Und das alles segelt unter der Flagge des Katholizismus, der Fahne Jesu, der Fahne der Liebe und Freiheit der Kinder Gottes.

Modernes Leichenfeld. 77. Auf dem Weg von Sperlonga nach Itri durch die Berge sehe ich aus einem V-förmigen Tal mißfarbenen Qualm aufsteigen. Waldbrand kanns keiner sein, hier gibts längst keine Wälder mehr, die Berge sind nackt. Grasbrand kanns auch keiner sein, der gäbe nicht so einen schwefeligen Rauch. Bricht ein Vulkan aus? Das wäre so unmöglich nicht.

Hoch über dem Talrand kreisen große Vögel: Seemöwen, die sich wie Geier gebärden. Sie äugen im Flug scharf nach unten und fallen plötzlich mit spitzen Schreien im Sturzflug zwischen Qualm und Rauch auf etwas, das sich am Abhang als Beute bietet: der ganze Hang von der Straße bis zur Talsohle ist mit dicker Blechräude bedeckt – Dosen, Hunderte von Dosen, eine Schutthalde voll Dosen mit verdorbenem Fleisch, die in der Hitze mit einem dumpfen Knall aufplatzen und, von ihren eigenen Explosionen und den hackenden Möwen bewegt, scheppernd zu Tal rutschen und rollen, eine widerliche Wanderung. Das verfaulte und verbrannte Fleisch stinkt. Visionen von verlassenen Schlachtfeldern, von Verbrennungsplätzen am Ganges, von Friedhöfen, die unterm Bombenhagel aufgebrochen sind und die halb verwesten Leichen dem Feuer preisgeben. Auf dem Grund des Tales liegen tote Käfer auf dem Rücken: fünf, sechs Autowracks, rostige Gerippe; so werden sie hier liegenbleiben bis zum Ende der Zeiten. Meine Phantasie, auf die Todesspur gesetzt, sieht Leichen sitzen in den Autos, von Geiern ausgeweidet. Aber auch ohne dies: ein Ort des Schreckens. Wer ließ das Fleisch verderben?

Chassidismus und Christentum. Aus einem Gespräch mit einem Rabbiner, der dem Chassidismus angehört, jener charismatischen Bewegung innerhalb des Judentums, die der franziskanischen innerhalb des Christentums vergleichbar ist. Beide sind eine Geistbewegung gegen die in Gesetzlichkeit erstarrten »Amtskirchen«, beide haben Demut und Freude als Grundhaltung, beide anerkennen nur EIN Gebot, das der Liebe zu Gott und seiner Schöpfung, beide lehnen den Rationalismus ab, beide haben ihre Mystik und ihre Mystiker, beide haben sich nicht wie andre Sekten aus ihren Kirchen gelöst, sondern durchdringen sie mit ihrem Geistferment, beide sind »katholisch«, das heißt nicht an einen Stand oder einen Staat gebunden, und mit dieser Katholizität gerieten die Chassidim natürlich in schwersten Konflikt mit den Zionisten und dem Staate Israel: Gott hat uns Juden, sagt der Rabbi, nicht dazu berufen, einen weltlichen Staat zu gründen, um für ihn zu kämpfen, für ihn zu töten und uns in ihm abzuschließen. Auch das also haben sie mit dem Christentum gemeinsam: die Internationalität. Wer ist Jude? Wer nach der Thora lebt. Wer ist Christ? Wer nach dem Evangelium lebt. Nach der Thora und nach dem Evangelium leben heißt: lieben und sein Leben von Materialismus und Gewalt reinhalten.
Der Rabbi sagt: Da sagen die Zionisten, wir Juden können nicht ohne Land und Staat leben. Wieso nicht? Konnten wir es nicht zweitausend Jahre lang?
Aber, sage ich, in diesen zweitausend Jahren Leben mit andern Völkern sind die Juden eben immer wieder verjagt und verfolgt worden, somit ist ihr Anspruch auf ein eigenes Territorium legitim, oder nicht? Der Rabbi sagt: Und jetzt, da sie ihr eigenes Territorium und ihren Staat haben, was ist jetzt? Sind sie sicher? Und haben sie nicht Feinde ringsum, nicht nur die Palästinenser, auch die übrigen Araber, und die Sowjets, und jetzt legen sie sich auch noch mit den USA an, ist das jetzt besser? Es ist schlimmer.
Der Rabbi sagt: Der Zionismus ist eine zu große Herausforderung an die übrige Welt.

Ich sage: Ich finde, der Chassidismus ist wie das echte Christentum eine noch viel größere Herausforderung an eine Welt, in der nur die Ratio und der Materialismus gelten. Wir Christen mit franziskanischem Geist und Sie, die Chassidim, müßten zusammenarbeiten, um der entmythologisierten, der so erschreckend arm und kalt und freudlos gewordenen Welt den Geist des Baalschem Tov und des Franziskus wiederzubringen.
(Ein sehr schönes, wichtiges Thema für eine Dissertation, sei es für einen Theologen oder einen Religionsphilosophen: Vergleich der beiden charismatischen Bewegungen.)

Die blinden Kinder. Mit Michael Ende und Ingeborg in Rom. Blinde Kinder führen dort ›Momo‹ auf. Die Blindenlehrerin hat das Buch zu einem Theaterstück verarbeitet.
Abend. Ein alter Park an der Via Aurelia. Ein Palazzo mit einem großen edlen Innenhof. Hier sollte gespielt werden, unter freiem Himmel, aber der Abend ist zu kühl, man spielt im Turnsaal, »einem der schönsten Roms«, sagt die Lehrerin in der Begrüßungsrede zu den Kindern. Es ist ein ganz gewöhnlicher, nüchterner Turnsaal. Die Kinder sehen ihn nicht. Sie glauben, was ihnen die Lehrerin sagt. Ich weiß nicht recht, warum mich diese kleine Sache so bewegt. Vielleicht: weil wir alle unsre Illlusionen brauchen.
Im Park trafen wir schon vorher die Kinder. Sind das Blinde? Sie bewegen sich flink und sicher. Aber nicht alle, wie wir nach und nach sehen. Ein Junge, der mir nicht blind schien, hält mich fest, betastet Gesicht, Haar, Schultern, Arme und fragt: »Wer sind Sie?« Er merkt, daß ich eine Fremde bin und jemand, zu dem man »Sie« sagt. Nicht alle sind auf gleiche Weise blind: ein Mädchen, etwa acht, neun Jahre alt, hat wunderschöne, leuchtende, dunkelblaue Augen, weit offen. Märchenaugen; sie sehen nicht. Ein anderes hat überhaupt keine Augen, die Lider sind geschlossen, darunter ist nichts. Ein Junge hat, wohl durch einen Unfall, ein Auge verloren, die Höhle ist leer, das andre ist beschädigt, aber für helles Licht empfindlich, es blinzelt unaufhörlich. Ein älteres Mädchen hat große dunkle Augen, aber sie sind mit einem Schleier überzogen, Eulenaugen. Ein Junge hat die Augen geschlossen, aber einmal öffnet er die Lider: darunter ist eine Gallertmasse, wie zersetzt, erschreckend anzusehen. Einige halten die Augen immer geschlossen, als wollten sie noch blinder sein, als sie sind. Der große weißblonde Junge, der den »Herrn Hora« spielt, bewegt sich

so sicher und schaut einem beim Sprechen so genau ins Gesicht, daß ich ihn nicht für blind hielte, hätte er nicht bisweilen tastend seine Hände ausgestreckt. Manche Kinder sind schon lange hier, sie kennen jede Stufe, jeden Pflasterstein, sie sind ganz sicher. Andre sind sichtlich erst kurz hier, sie stoßen überall an und sind unglücklich. Die Sicheren nehmen sich ihrer an. Ich bemerke, daß die Lehrerin die Blinden immer an der Schulter berührt: eine aufmunternde und zärtliche, aber auch leitende, entschiedene, mahnende Geste. Die Kinder sind ungemein liebebedürftig, natürlich. Das hat seine Gefahr: ich sehe, wie einige sich an die Lehrerin drängen und sich an eine andere geradezu pressen und sie nicht freigeben wollen. Das blinde Leben sensibilisiert das Körpergefühl. Die Notwendigkeit der Berührungen wird zum Berührungstrieb und hat ein stark erotisierendes Moment. Die nicht-blinde Lehrerin ist mit einem buckligen, schönäugigen, sehenden Lehrer verheiratet, sie selber ist groß, gut gewachsen und hübsch. Ich beginne zu ahnen, wie intensiv das Leben hier ist, wo jeder auf den andern körperlich angewiesen ist. Eine Welt mit einem eigenen System: man schaut nach innen, man sieht mit Ohren und Händen und mit der Haut, man ist zu großer Aufmerksamkeit gezwungen, jede Fahrlässigkeit führt unmittelbar zum Schmerz, zum eigenen und zu dem eines andern.
Wie gut die blinden Kinder spielen. Da ist nichts aufgesetzt, da kommt alles aus der eigenen inneren Arbeit. Unvergeßliche Momo: etwa vierzehn Jahre alt, vielleicht von Zigeunern stammend, hohe Backenknochen, dunkle Haare und Augen, todernstes Mädchen, für die Rolle geschaffen. Man könnte denken, Michael habe sie gekannt, ehe er Momo schrieb.

Tod eines jungen Mädchens. Mai. Mein römischer Friseur ist höflich wie immer, doch ist er blaß, und ich spüre, daß er leidet. Schließlich sagt er mir, daß die jüngere seiner beiden Töchter eine Woche zuvor erschossen worden ist, als sie an einer Studentendemonstration auf der Piazza Navona teilnahm. Achtzehn Jahre war sie alt und lieb und hübsch und intelligent. Ein Polizist hat auf sie geschossen, sagen die Studenten. Die Untersuchung ist im Gang. Was hilfts. Die Kameraden sagen, das Mädchen sei sofort tot gewesen: ein Schuß direkt in die Wirbelsäule.
»Ich habe sie nicht angeschaut«, sagt A., »meine Frau und ich wollen sie im Gedächtnis behalten, wie sie war, als sie an jenem

Morgen aus dem Haus ging: so jung und frisch und lebhaft.« A. spricht ruhig, er klagt nicht, er klagt nicht an. Zudem: ein Friseur darf seinen Kunden nie zeigen, wenn er leidet oder Magenweh hat oder ein Eheproblem, er hat heiter zu sein.
»A.«, sage ich, »ich kann und will Sie nicht trösten. Aber ich denke, was ich denken würde, wenn Angela meine Tochter gewesen wäre. Ich würde denken: sie ist gestorben, ohne es zu merken, sie ist in der Ekstase hinweggegangen, inmitten ihrer Kameraden und Freunde, sie war eins mit ihnen und ihrem Ziel, es war ihr Ernst mit der Demonstration, Ernst mit dem Risiko, und sie war glücklich. Konnte sie schöner sterben?«
A. sagt: »Ja, das haben wir uns auch gesagt. Wer weiß, ob sie je in ihrem Leben wieder so glücklich und so groß gewesen wäre. Nur: für uns ists hart. Aber wir sollten nicht an uns denken, sondern nur an sie.«

Rätselhaftes Baumsterben, Juni. Überall in Italien beginnen Zypressen und Tujen zu verdorren, nicht von der Spitze her, sondern aus der Mitte irgendwo. Latium ohne Tujahecken, die Toscana ohne Zypressen ... Man rätselt an den Ursachen herum, auch die Fachleute im Fernsehen bekennen sich ratlos. Was ists: ein Virus, mit jungen Pflanzen eingeschleppt aus Kuba, oder der ungewöhnliche späte Frost im Frühjahr, oder der heiße bösartige Wüstenwind im Mai, der bis München, bis Köln wehte und hier, so nah bei Afrika, fast tödlich gefährlich war für kranke Menschen und vielleicht auch für frostgeschwächte oder kranke Pflanzen, oder es ist einfach die Lebensdauer dieser Baumart abgelaufen ... Ingeborg und ich, mit unsrer Katastrophen-Phantasie, sehen schon Baum um Baum hinsterben, nach den Bäumen die Sträucher, dann die Blumen, das Gras, dann fallen die Vögel tot vom Himmel, unsre Hunde und Katzen legen sich in den Sand und stehen nimmer auf, und dann sterben auch wir inmitten der Wüste ... Ingeborg sagt: »Pflanzen sterben, wo die Liebe fortgeht.« Ich sage: »Der Engel der Zypressen hat den Dienst verlassen.« Wir meinen dasselbe. Es stimmt, und man hats experimentell erforscht und bestätigt: Pflanzen gedeihen nicht, wo gehaßt wird. In einer Epoche, in der soviel gehaßt wird wie in der unsern, ists natürlich, wenn die Pflanzen fortgehen. Die ersten, die uns verlassen . . Wir alle hier sind besorgt, aber es ist eine besondere Art von Besorgtheit, wir reden kaum darüber, aber sie springt uns aus den Augen: Angst. Apokalyptische Angst.

Jetzt, Mitte Juli, scheint die Krise vorüber zu sein. Die Engel hatten Erbarmen. Großes Aufatmen.
Vier Wochen später: zu rostigen Skeletten verdorrte Hecken beginnen neu auszuschlagen. Wir nehmens als ein Zeichen.

Mein Haus. Die alten Fotos von meinem Haus und Garten angeschaut.
1962: kein Haus; ein längst verwilderter, verkommener Weinberg, eben gekauft, ein Gewirre von Eisendrähten und schiefen Pfählen, hohes dürres Gras, am Boden kriechende Weinranken, schwarze Skelette gestorbener, verkrüppelter Pfirsichbäumchen; der Baumeister, der hier bauen soll, ist entsetzt.
1964: auf einer kahlen Rodung das neue Haus, fremd, nackt, wie ins Leere gestellt, allen Blicken ausgesetzt und selbst mit dem freien Blick nach allen Seiten: im Westen das lang hingestreckte Tal, Marino zu, dahinter das Meer bei Ostra; im Norden Rom, die Kuppel von St. Peter deutlich sichtbar, bei Nordwind auch die Ausläufer des Appenin; im Süden verwildertes Buschland bis zu den Kastanienwäldern am Monte Cavo. Schön diese große asketische Leere, ausgesetzt allen Winden. 1965: die ersten Sträucher und Bäume sind gepflanzt: Ölbäume, Zypressen, Pinien, Lorbeer, Oleander; sie stehen klein, mager und verloren auf der weiten abfallenden Fläche, die große Horizontale störend; der Blick ist immer noch nach allen Seiten hin frei.
1970: schon beginnt die Senkrechte zu siegen: Bäume und Sträucher sind rasch in die Höhe gewachsen, der Boden, vulkanisch, lang ausgeruht, arbeitet mit leidenschaftlicher Kraft; die Pinien, 1965 noch wie Reisigbesen auf langen Stielen, breiten Schirme aus; die Zypressen wie schwarze Blitze hochgeschossen; Lorbeer, Oleander und anderes Gesträuch, viel zu nah gepflanzt, berührt sich schon mit den Zweigspitzen. Am Haus ranken Efeu, Rosen und Glyzinien, freilich erst noch wie ein zartes Ornament auf der weißen Mauer. Die wirre, wildgewachsene Hecke am untern Ende des Geländes zeigt ihre Bau-Elemente: Hasel, Edelkastanie, Bambus, Weide; schon sehe ich Marino und das Meer nur mehr durch eine Lücke in der Wipfelreihe, und Rom ist zu einem kleinen Ausschnitt im Laubgrün geschrumpft, nächstes Jahr wird er ganz zugewachsen sein, und ich werde es nicht hindern.
1977: Das Haus, selber gewachsen mit Außentreppchen, Vordächern, Mäuerchen und dem kleinen Anbau, der meine Arbeitszelle wurde, ist bis zum Dach eingewachsen: wilder Wein, von

niemand gepflanzt, Efeu, Kletterrosen, Jasmin, Riccospermio und Glyzinien, vor allem Glyzinien: vor zehn Jahren zarte, biegsame Ranken, die wir zu Zöpfen flochten, heute armdicke verholzte Schlangen, um Balkongeländer und Stützsäulen und sich selber geschlungen, und überm Balkon ein dichtes Blätterdach, und im April bis in den Mai hinein Kaskaden von violetten Blütentrauben. Die einstige Hecke am untern Gartenende ist ein Baumwall geworden, eine Festungsmauer, sie verstellt mir den Blick auf Marino und das Meer, und ich lasse es geschehen. Von allen Seiten drängen Bäume und Sträucher gegen das Haus an, still entschlossen, es einzunehmen. Schon hat es selber etwas Pflanzenhaftes, lebendig Wachsendes. Mein Garten will mir wohl: er baut mir Schutzwälle, er will mir die vollkommene Zuflucht schaffen, er will mich festhalten, einfrieden, einnehmen. Bliebe ich still sitzen bei offenem Fenster, wüchsen die Rosen und der wilde Wein bis zu meinem Schreibtisch, und dann umschlängen sie auch mich, und das ist gewiß die Absicht meines Gartens. Er meint es gut mit mir. Aber hier werde ich ihm Widerstand leisten müssen: ich bin nicht vom Geschlecht der Elementargeister, und mir ist es nicht erlaubt, Natur zu sein. Ich bin nur Gast in meinem Haus und Garten. Und auf dieser Erde.

Brief aus Japan. Er kommt an gerade an dem Tag, an dem der Ausbruch des Vulkans auf der Insel Hokkaido gemeldet wird. Der Schreiber ist ein alter Bekannter, Germanist, gescheit, sensibel, alt und nobel.
»Japan ist ein übervölkertes Land wie kein anderes in der Welt. Sollte etwas passieren, müßten wir alle verhungern. Nur Reis haben wir, alles andere müssen wir einführen. Wir stehen jetzt bereits vor großen Problemen. Äußerlich sieht alles so friedlich aus hier, aber ich fühle diese unheimliche tückische Situation, diese Tragödie, die in der Luft liegt.«
Ja, das wissen wir hier auch. Was wir nicht wissen, ist zum Beispiel: »Vor kurzem kam Leni Riefenstahl auf Einladung einer Televisions-Gesellschaft hierher. Ich habe gehört, daß sie in Deutschland nicht beliebt ist. Für uns spielte das keine Rolle, weil wir in neutraler Beziehung stehen.« (Meine Zwischenfrage: Beziehung zu wem, zu was? Zum heutigen Deutschland, ohne Blick auf seine Vergangenheit, zu der Leni Riefenstahl gehört unleugbar, nämlich zur Nazi-Vergangenheit?)
»Ihr Film ›Fest der Völker und Fest der Schönheit‹ hatte damals

großen Beifall hier gefunden. Jetzt hat ihr Kommen alte Erinnerungen bei uns aufgefrischt. Ich selber habe sie einmal in München besucht.«

Frage: Welche Erinnerungen hat sie aufgefrischt? Doch wohl schöne: als Japan und Deutschland verbündet waren, wie sich alsbald im Krieg zeigte. Als Japan und Deutschland ihre Aggressionen vorbereiteten. Mir ist dieser Brief unheimlich, zumal dann noch ein paar Sätze folgen, die Korea betreffen: »Sie, Frau R., waren in Korea, das mit Japan politisch nicht immer gut steht. Ich bin kein Politiker und kenne darum das Verhältnis zwischen Japan und Korea nicht genau.«

Ein Akademiker, der nicht weiß, was zwischen seinem Land und Korea spielte und spielt? Der nicht weiß, daß sein Land Korea mehr als drei Jahrzehnte lang aufs entsetzlichste ausbeutete, es als Kolonie (nach dem russisch-japanischen Krieg 1906) unterjochte, die Männer deportierte, sie niederste Arbeiten in Japan zu tun verurteilte, in Korea selbst die Kultur auszurotten versuchte, die koreanische Muttersprache verbot und heute noch eine koreanische Minderheit in Japan behandelt als soziale Randgruppe ... Das alles weiß der Professor nicht? Und daß die heutige japanische Regierung den japanischen Geschäftsleuten erlaubt, in Korea Industrien zu errichten, die den koreanischen Arbeitern (die wehrlos sind, ohne Gewerkschaft, die der Diktator Park Chung Hee verbot) Hungerlöhne bezahlen und sich daran bereichern? Das weiß der Professor auch nicht? Ja, die deutschen Intellektuellen von 1938 wußten angeblich auch nichts von den Konzentrationslagern Hitlers.

Mein Gott, wie ist es möglich, daß geistige Menschen sich nicht dafür interessieren, was andre Menschen (Brüder, Schwestern) erleiden? »Ich bin kein Politiker.« Das heißt: Mir ist es ganz gleichgültig, wie andre Menschen leben. Selbst ein Zenbuddhist (falls der Professor einer ist, was ich nicht weiß, er mag eher ein westlich orientierter Agnostiker sein) müßte zumindest die relative Realität der Leiden andrer anerkennen. Als Christ ist man verpflichtet, sich um das Schicksal andrer zu kümmern, sonst ist man nämlich kein Christ. Und sich um andre kümmern, das ist nun einmal: sich für Politik interessieren und nach Kräften eingreifen. Briefe wie der des japanischen Professors machen mich krank.

Der Zefirelli-Jesus. Wieder ein Jesus-Film. Im Fernsehen in Fortsetzungen, mit viel Propaganda-Geschrei angekündigt. Ein Riesenerfolg schon nach den ersten zwei Sendungen. In Italien, Deutschland, den USA und weiß Gott wo noch. Aus den USA hört man, daß an den Sende-Abenden die Straßen fast leer seien und kaum Verbrechen begangen würden. Sonderbar, ja, das schon. Aber was beweist es? Ich befehle mir, die Sende-Folgen anzuschauen, gegen meinen innern Protest, der grundsätzlicher Art ist. Ich will ohne Vorurteil zuschauen. Nun: Zefirelli ist ein Könner. Der Film kann nicht schlecht sein. Er IST gut, er hat schöne Bilder, sehr gute Massenszenen, die Kameraführung ist ausgezeichnet, die Schauspieler sind ein Team von Stars. Gut einiges vom Buch her: das Bemühen, die Männer des Synedrions nicht als Bösewichte und Gottesmörder darzustellen, sondern als politisierten Klerus in einer schweren Konfliktsituation, in der Jesus der politisch-religiösen Raison geopfert wird.
Aber die Jesus-Gestalt. Gut und würdig gespielt, ja, das schon. Aber: wo ist der Mensch, der Jesus spielen kann? Wer ist fähig, einen Menschen darzustellen, der das Göttliche rein verwirklicht? Wer hat die mächtige Ausstrahlung eines Gottes? Wer kann sich mit dem Christus identifizieren? Der Jesus im Film ist eben ein Zefirelli-Jesus, nichts weiter. Das auch ich trotz allem an einigen Stellen ergriffen war, das habe ich analysiert: der Film und die Jesus-Figur erinnern ans Evangelium, und wo es durchschimmert, da ergreift es. Der Stoff ist eben ungeheuer und auch durch Zefirelli nicht umzubringen.
Man sollte einen Jesus-Film machen, in dem Jesus nicht auftritt. Man sollte ihn erleben nur in seinen Wirkungen. Das entspräche ja auch seiner tatsächlichen Weise des Gegenwärtigseins.

Tote, Tote. Fast auf den Tag vier Jahre nach dem Sterbetag meiner Mutter starb H., meine alte, mütterliche Freundin. Eine Ahnung hatte mich nach München getrieben, so wie mich am Vorabend des Todes meiner Mutter ein schwarzer Vogel, ein Käuzchen am Fenster, prophetisch rief. Ich finde H. sterbend, aber bei Bewußtsein, sprachlos jedoch: sie bewegt die Lippen, so vieles hätte sie mir zu sagen, aber ach, ich höre nichts, ich kann nur erraten. Die schöne vitale H. Sie hatte die schönsten Augen, die ich je sah, groß und grau, leuchtend und klar. Jetzt öffnet sie sie nicht mehr. Ich bitte sie darum: H., noch einmal schau mich an. Sie schüttelt den Kopf. Am Fenster sitzt in leuchtend rotem Kostüm

die Schwiegertochter, abgewandt vom Sterbebett. Selbst jetzt und hier knistert die Spannung zwischen den beiden. Sie hatten sich lebenslang leiden gemacht, eine die andre, ein Verhängnis, ein Leben am Höllenrand für alle. Die Jüngere läßt mich keinen Augenblick allein mit der Sterbenden. Mit bösen Augen bewacht sie die Szene, als sei ich eine Erbschleicherin. Ich habe ihr nie etwas zuleid getan, Im Gegenteil. Was für ein unbegreifliches Geschöpf. Ich halte H. im Arm. Sie zupft an der Bettdecke, sie spricht vor sich hin. Verlorne Botschaften. Schließlich ertrage ich die rote Bewacherin nicht mehr. Ich sage: H., ich gehe, ich komme wieder. Sie nickt. Am nächsten Tag höre ich, sie sei gleich darauf gestorben. Frau M. sagt: Sie hat nur auf Sie gewartet.
Der Verlust H.s betäubt mich.
Sie war am Sonntag gestorben. Die Beerdigung, vielmehr Verbrennung, wurde von der Roten geheimgehalten. Kein Mensch war anwesend.
In mir eingeprägt bleibt das Bild: das kahle weißgraue Sterbezimmer, und abgewandt am Fenster, die böse kleine rote Gestalt, und H.s für immer geschlossene Augen. Nach H.s Tod kehre ich sofort nach Rom zurück, ich bin in Sorge um meinen alten Hund. Vierzehn ist er, immer gesund war er, aber in letzter Zeit schien er mir verändert, wie sklerotisch, ein Greis, eigensinnig, unschlüssig, unruhig. Jetzt sehe ich, daß er seine Beine nicht mehr richtig koordiniert, er läuft schief, unsicher, hält auch den schönen Kopf schief. Mir greift's kühl ans Herz. Schrecklich ist diese letzte Nacht. Der arme Hund will ins Freie, will gleich wieder herein, atmet schwer, schläft ein, wacht auf, schaut mich irren Blickes an. Ich halte ihn im Arm, tröste ihn, schlaflos geht uns beiden die Nacht dahin. Am Morgen hebe ich ihn ins Auto. Jetzt sitzt er teilnahmslos auf seinem Rücksitz. Unvergeßlich der Blick aus dem Rückfenster. Er weiß, er sieht das Haus, den Garten nie mehr. Er weiß alles. Der Tierarzt sieht ihn an, er schüttelt den Kopf. Der Hund, noch einmal animiert vom Geruch vieler Hunde, schwankt an der Hecke entlang, selig schnüffelnd. Dann ist es soweit: ich dulde nicht, daß jemand andrer als ich den Hund auf den Tisch hebt. Ich halte ihn fest im Arm. Der Tierarzt gibt mir ein leises Zeichen mit den Augen, es ist eine letzte Frage, ich nicke, und schon berührt die Nadel das Hinterbein, schon ist's vorbei, kein Klagelaut, kein noch so kleines Zucken, nur die Zunge kommt ein wenig aus dem leicht offnen Maul.
Er wird an Ort und Stelle begraben.
I., zu der ich flüchte, sagt: Er ist beim Großen Hund.

Werner Heisenberg. Er ist gestorben. Ich rechne es zu den großen Geschenken meines Lebens, daß ich ihm habe begegnen dürfen 1975. Ich wollte mit ihm über das betrübliche Mißverständnis zwischen K. und mir sprechen und seinen Rat einholen, denn nur er kannte K. so gut, daß er raten konnte. Ich rief das Max-Planck-Institut in München an. Eine Sekretärin sagte mir, er sei etwas krank und zu Hause. Und dürfe ich seine private Nummer wissen? Die stehe doch im Telefonbuch. Keine Geheimnummer? Oh, nein. Für jedermann erreichbar. Ein Staatsbürger wie alle. Ich wagte lange nicht, anzurufen. Seine Frau war am Telefon, sie rief ihn, ich war aufgeregt wie eine kleine Schülerin. Aber ja, sagte er, nächste Woche bin ich wieder im Institut, kommen Sie nur, sagen wir am ... Er gab mir Datum und Stunde.
Vor Jahren hatte ich einen Vortrag von ihm gehört. Weiß Gott, worüber er wirklich sprach: in meinem Gedächtnis verblieb das Thema von der Entstehung des Lichts beim Sturz durch den Weltenraum. Und so blieb mir Heisenberg im Gedächtnis: ein Mann streckt die Arme aus und holt ein Lichtbündel aus dem Grenzenlosen. Inzwischen freilich hatte ich mit begeisterter Aufmerksamkeit ›Der Teil und das Ganze‹ gelesen, und, bei C. F. von Weizsäcker zitiert, den Satz, der mir der Schlüssel wurde zu meinem Weltverständnis: »Materie ist der Geist, der nicht als Geist erscheint.« Oder umgekehrt: »Geist ist Materie, die nicht als Materie erscheint.« Nie werde ich verstehen, warum nicht alle, gleich mir, begreifen, daß DIES die »Weltformel« ist.
Da saß nun dieser Heisenberg, Nobelpreisträger, der, wie mir neidlos ein andrer Nobelpreisträger für Physik, Segré, sagte, »größte Physiker unseres Jahrhunderts«. Warum denkt man immer, die GROSSEN müßten auch körperlich groß sein? Rahner ist klein, Weizsäcker auch eher klein als groß, Heidegger war klein. Heisenberg sitzt da wie das Urbild eines guten, freundlichen, integren Bürgers, eines treuen Ehemannes, eines lieben Vaters, eines geduldigen Lehrers. Nichts ist »besonders« an ihm, außer der Reinheit seiner Ausstrahlung. (Er ist ein frommer Protestant, sagt man.) Er hört mir in gesammelter Aufmerksamkeit zu, ehe er mir einen Rat gibt. Ach, dieser K., sagt er väterlich, was für dumme Sachen macht er immer wieder, dieser zerrissene Mensch, der sich nur mit äußerster Mühe in Ordnung hält. Eine Stunde war für das Gespräch vorgesehen, nach vierzig Minuten hatten wir den Kern des Problems mitsamt der Lösung gefunden, ich konnte gehen. Aber mir lag noch etwas auf der Zunge. »Sie können mich auslachen, vermutlich habe ich etwas ganz falsch verstanden, es

kann ja nicht so einfach sein, daß ich es als reiner Laie in Physik verstehe ...« Und was ist es, sagen Sie es nur. »Also gut: es ist Ihr Satz von Geist und Materie.« Und wie verstehen Sie ihn? »Ach, Herr Professor, ich schäme mich, etwas sehr Dummes zu sagen. Es KANN doch nicht so einfach sein.« Ich überspringe die Hürde. »Hier liegt eine Zündholzschachtel, sie besteht aus Materie; wenn man diese Materie in immer kleinere Teile zerlegt, immer noch kleinere, allerkleinste, was hat man zuletzt vor sich? Was ist das, das nicht mehr weiter teilbar ist? Habe ich ihren Satz verstanden, wenn ich jetzt sage, daß dieses Unteilbare ›Geist‹ ist?« Ja, sagt er, Sie haben das ganz richtig verstanden, es ist ganz einfach.
Nun ja, sagt sein Kollege Segré, nun ja: da, wo Heisenberg anfängt, Philosoph zu sein, da wird er schlecht, genau wie Weizsäcker. Diese komischen Platoniker.
Ich sage es nicht, ich denke es nur: Da, wo ein Naturwissenschaftler nichts ist als das, ist er schlechthin dumm.
Ich meine (und lasse mich dafür gern verlachen), es sei seit Platons Ideenlehre nichts Wichtigeres gefunden und ausgesprochen worden als Heisenbergs Satz von Geist und Materie.

Oktober, aufgeschrieben Ende November. Ich mag mich nicht erinnern. Es war ein Alptraum. Aber ich muß mich erinnern. So etwas darf nicht vergessen werden. Auch nicht von mir selbst. Ich befehle mir, von diesem Oktober zu berichten. Ich will den Bericht hinter mich bringen.
Nun: Es war Ende September, als ich in München ankam. Vor mir eine lange Lesereise vom Bodensee bis Kleve und Dortmund. Am ersten Tag ruft ein Bekannter an: »Lesen Sie die ›Quick‹, die beschuldigt Sie, Sympathisantin der Terroristen zu sein. Wehren Sie sich!« Ich bringe zuerst nur ein Lachen auf: »Das ist doch Unsinn!« Es ist kein Unsinn, es ist Wahnsinn, aber Wahnsinn mit Methode, das begreife ich bald. Die ›Quick‹ behauptet, ich hätte Gudrun Ensslin und Andreas Baader in meiner italienischen Wohnung »aufgenommen«. Das Wort ist mit Bedacht oder fahrlässig gewählt. Aber die ›Quick‹ ist noch harmlos im Vergleich zu dem, was dann am 3. Oktober in Springers ›Welt‹ steht, geschrieben von einem, der sich den skurril netten Namen Pankraz zulegte und der von sich sagt, er sei aus der DDR geflohen (wo ers offenbar ziemlich lange gut ausgehalten hatte). Er sagt, ich hätte »Ruchloses« veröffentlicht und die »gefährlichsten Terroristen empfangen und gepflegt, als deren blutige Saat schon aufgegangen war«. Was

für ein Meisterstück an Lüge. An diesem Satz ist rein alles falsch. Wie wars wirklich?

Am 4. Januar 1970, als noch kein Tropfen Blut durch jene vergossen worden war, die später zur Waffengewalt griffen, und als es überhaupt noch keine »Terroristen« gab, sondern nur eine Gruppe zutiefst aufgestörter Jugendlicher, standen zwei davon vor meinem Gartentor. Ich kannte sie nicht. Ich ließ sie ein, wie ich jedermann einlasse, der zu mir will. Oft nämlich kommen junge Deutsche zu mir, und meist brauchen sie meine Hilfe. Sollte ich jeden vorher um seinen Paß und seine Unbedenklichkeits-Bescheinigung vom deutschen Verfassungsschutz oder der Polizei bitten? Die beiden, Gudrun und Andreas, blieben ein paar Stunden bei mir, dann gingen sie wieder und kamen nie mehr. Was wollten sie? Sie waren auf dem Weg nach Sizilien, wo sie bei Danilo Dolci sehen wollten, wie er mit seinem Haufen aufgesammelter verwahrloster Kinder fertig werde. Sie hatten den Plan, auch so etwas zu machen. Über diesen Plan und ähnliche Vorhaben berichtete mir Andreas Baader. Kein Wort von Gewalttaten. Zugegeben: ich erfuhr am Schluß, aber erst am Schluß, daß sie illegal in Italien waren. Sie hatten zwar Haftunterbrechung, soviel ich verstand, durften aber Deutschland nicht verlassen. Sie hatten falsche Pässe, ich sah sie, und ich bat sie dringend, doch sofort wieder heimzufahren.

Über diesen Besuch hatte ich in meinem Tagebuch ›Grenzübergänge‹ offen berichtet, ich hatte nichts zu verbergen. (Zum ersten Mal fällt mir die ganze ungewollte Bezüglichkeit zu jenem illegalen Grenzübergang auf.)

Die beiden kamen eines Tages wieder nach Deutschland und machten nach weltweit üblichem Muster ihren ersten Banküberfall. Baader und andre wurden eingesperrt. Andre befreiten ihn. Es gab die ersten Morde. Ich war entsetzt. Aber was hatte ich damit zu tun? Inzwischen, 1972, hatte der Verlag einen Teil meines Tagebuchs ausgedruckt und Werbe-Exemplare verschickt. Natürlich las man auch bei Springer, was da stand, unter anderm mein Bericht über jenen Besuch. Und natürlich referierte man darüber, ließ aber geflissentlich das Datum jenes Besuchs weg, so daß jedermann den Eindruck bekommen mußte, ich hätte die beiden empfangen, als sie nach den ersten Morden untergetaucht und geflüchtet waren. Man las also unter der reizenden Überschrift (der Schreiber ist inzwischen verstorben, er hieß Hans Habe) ›Jetzt wirst du blaß, Luise‹ eine Version, die ganz dazu angetan war, mich ins Gefängnis zu bringen, wie damals mehrere Personen, die auf ganz unkriminelle Weise einmal mit irgendeinem der spätern

Terroristen zu tun hatten, verhaftet wurden. Damals hat man auch Heinrich Bölls Haus durchsucht, denn auch er war schwer verdächtig. Auch zu mir in Italien kam die Polizei, die italienische. Wer hatte sie geschickt? Und wozu? Und nachdem die deutschen Zeitungen schon ein Dementi gebracht hatten? Nun, es waren Italiener, die kamen, und der Maresciallo war ein gebildeter Mann und ein Menschenkenner, und er verstand etwas von politischen Ränken, wir unterhielten uns ausgezeichnet, er war von den Christdemokraten einer.

Dann verstummte das Gerede um mich. Und jetzt ist es wieder da. Demagogie: Verleumdung, Lüge, gezielt. Offener Gesinnungsterror. Ich bin brauchbar für die Kampagne gegen die Linksintellektuellen. Der Zeitpunkt ist äußerst günstig: der Arbeitgeber-Präsident Schleyer ist entführt. Schuld daran sind die Linksintellektuellen, vor allem die Frankfurter Schule mit Adorno, der über Marx las an der Universität. Und wir Intellektuellen sind mit schuld, weil wir nicht seit Jahren gegen den Terror schrieben. (Tat ichs nicht? Ich tat's, indirekt, indem ich immer gegen Gewalt und für Brüderlichkeit schrieb. Nahmen die »Rechten« davon keine Kenntnis?) Und nun also begann die Hexenjagd vor allem auf Böll und mich. Ich habe ungeheure Hemmungen zu überwinden, um über etwas zu schreiben, was Deutschland nicht zur Ehre gereicht. Aber man darf nichts verdrängen.

Es ist nicht das Städtchen Gerlingen bei Stuttgart, das verfemt werden soll. Gerlingen, das war und ist nur ein Symptom für ein Übel, das andernorts zu Hause ist. Wo? In der deutschen »Rechten«, die sich CHRISTLICH-SOZIALE nennen und deren Hauptakteur mit entsetzlichem Zynismus vorgibt, das Rechte, das ALLEIN Rechte, zu wollen, und der sich zum Zweck, dieses »Rechte« zu erreichen nicht nur in Deutschland selbst, sondern in einer neuen Internationalen, mit den Rechtesten unter den Rechtsdiktaturen verbündet und Deutschland verpflichten will, ihnen »Entwicklungshilfe« zu gewähren, nämlich Hilfe zur Entwicklung der Rüstungsindustrie und was damit zusammenhängt.

Diese »Rechte« stürzt sich mit Gebell und Gegeifer auf die Sympathisanten-Legende. Und schon waren die Veranstalter meiner Lesungen unsicher (sie, die doch meine Bücher kannten!!!). Vorsichtshalber lud man diese Beargwöhnte wieder aus, man wollte nichts riskieren. Schon ist man vom Gesinnungsterror unterdrückt. (Waren wir nicht schon einmal so feige? Hatte uns nicht schon einmal einer, ein Mächtig-Ohnmächtiger, so verschreckt?) Gerlingen also ließ mir sagen, es gebe keinen Saal mehr für mich,

die Sympathisantin, und ich solle meinen Fuß nicht in die Stadt setzen, man garantiere nicht für meine Sicherheit, die Bevölkerung plane »Maßnahmen« gegen mich ... daß sich in eben diesem Gerlingen sofort eine Bürger-Initiative bildete zu meinem Schutz und daß mich diese Gruppe bat, trotzdem zu kommen, es gebe einen andern Raum, in dem ich lesen könne, muß gesagt werden, es ist tröstlich.
Das Telefon-Interview des Südwestfunks mit Stadtrat Alwin Maisch, neben dem Gerlinger Verleger Körner Hauptmacher der Hetz-Kampagne, hörte ich mit. Es wurde auf Band genommen. Auf die Frage, warum Frau R. wieder ausgeladen worden sei, erklärte er: Das habe doch in der ›Quick‹ gestanden: sie sei Sympathisantin der Terroristen.
Ob er alles glaube, was in der ›Quick‹ stehe?
Die würden's schon nicht drucken, wenn's nicht wahr wär.
Ob er schon einmal ein Buch von Frau R. gelesen habe?
Er habe einen Artikel im ›Spiegel‹ gelesen im (er spricht es so aus:) Foiledon, da waren ein paar Sätze drin, die haben ihm nicht gefallen.
Welche?
Darüber wollte er sich nicht äußern.
Ein späteres Interview war noch törichter und auch frecher, ich mag das alles nicht weiter aufschreiben. Wer einmal über unsre Zeit berichten will, der kann's nachlesen in einer Dokumentation, die nicht nur ich besitze.
Außer Gerlingen aber schämten sich alle Veranstalter ihrer Angst, und niemand sonst lud mich aus. Ich trat meine Lesereise an, ich hielt sie durch bis zum Ende. Ich machte sie unter massiven Drohungen, Bombendrohungen auch, und unter Polizeischutz. Fast immer waren, leicht zu erkennen daran, daß sie groß, stämmig und gelangweilt waren, zwei Polizisten in Zivil im Saal, doch brauchten sie nie gegen irgend etwas einzuschreiten, weder gegen mich noch gegen meine Zuhörer, unter denen in großen Städten die Mehrzahl Jugendliche waren.
Absurd: man bedrohte mich, obgleich ich gerade auf jener Seite stehe, die Gewaltlosigkeit predigt. Wenn das nicht Wahnsinn ist. Aber, ich sagte es schon: Wahnsinn mit Methode. Eiskalte Berechnung: diese R., die darf man nicht wieder Wahlpropaganda für eine sozialistische Regierung machen lassen, die muß man rechtzeitig mundtot machen.
Recht haben sie, die Rechten... Nur: sie rechnen nicht mit meinem élan vital und meinem Trotz und meinem Verantwor-

tungsgefühl. Habe ich Hitler widerstanden, werde ich auch andern widerstehen. Die Angriffe machten mich stärker, gefaßter, mutiger.
Allerdings habe ich Tage der tiefen Traurigkeit und Angst: wenn nun Gerlingen wirklich Symptom ist für Deutschlands Krankheit: ein Polizeistaat zu werden?!

Marginalien zur Oktober-Erfahrung: Abendeinladung in einer CSU-Gesellschaft. Schön gedeckter Tisch, Kerzen in Weinflaschen, buntes Laub verstreut auf dem Tischtuch, Früchtekorb, Vollkornbrot, Nüsse, viele Sorten Käse, guter Wein, und alles im gedämpften Licht der Wachskerzen. Gastgeber und Gäste gebildete, wohlerzogene, angenehme Leute. Sorgfältig gehütete Insel des Spätbürgertums. Man schont sich, man schont einander, sogar mich schont man zunächst, und ich selber, ich passe mich an, auch ich habe einen Rest von Sehnsucht nach morbider Kultur. Ich habs gern, wenn Leute lateinische und griechische Zitate wissen und wenn eine Anspielung genügt, ganze Ketten von Bildungs-Assoziationen zu beschwören. Ist schon schön, so was. Doch wo immer ich bin, selbst an meinen sanftesten Tagen, kommt Unruhe auf rings um mich. Man kann es nicht lassen, mich zu provozieren. Wie es denn in Italien sei, genau gefragt, wie es denn mit dem Eurokommunismus stehe. Hat es einen Sinn, darüber zu reden? Man hört mir zu, interessiert, respektvoll, ängstlich, skeptisch. Ich referiere Fakten, nicht Meinungen, schon gar nicht die meine, die sehr differenziert ist. Man glaubt kein Wort. Ja, das mag ganz gut gemeint sein von diesem wie heißt er? Berlinguer. Aber dann kommt Moskau --- Nein, Berlinguer hat ja mehrmals ausdrücklich erklärt, Italien wolle seine eigene Form von Sozialismus, von Kommunismus... Das ist doch alles nur Tarnung, und... Ich notiere die absolute Unfähigkeit solcher Leute, über den Kommunismus, gleich welcher Art, sachlich zu denken. Zementierte Vorurteile. Man verstärkt sie systematisch. Man wirft die rote Fahne des längst im Absterben liegenden leninistischen Marxismus über jeden Versuch der un-ideologischen Sozialpolitik, Zustände zu verbessern, die nun einmal zu verbessern nötig sind. Ich muß an Südkorea denken, an den eingesperrten Dichter Kim Chi Ha, der, so schrieb er, in seiner Jugend dahin programmiert wurde, daß die Kommunisten allesamt Teufel mit Hörnern und Klauen seien. Aber indem ich das sage, setze ich mich ja von neuem dem Verdacht aus, doch mit -- ja mit wem eigentlich? zu sympathisieren: mit allen, die Veränderung wollen um des Menschen willen, für den in unsrer kapitalistischen Welt kein Platz mehr ist.

Calwer Überraschungen. Am Saal-Eingang steht ein Junge, blaß und mager, er verteilt Flugblätter mit Zitaten: »Es ist Zeit zum Zerstören. Wandelt Euren Haß in Energie. Terror ohne Maß macht maßlos Spaß.« Das Buch, dem diese Zitate entnommen sind, wird von Luise Rinser (und andern) propagiert. Für den Inhalt des Flugblatts verantwortlich: Wolfram Körner, Postfach 585, Stuttgart 1« (Körner, der kleine Gerlinger Verleger).
Das klingt ja nun wirklich gefährlich. Danach müßte ich tatsächlich erst einmal verhaftet werden (mit Kontaktsperre natürlich). Wie stehts aber wirklich mit diesen Zitaten? Das Buch, dem sie entnommen sind, ist von Bommi Baumann, jenem Arbeiter, der aus der DDR floh, sich in Berlin einer Terroristengruppe anschloß und einige Gewalttaten mitbeging, um deretwillen er untertauchen mußte, er wird von der Polizei noch immer gesucht. Aber: er IST kein Terrorist, er WAR einer. Er hat nämlich, im Gegensatz zu andern, eingesehen, daß der Weg der Waffengewalt schlecht ist. DAS schreibt er in seinem Buch: »Neue Werte muß man schaffen, nicht herbeibomben, denn durch Gewalt entstehen die gleichen Haßgestalten ... Gewalt in der geprobten Form ist nicht möglich. Es geht darum, das Feuer zu halten, nämlich das Feuer der Liebe.« Ich habe das schon einmal in diesem Tagebuch zitiert; ich wiederhole es bewußt. DAS ists, was ich und andre gutheißen: daß da einer eingesehen hat, mit Gewalt gehts nicht. DAS nicht gutzuheißen wäre schlimm. Aber der kleine Herr Körner hat das Buch nicht gelesen, er plappert nach, was andre ihm zu sagen befehlen, die es auch nicht gelesen haben, denen aber einer, der's gelesen hat, die Zitate unter die Nase schob. SO wird da gearbeitet.
Das Bürschlein, das die Flugblätter verteilte, hat sie weggeworfen. Er wird vor die Fernsehkamera geholt. Ein Unbekannter, so beichtet er, hat ihm zehn Mark und die Blätter in die Hand gedrückt, in einer Kneipe, in der er sich dann erst einmal Mut antrank, man riecht es. Er entschuldigt sich bei mir. Er wird nie mehr so etwas tun. Zehn Mark, dreißig Silberlinge. Immer findet sich einer, der für Geld verrät. Aber die Summen, die jene erhalten, die den Geist verraten und das Evangelium, wie hoch sind die?!
An diesem Abend entschuldigen sich auch andre: die ANDERN Gerlinger, die erklären, man möge doch Gerlingen nicht identifi-

zieren mit dem kleinen Haufen um jenen Körner. (Ich hoffe, er IST klein.) Das ANDRE Gerlingen, das ANDRE Deutschland ... Welches ist das wahre?

Heilbronn. Der Bürgermeister, Herr Fuchs, zeigt mir die Stadt, er zeigt mir die Randgebiete, wo ihn die Leute besonders herzlich begrüßen, die Arbeiter sind das, und im Kindergarten, den er geschaffen hat, auch für die Ausländerkinder, laufen ihm die Kleinen zu. Er schenkt mir ein Buch, in dem die Namen und die genauen Schicksale der Heilbronner Juden im Dritten Reich aufgezeichnet sind. Theresienstadt, Auschwitz ... Hier stehen Namen und Daten. Sind auch sie gelogen und Teil der »Auschwitz-Lüge«?! Und das eingebrannte Auschwitzzeichen am Arm von Jean Amery, das ist auch eine Lüge? Und daß Edith Stein in Theresienstadt umkam, auch eine Lüge? Und Pater Kolbe, auch Lüge? Das Frechste, das sich die Neofaschisten leisten, ist die Behauptung, Auschwitz habe es nie gegeben. Hätten sie doch recht! Mein Gott, hätten sie doch wirklich recht!

Stuttgart. Rundfunk-Gespräch am Südfunk mit Primanern zu Zeitfragen. Immer wieder kehren die jungen Leute zu der Frage zurück, ob man denn Gewalt anwenden dürfe, wenn kein anderes Mittel Erfolg habe bei der Änderung schlechter Zustände. Sie denken weniger an Deutschland als an Länder der Dritten Welt. (Eine Art Verfremdung brennender eigener Probleme ist das.) Eine Frage, der ich unter dem Druck der Lage ein lautes oder ein schwaches, verschrecktes Nein entgegenrufen sollte. Ich verweise auf das berühmte und viel zuwenig bekannte Rundschreiben Papst Pius XI., in dem steht, daß dann, wenn alle, aber auch alle friedlichen Mittel versagten, die eine Änderung einer menschenunwürdigen, den Menschen in jeder Hinsicht zerstörenden politisch-gesellschaftlichen Lage herbeiführen könnten, aktiver Widerstand gegen die Staatsgewalt zu rechtfertigen sei.
Das besagte Rundschreiben (»Firmissimam constantiam«) entstand 1937. Der unmittelbare Anlaß war das Spanien-Problem: Wie sollte sich der katholische Klerus, wie sollten sich die Katholiken verhalten in der faschistischen Diktatur Francos? Das Rundschreiben hat jedoch allgemeine Gültigkeit. Es ist jedenfalls bis heute nicht annulliert (das kann noch kommen). Was besagt die Encyclica genau? Sie unterscheidet eine legale und eine legitime

Staatsgewalt. Legal ist sie, wenn sie in einer Monarchie durch Erbfolge, in einer Demokratie durch Wahl eingesetzt wird. Legitim ist sie, wenn sie, der Wahl entsprechend, im Sinne des allgemeinen Volkswohls regiert. Illegal ist demnach eine Regierung, die durch einen Putsch sich in den Besitz der Staatsgewalt setzt. Illegitim ist sie, wenn sie den »Sinn verfehlt«, nämlich: für das allgemeine Wohl des Volkes zu sorgen. Zum Wohl des Volks gehört aber (und zwar unabdingbar!), daß das Volk frei ist. Illegitim wird eine Regierung, welche das Volk durch unmenschliche Gesetze und Strafen unterdrückt. In diesem Fall tritt der »soziale Notstand« ein, der den aktiven Widerstand erlaubt. »Der Sinn einer Regierung« (ich zitiere dies aus dem ›Lexikon für Theologie und Kirche‹, unter Widerstandsrecht nachzulesen) »kann verfehlt sein, wenn die Obrigkeit einer bestimmten Epoche eine nicht mehr tragbare Sozialordnung konservieren will.«

Daraus könnte man nun gut und gern das offizielle Recht zur Revolution ableiten. Dem wird ein kleiner Riegel vorgeschoben: eine Revolution ist nicht erlaubt dann, wenn sie sich gegen eine legale UND legitime Regierung richtet. Das UND ist wesentlich. Wenn also ein durch Militärputsch an die Regierung Gekommener hernach brav zum Wohl seines Volkes regiert, ist die Regierung legitim und darf nicht gestürzt werden, es sei denn, sie wäre doch nicht so legitim, wie sie glauben macht ... Man sieht, wie ungemein schwierig das Problem für die katholische Kirche geworden ist. Ich sage geworden, denn im Mittelalter, Thomas von Aquin eingeschlossen, hielt man aktiven Widerstand gegen Tyrannen, sogar Tyrannenmord, im allgemeinen für erlaubt. Dieses »erlaubt« bedürfte einer langen Erklärung. Ich schreibe hier aber keinen Aufsatz darüber, sondern nur eine Marginalie als Anstoß zum Nachdenken und zum Studieren einschlägiger Werke.

Die Anwendung auf unsern deutschen Terrorismus ist klar: eine legale und legitime Regierung. Die Frage ist nur: Und wenn es sich eines Tages zeigt, daß die alte Sozialordnung nicht mehr tragbar ist? Ich kann den jungen Menschen keine Antwort geben. Die Frage bleibt in der Luft stehen. Nach der Sendung geht das Gespräch weiter. Darf, so werde ich gefragt, dann aber auch die andre Seite, die, auf der die Gesetzeshüter, die Konservativen, die Strauß und Dregger und Filbinger und so weiter stehen, keine Gewalt anwenden? Darf sie Leute einsperren, lebenslänglich? Darf sie Andersdenkende verleumden, aus dem öffentlichen Dienst entlassen, sie mehr oder minder deutlich der Lynchjustiz preisgeben? Wenn keine Gewalt, dann auf KEINER Seite Gewalt. Dann auch keine bewaffnete Polizei. Kein Gesinnungsterror. Und vor allem: keine Rüstungs-Industrie, keine Nuklearwaffen! Wenn aber DIESE Seite, die der Potenten, Gewalt anwenden darf, warum dürfens die ANDERN nicht, die Ohnmächtigen? Wo steht das Recht EINDEUTIG? Und, so fragen mich diese Kinder der protestantisch-bürgerlichen schwäbischen Wohlstandsgesellschaft, warum schleudert die Kirche, Frau R., die katholische, keinen Bannstrahl auf die Aufrüster? Warum hat sie (unter Pius XII.) die Kommunisten exkommuniziert, aber nie die Kapitalisten, die Kriegshetzer, die Kriegsgewinnler? Ja, warum nicht. Sie hat auch Hitler und die Seinen nicht exkommuniziert. Hitler war doch katholisch. Goebbels auch. Und andre. Mit welchem Maß wird da gemessen? Und wo muß man schweigen, wo reden? Wen wundert es eigentlich noch, wenn die Jugend, die derlei erlebt, aufsässig wird?

Heppenheim. Jemand bringt mich mit dem Auto dorthin, wo seit Monaten ein Zimmer für mich bestellt ist, im Hotel ›Zum Halben Mond‹. Es ist geschlossen. »Ruhetag«. Mag sein. Wir läuten. Durch die Sprechanlage erfolgt ein kurzes Gespräch: »Wer?« Frau Rinser, Schriftstellerin. »Nein, bei uns ist kein Zimmer bestellt.« Doch, von der Volkshochschule für Frau Luise Rinser. (Sehr scharf:) »Nein, für DIE ist kein Zimmer bei uns bestellt.« Der Fall ist klar. Ich muß lachen. Die denken, daß, wenn sie mich beherbergen, man sie beschuldigen könnte, eine Sympathisantin der Terroristen beherbergt, gar versteckt zu haben ... Ists nicht Wahnsinn? Ich finde dann am Marktplatz ein Zimmer. Da ist man nicht vorprogrammiert auf mich. Ein Marktplatz wie in einem Märchenfilm: Fachwerkhäuser, Kopfsteinpflaster, Stadtbrunnen, alles ganz klein beieinander, sehr hübsch, unwirklich aber, fern der Zeit. Am nächsten Morgen sehe ich, daß man just dort beginnt, Johanna Spyris »Heidi« zu verfilmen. Schon schreiten drei Herren mit Zylindern und in altmodische Fräcke gekleidet das Berggäßchen herab, den Kameras entgegen.
Aber am Abend zuvor: man hatte mir gesagt, daß der für Kultur zuständige Mann mich ausladen wollte aufgrund der ›Quick‹-Notiz. Er wollte ganz sicher gehen und sich auch keine Feinde unter den Andersgesinnten im Ort zuziehen. So schrieb er den Hessischen Rundfunk an, ich sei doch nicht tragbar ... Er erwartete eine Bestätigung seines Verdachts. Dieser Herr nun kommt, mich zur Lesung abzuholen. Er weiß nicht, daß ich weiß. Der Saal (Fürstensaal, sehr schön) ist brechend voll. Der Hessische Rund-

funk ist auch da, und zwar mit dem Brief jenes Herrn. Der zuständige Journalist besteht darauf, den Brief jetzt und hier vorzulesen, um den Schreiber zu blamieren. Ich will das nicht. Es liegt mir nicht, einen einzelnen, der in diesem Falle wehrlos ist, so bloßzustellen. Ich muß geradezu kämpfen mit dem Rundfunkmann. Er begreift nicht, warum ich den Feind schonen will. Ja, warum eigentlich? Es ist eine Stil-Frage. Aber ich bitte den Rundfunkmann, dem Herrn zu sagen, daß er es mir verdanke, wenn er an diesem Abend keinen Skandal erlebte. Es war nämlich viel Jugend im Saal, und die ist allemal bereit, so einen alten Herrn lächerlich zu machen. Was ich ihm vorwerfe, ist nur, daß er mir ins Gesicht hinein schöntat. Derlei mag ich nicht. Feigheit und Falschheit ertrage ich schlecht. Aber andrerseits: wie hätte er sich verhalten sollen? Meine Versöhnlichkeit ist natürlich die Attitüde des Stolzes. Aber wie anders sollte ich meinerseits mich verhalten? Komische Spiele sind das. Im Grunde lächerliche Imponierspiele. Und wie nichtig angesichts der Gefahren, die uns alle bedrohen.
In Heppenheim, das fällt mir ein, während ich durchs Städtchen schlendere, lebte Martin Buber. Ich habe Lust, alle mir Begegnenden zu fragen, ob sie wissen, wer Martin Buber ist und was er für die geistige Welt bedeutet. Ob es einer wüßte, auch nur einer? Plötzlich überfällt mich die nackte Verzweiflung über die Ohnmacht des Geistes. Daß ein Mensch überhaupt sein Leben lang glaubt und hofft und liebt und daß nichts dabei herauskommt als Parteigezänk, als Kriege, als Ausbeutung der Schwachen, als Haß ... Mitten in diesem Städtchen zwischen goldenen Weinbergen und Filmkameras erscheint mir wieder einmal der Tod als höchst wünschenswert. Ich bin unseres menschlichen Treibens unendlich müde.

Zum Kapitel Stammheim. In einem Buch über die Hexenjagd im 15. Jahrhundert lese ich: Die Angeklagten konnten sich einen Anwalt nehmen, doch waren diese Anwälte selbst höchst gefährdet: Sie durften sich nicht dem Verdacht aussetzen, die Hexen dem Arm der Gerechtigkeit entziehen zu wollen. Was sie allenfalls auf dem Gnadenweg erreichen konnten, war, daß die Mandantin nicht bei lebendigem Leib verbrannt, sondern durch das Schwert hingerichtet wurde. Auch die Priester, soweit sie nicht nur auf die Frauen einredeten, um sie zum Geständnis zu bringen, durften sich nicht für sie einsetzen. Sie wurden wiederholt ermahnt, dem Untersuchungsrichter nicht in sein Amt einzugreifen.

In jener Zeit war es auch für Geistliche lebensgefährlich, nach ihrem Gewissen zu handeln. Sie waren hinreichend gewarnt durch das Beispiel solcher, die das Wagnis, einer Hexe zu helfen, mit dem Leben bezahlt hatten. (Zitate aus Ingeborg Hecht ›In tausend Teufels Namen‹.) Ja, so war das. Lang ists her. Es genügte ein Hinweis, eine Frau sei eine Hexe – und schon wurde sie verhaftet. Leugnen half nichts. Wer eine Hexe war, bestimmte der Richter. Hexen hatten Kontaktsperre, Hexen wurden gefoltert, Hexen wurden hingerichtet. Die Hexe, das war die Projektion des naturelementaren Teils der Männer, die dieses Teil in sich nicht bejahen mochten. Hexen waren Sündenböcke. Immer machen sich die Menschen Sündenböcke, immer verfolgen sie in Projektionen ihre eigenen Verdrängungen. Die Terroristen: Sündenböcke für das Anarchische im deutschen Bürger, das er nicht ausleben kann.
Tote, noch mehr Tote. Selbstmord. Nein: Mord. Unsinn: Selbstmord ... Frau R., was denken Sie über die Stammheimer Todesfälle? Hundertmal werde ich gefragt auf dieser Lesereise. Ich mag nicht antworten, ich weigere mich rundheraus zu antworten. Warum? Weil ich mißtrauisch bin. Weil ich in jedem Frager einen Provokateur wittere.
Schon bin ich angesteckt von der allgemeinen Hysterie, schon beginne ich feig zu sein. Aber der wahre Grund meines Schweigens ist ein sachlicher: ich weiß nichts. Ich mag keine Vermutungen mitteilen. Es gibt viele Todesarten und viele Arten, Menschen zum Selbstmord zu treiben, aber es gibt auch viele Motive für Selbstmorde und vielerlei Ziele, die mit Selbstmorden erreicht werden sollen. Denkbar ist (ich sage: denkbar), daß das Selbstopfer den dreien als die Krönung ihres Lebens erschien. (An eine bloße Verzweiflungstat glaube ich nicht.) Als ich die Nachricht von ihrem Tod hörte, fühlte ich eine große Erleichterung. Aber diese Erleichterung bezog sich nicht darauf, daß der deutschen Gesellschaft damit die Lösung eines recht haarigen Falles abgenommen wurde (sie wurde ihr auch keineswegs abgenommen), sondern darauf, daß die drei nun »jenseits« sind: jenseits der fehlbaren Justiz, jenseits der blinden Volkswut, jenseits ihrer eigenen Irrtümer im Denken und in der Wahl der Mittel zur Veränderung, jenseits der Zustände, die sie ändern wollten und an denen sie litten. Jenseits. Mit welchem Maß werden sie dort gemessen? »Du sollst nicht töten.« Das gilt. Ja, aber: es gibt viele Arten zu töten und mitschuldig zu werden an Toden. Mir kommt Claudius' Gedicht in den Sinn: »'s ist leider Krieg – und ich begehre / nicht schuld daran zu sein.«

Frage an UNS ALLE, auch an F. J. Strauß: Was haben wir getan, um Gewalttaten zu verhindern? Haben wir genug geliebt? Haben wir mit unserm kleinen Haß die Summe des Hasses in der Welt vermehrt?
Mein Gott: Wer in der Politik stellt sich solche Fragen?

A. M. schickt mir einen Zeitungsausschnitt zu, den sie im Nachlaß ihres Vaters fand, eine Todesanzeige von 1943.
»Durch britische Mörderhand fielen im Auftrag Judas in der Nacht am 28. 9. 1943 durch den Terrorangriff [...]
SA-Scharführer Pg. Friedrich G., seine liebe Gattin Herta, die Kinder Friedrich Adolf und Hans Dieter. Auch sie fielen für den Bestand Großdeutschlands und unseren geliebten Führer Adolf Hitler. In tiefer stolzer Trauer ...«
Ich lasse die Namen weg, denn es ist sehr wahrscheinlich, daß die Hinterbliebenen noch leben. Ich will nicht sie bloßstellen, nur eine Stimmung, eine Gesinnung, einen Wahnsinn. Und mich interessiert das Wort »Terror-Angriff«. Natürlich auch »Mörderhand«, und »im Auftrag Judas« ... Was meinten die Leute eigentlich damit? Man hatte sie zehn Jahre lang dahin programmiert, daß irgendwo »der Weltjude« sitze und alle Drähte in der Hand halte. Und derlei glaubten die Leute. Viele, viel zu viele. Gehirnwäsche eines Volks. Gott steh uns bei gegen jene Presse, die das Reizwort »der Weltjude« ersetzt durch: »die Kommunisten, die Terroristen, die Linksintellektuellen«.

Brief eines württembergischen evangelischen Pfarrers anläßlich meiner Drei-Minuten-Rede am Südfunk zum Friedhofstreit in Stuttgart. Ich hatte, dem Sinne nach, gesagt, daß ein Fried-Hof früher Gottes-Acker hieß und daß jene, die dort bestattet würden, der menschlichen Justiz und menschlicher kurzsichtiger Feindseligkeit entzogen seien. Ich sagte auch, ich finde es schön, daß der CDU-Oberbürgermeister Rommel den Mut hatte, etwas so Unpopuläres zu tun, entgegen der »Volkswut« zu gestatten, daß die, die im Leben vereint waren, es auch im Tod, das heißt im Grab, sein sollten. Der Pastor, der das gehört hatte, schrieb mir: »Können Sie nicht die begründete Furcht der Stuttgarter verstehen, daß sie nun auf unabsehbare Zeit internationales Terror- und Touristenzentrum zweifelhafter Art werden können? Durch Stammheim dürfte man auf einige Jahre hinaus mit Anarcho-

Prozessen und prominenten Häftlingen gesegnet sein. Da ist der Ruf einer Stadt schnell kaputt, und die Presse hat bis ins Ausland hinaus immer etwas Negatives zu schreiben...« Über seinen Amtsbruder Ensslin schreibt er: »Fühlte er sich durch die Berühmtheit seiner Tochter über ein normales graues Pfarrerleben emporgehoben und wollte er es bis zuletzt auskosten?« (gemeint ist Pastor Ensslins Beharren auf dem gemeinsamen Grab für seine Tochter und deren Freund Baader). Der Pastor fährt fort: »Ich war nahe daran, dem Mann... heftige Vorwürfe zu machen, ob er eigentlich noch merkt, wie schwer er der evangelischen Kirche und der kirchlichen Verkündigung geschadet hat.«

Ich hatte den Brief schon in den Papierkorb geworfen. Ich holte ihn wieder heraus. Ich las ihn noch einmal. Mit wachsendem Zorn. Also, das sind die wahren Sorgen eines Geistlichen: der Ruf einer Stadt und der Ruf seiner Kirche. Als ob beides nicht längst auf andre Weise kaputt wäre. Als ob beides durch ein gemeinsames Grab korrumpiert werden könnte. Als ob die Glaubwürdigkeit der evangelischen Kirche just durch einen einzigen evangelischen Pfarrer, einen unglücklichen Vater einer tapferen, aber in die politische Irre gelaufenen Tochter litte! Mein Gott... Die Glaubwürdigkeit der evangelischen Kirche hängt von ganz andern Leuten und Fakten ab. Bonhoeffer und Gollwitzer, das sind Zeugen fürs Evangelium der Liebe und Freiheit der Kinder Gottes. Schließlich lese ich noch einmal den Schluß des Briefes: »... daß es mir bis heute tief innen weh tut, daß eine Pfarrerstochter von dem ihr einverleibten Evangelion des Friedens, dessen Sprengwirkung auf die Welt sie sah, schließlich zum Kakangelion von Haß und Gewalt kam.«

Läse ich diesen Satz etwa studentischen Zuhörern oder Fabrikarbeitern vor, erhöbe sich schallendes Gelächter. Ausgerechnet eine Pfarrerstochter. Ja, warum denn ausgerechnet eine Pfarrerstochter? Warum wurden im Dritten Reich Pfarrerssöhne SS-Männer? Warum mißraten so viele Pfarrerskinder? Warum wenden sie sich ab im Zorn von ihren frommen Vätern? (Ich polemisiere nicht, ich frage.)

Aber etwas anderes aus diesem seltsamen Brief macht mich bitter lachen, das Wort von der »Sprengwirkung des Evangeliums, welche Gudrun Ensslin sah«. Ja wo denn? Wie denn? Wann denn? DAS ists ja, was Pfarrerskinder und andre Kinder aus dem christlichen Bürgertum in den Terror treibt: daß das Evangelium in den Elfenbeinturm gesperrt ist und ganz und gar keine Relevanz hat in der sogenannten Wirklichkeit! Daß die Zehn Gebote in der Politik

rein gar nichts bedeuten! Daß da »Lügen« heißt: Diplomatie. Daß »Stehlen und Betrügen« heißt: nutzbringende Gewinne machen. Daß »Töten« heißt: notwendige Maßnahmen ergreifen zur Verteidigung von Werten. Als diese unglückseligen Terror-Kinder zum politischen Bewußtsein erwachten, was sahen sie da? Die teuflische Diskrepanz zwischen Evangelium und Politik. Und während wir andern uns damit abfinden, litten sie, und da sie nichts ändern konnten, wurden sie gewalttätig. Mein Gott: Sprengwirkung des Evangeliums ... Wieso kommen mir jetzt gerade mittelalterliche Scheiterhaufen in den Sinn, und Priester im vollen Ornat, die Kriegswaffen segnen? Und Kardinal Bertrams Ergebenheits-Telegramme an Hitler?
Wieder werfe ich den Pfarrerbrief in den Papierkorb. Aber wieder hole ich ihn heraus. Ich mache es mir nicht leicht. Ich lese den Schluß noch einmal. Da steht: »Das ist mir eine furchtbare Anfechtung, ob da womöglich eine teuflische Logik liegt.«
Dieser Pfarrer leidet an seinem Pfarrersein, das er »grau« nennt. Für ihn hat das Evangelium seinen Glanz verloren. Wer kanns ihm verdenken. Und hätte er eine Tochter, wer weiß ... Frage: Hat das Evangelium »Sprengwirkung«? Sonderbare Ausdrucksweise. Assoziation: Sprengbombe, Dynamit, Krieg. Ein Wort aus dem Wörterbuch der Gewalt. Ein aggressives Bild, ganz unpassend zu Jesu Worten der Bergpredigt. Hat uns das Evangelium Frieden gebracht und Freude? Eine scharfe Frage. Ich verstehe die Juden, die sagen, der Messias könne nicht schon gekommen sein, sonst hätte sich etwas zum Bessern wenden müssen in der Welt.
Wieso halten wir uns eigentlich noch an Worte, an Hoffnungen, die nicht mit unsrer Wirklichkeit übereinstimmen?
Vielleicht gerade deshalb. Es gibt Tage, an denen ich mich wie besessen mit dem (scheinbar so abgebrauchten) Marxschen Wort von der Religion als Opium fürs Volk herumschlage. Dabei setze ich das Messer an die Wurzel meiner Existenz.

Auch eine Terroristin ... Auf der Titelseite des »Kölner Volksblatts« (Bürger-Initiative-Information) ein Bild: eine alte Frau wird von der Polizei abgeführt. Unterschrift: »84jährige Menschenrechtskämpferin verhaftet«.
Die Frau ist Christa Thomas, lebenslang im Dienst der Friedensbewegung tätig. Was hat sie jetzt verbrochen? In Köln-Wahn fand eine Waffenschau statt. Christa Thomas wagte es, außerhalb des Geländes rote Rosen und Einladungen zu einem Anti-Kriegs-Film

zu verurteilen. Dann versuchte sie, es auch innerhalb des Geländes zu tun. Rote Rosen als Zeichen der Völkerverständigung, nicht des Terrors. Und dabei hat man sie verhaftet.
Man bekämpft also nicht nur die Terroristen, sondern auch ihre Gegenspieler: die Pazifisten.
Das ist nicht Wahnsinn, das ist entlarvende Logik: wenn man den Pazifismus dem Kommunismus zuordnet, dann ordnet man dem Antikommunismus den Kriegswillen zu.

Religionsstunde. Sr. Erika (aus altem bayrischem Adel und, wie ihr ganzer Orden von Sacré-Cœur im »Umbruch«) lädt mich ein, in einer Münchner Hauptschule mit Fünfzehnjährigen über deren religiöse Fragen zu reden. Sie sind vorbereitet, ich nicht. Was werden sie mich fragen? Eine gemischte Klasse, Buben und Mädchen, katholische und evangelische, etwa vierzig. Ich habe noch immer von der Staatsprüfung her die »missio canonica«, ich darf also »Rechtens« Religion lehren. Aber danach hat mich hier niemand gefragt, die halten mich auch so für legitimiert dazu. Der Schulleiter ist anwesend, eine der Klassenlehrerinnen und die Religionslehrerin. Die Schüler sind ganz ungehemmt, das Gespräch geht in Münchnerisch vor sich, ich spreche es ja auch von Natur, das macht die Sache leichter. Und was fragen die mich? Die erste Frage bestürzt mich, die hätte ich am allerwenigsten erwartet: »Muß man am Sonntag in die Kirche gehen?« Ist euch das denn so wichtig? Ja, es ist ihnen sehr wichtig. Was steckt dahinter? Der Konflikt mit den befehlenden Eltern? Der Zwang, gegen den man rebelliert? Nein. Man MÖCHTE in die Kirche gehen, eigentlich. Nun also, wo ist das Problem? Man möchte VERSTEHEN, was das ist: die Sonntagsmesse. Daß es eine Manifestation der Gemeinschaft ist, das Zeichen des Zusammengehörens, das ist leicht zu erklären. Aber: was ist es denn, das da geschieht, was IST das: »Eucharistie feiern«? Ich rede vom Brot und davon, daß die kleine weiße Hostie eigentlich ein Laib Brot sei, so groß wie die Erde, in die hinein der Christus Jesus sich inkarniert hat. Es ist der Christus, den wir da gemeinsam essen. IST? denke ich rasch für mich; hier sitzen auch Protestanten, und für sie IST das nicht der Leib Christi, es BEDEUTET ihn.
Ich überspringe die Hürde, ich sage den Kindern, was ich eben dachte. Ich sage: Und wer weiß, was das IST meint und was das BEDEUTET meint? Alles, was IST, bedeutet auch, was es ist. Und schließlich (ich überspringe eine andre Hürde, die da möglicher-

weise in den verschiedenen religionsunterrichteten Hirnen aufsteht) und schließlich: Ist das wichtig? Was wichtig ist, was zählt, was hilft: daß wir Gemeinschaft erleben, Einswerden, und danach unser Leben einrichten. Das verstehen sie, das ist es, was sie hören wollten. Aber, fragt einer, wenn man eine große Abneigung hat, in die Kirche zu gehen? Man muß nicht jedem Gefühl nachgeben, sage ich, aber: vielleicht sollte man diesem doch nachgeben und einmal eine Weile eben nicht zur Messe gehen? Manchmal muß man eine große Distanz legen zwischen eine alte Gewohnheit und ein neues Verständnis, manchmal muß man wagen, etwas radikal in Frage zu stellen, mit einer Tradition brechen, damit Neues entstehen kann. Nichts schlimmer, als »mitzulaufen«, wo man nicht überzeugt ist.

Was sie alles fragen, diese Fünfzehnjährigen, diese künftigen Friseusen, Verkäuferinnen, Monteure, Fließbandarbeiter! Wie gescheit sie sind, wieviel gescheiter als viele ihrer Altersgenossen, die hinüber-, hinaufwechselten in die Gymnasien! Was für geistige Qualitäten da bereit sind, entfaltet zu werden! Und was dann erstickt wird in der täglichen Mühsal und in dem Bewußtsein, doch nicht zu den »Gebildeten« zu gehören.

Die allerüberraschendste Frage aber ist diese: Kann man Gott SEHEN? Ja, sage ich, schon: schau irgend etwas in der Schöpfung an, und du siehst Gott; schau deine Mitmenschen an, und du siehst Gott. Aber das scheint ihnen eine schlechte Antwort. DIREKT wollen sie Gott sehen, und ganz »wirklich«. Kann man das? Ja, sagt ein Bub todernst, man kann es. Ich schaue ihn mir an: es ist ein urgesunder, kräftiger Junge. Aber, frage ich vorsichtig, WIE siehst du ihn? Ein Mädchen antwortet statt seiner: »Wer ihn gesehen hat, der kann nicht davon reden.« Es wird ganz still. Die Kinder erwarten, daß ich etwas dazu sage. Aber was? Ich sage: GESEHEN habe ich Gott nie, aber ich könnte sagen, daß ich ihn GEHÖRT habe.« Ein Mädchen sagt: »SEHEN ist vielleicht nicht das richtige Wort.« Ein Bub sagt: »Gott ist unsichtbar.« Das Mädchen sagt: »Es gibt viele Sachen, die unsichtbar und doch sichtbar sind.« Ja, sage ich, Liebe zum Beispiel. Sieht man Liebe? Man sieht, wenn Menschen einander lieben. Nein, man sieht das nicht, man sieht nur Zeichen, die darauf deuten, daß da Menschen sich lieben. Wenn ich, sagt ein Mädchen, ein Kind streichle, dann erlebe ich, was Liebe ist, da brauche ich dann nicht mehr weiter zu fragen. Ein Bub sagt: Daß Gott etwas Wirkliches ist, das kann man nicht erklären, das kann man nur erfahren. Aber die beiden, die Gott gesehen haben, schauen still vor sich hin. Ich muß an einen

Ausspruch Rudolf Steiners denken: »Es werden Zeiten kommen, in denen die Menschen wieder andern Wesenheiten begegnen und sie SEHEN.«
Und da sagt man, die Jugend von heute tauge nichts! WER ists, der diese jungen Geister verstummen läßt? Wer entzieht sich der Verantwortung, diese göttlichen Keime zu entwickeln? Und eines Tages ist man entsetzt, wenn die irregeleiteten Kräfte sich gegen die blinde, taube Gesellschaft wenden.
Wir haben beschlossen, zusammen ein neues Religionsbuch zu machen.

Nachtrag: Wir haben uns im kleinen Kreis wieder getroffen, unser Plan beginnt sich zu realisieren.

Der Schafhirt. Jetzt haben wir uns also endlich gesehen. Er saß unter meinen Zuhörern in Düsseldorf, mit wilder blonder Mähne und in Schaftstiefeln und offenem Hemd und offenem breitem gutem Gesicht. Ich erkannte ihn, ohne je ein Bild von ihm gesehen zu haben. Er war aus Krefeld hergefahren. Wir verabredeten uns für den nächsten Tag. Er will mit mir nach Kleve fahren, damit wir wenigstens für die paar Stunden Bahnfahrt zusammen sein können. Ich hatte seinen Roman gelesen, den ersten und bisher einzigen, in den er alles hineingepreßt hat, was er zu sagen hatte. Ein leidenschaftliches Buch, ein ungefüges, eins, das die Verleger gern brächten und es doch nicht bringen, es ist so heftig, es schreit Leid und Freude und Anklage so vehement hinaus, und es ist so christlich, so katholisch, ja, das auch, wenngleich auf unerhörte Weise, so kennt man das Katholische gar nicht, und »links« ist das Buch auch, aber so unpolitisch, oder nein, es IST politisch, auf eine so vertrackte Weise, so evangelisch-politisch, so flammend und konsequent diesem Jesus ergeben, und gescheit ist es auch, da steckt ein gerütteltes Maß an solider Bildung dahinter, die aber wie etwas Überflüssiges abgetan, von den Wellen der Poesie überrollt wird, kurz und gut: ein unbequemes Buch, ein Ungetüm, nirgends einzureihen. ›Der Heilige auf der Müllkippe‹ heißt es. Wenn er (ich sah die Kritiken) öffentlich daraus vorliest, liest er nicht wie wir andern eine Stunde, er liest zwei und mehr, und das Publikum sitzt gebannt. Wir fahren also mitsammen durch die niederrheinische Landschaft, die seine Heimat ist, er liebt sie, die Oktobersonne steht über den flachen Viehweiden, und als sie nah überm Horizont ist, wird sie zur rotflammenden

Scheibe, und mein Schafhirt sagt: »Die Hostie über unsrer Erde, die Messe über der Welt.« Er zitiert Teilhard de Chardin, aber wie alles, was er sagt, wirkt es wie zum ersten Mal ausgesprochen, alles kommt so frisch aus diesem jungen Geist.
Seine blauen Augen strahlen. Seine Hände sind breit und rauh, Arbeiterhände, Maurerhände. Maurer? Mit dieser Bildung? Er hat studiert, ist regelrechter Akademiker, wollte Priester werden, Mönch, wurde es nicht, entschloß sich, kein Intellektueller zu sein, ging unter die Handwerker, wurde Maurer, kein Hilfsarbeiter, sondern Gelernter. »Was mich an dieser Berliner Mauer auch noch ärgert, ist, daß sie so hundsmiserabel gebaut ist«, sagt er. Im Winter ist er arbeitslos. »Mir gehts gut«, sagt er, »ich bekomme Arbeitslosengeld und kann schreiben. Und außerdem habe ich meine Schäfchen.« Seine Schäfchen. Mit zweien fing er an, jetzt hat er zehn oder zwölf, er darf sie auf einer öffentlichen Wiese weiden lassen, er schert sie, er verkauft die Wolle, er will mir einen Sack voll schenken, aber was tu ich mit der Wolle, ich kann nicht spinnen. Die Schäfchen liebt er. Er sagt: »Einmal starb mir eins weg, ein ganz junges, ich kann Ihnen sagen, so ein Schäfchen sterben sehen, das nimmt einen her.«
Er sollte seinen Namen ändern, er heißt Grass, aber Jürgen Grass. Für zwei Grass ist kein Platz auf der Literaturweide unseres Landes, so scheints.

Felix Austria. Die Österreicher haben eine neue linksliberale Zeitschrift ›Extrablatt‹. Man hat Zwerenz und Engelmann und Kurt Hirsch und mich eingeladen, an der Wiener Universität eine Podiumsdiskussion zu machen zum Thema: Die Situation der Bundesrepublik Deutschland. Ich hatte leichtfertig zugesagt. Jetzt möchte ich absagen. Ich habe genug zu diesem Thema geredet und geschrieben. Ich bin dessen überdrüssig. Und zudem ists mißlich, im Ausland über die eigenen Defekte oder auch Tugenden zu reden. Die Deutschen, wiewohl untereinander spinnefeind und sich schmähend, dulden keine Kritik von außen und außerhalb der zerstrittenen Familie. Kritik an Deutschland, das ist seit eh und je »Nestbeschmutzung«.
Die Einlader machen es mir etwas leichter: sie wollen von mir lediglich einen Faktenbericht dessen, was mir in diesem Herbst in der BRD zugestoßen ist ...
Der Saal ist brechend voll. Lauter Studenten, fast lauter. Wir sind von Deutschland her an harte Diskussionen mit der Jugend ge-

wöhnt. Aber was ist denn los hier in Wien? Was verbirgt sich hinter diesen lieben jungen Gesichtern, was bedeutet diese freundliche Bereitschaft, ruhig zuzuhören (vorausgesetzt, daß man sie rauchen läßt, der Qualm ist erstickend, aber seis drum), und was steckt hinter dieser Lust am zustimmenden Gelächter, wenn einer von uns irgendeine ironische Pointe bringt? Sind wir im Kabarett? Endlich Zwischenrufe, ich höre es dankbar. Aber was rufen die? »Lauter, bitte!« (Die Mikrophone funktionieren nicht.) Erst als das Gespräch auf Stammheim kommt, erhebt sich einige Erregung, aber nur in gewissen Gruppen, die darauf bestehen, daß das kein Selbstmord, sondern heimtückischer Mord war. Die Mehrzahl aber nimmt Engelmanns ruhige Argumentation interessiert an. Freilich kehrt die Diskussion immer wieder zu diesem Thema zurück. Ob Mord oder Selbstmord: drei junge Menschen sind, so oder so, in Stammheim zur Strecke gebracht worden. Das geht alle jungen Menschen an. Das ist IHR Schicksal: die Welt ändern zu wollen und an der politischen Realität, das heißt an der Verweigerung von Verständnis und Mitarbeit seitens der Regierungen und der Bürger, zu scheitern. Das ist schon auch in Österreich ein Thema. Aber so aktuell ists dort nicht. So bös ist man nicht gegen die Gesellschaft in einem Land, in dem man den SPÖ-Kanzler »unseren Kaiser Kreisky« nennt oder den »Landesvater«. Man ist nicht sehr politisch. Wenigstens scheint mir das so. Jedenfalls kommt es uns Deutschen so vor, als sprächen wir leidenschaftlich auf eine sanft nachgebende weiche Wand ein. Human ist man, das ist schön. Und dabei bringt dieses Volk, das spannungslos scheint, einen Haufen sehr guter Schriftsteller hervor, von denen allerdings manche nach der BRD auswandern, vielleicht auf der Suche nach schärfern Herausforderungen.
Am nächsten Nachmittag, vor dem Abflug, gehe ich in der Stadt herum in der Gegend der Votivkirche. Schön ist die Stadt unter dem klaren kalten Winterhimmel. Mich macht sie immer schwermütig, ich weiß nicht warum.

Advent. Vorgestern in Wien und gestern in München: überall auf öffentlichen Plätzen Christbäume, und die Geschäfte überquellend von »Weihnachts-Angeboten« und die Christkindl-Märkte auch. Advent: Zeit der Erwartung. Erwartet werden große Geschäftsgewinne. Mitten auf dem öden Wiener Christkindlmarkt kommt mir ein Mädchen entgegen, so eines mit langem hellblondem gekräuseltem Haar, wie es Krippen-Weihnachtsengel hatten früher, und in einem langen blauen Gewand, und in der Hand eine jener rosa Zuckerfadenwolken am Steckerl, und sie zieht im Gehen mit dem Mund Faden um Faden in sich hinein, verklärten Gesichts und ganz versunken, und merkt nicht einmal, daß sie an mich stößt. Ich sage: Hallo! Sie wirft mir einen sanften Blick zu, einen leicht irren, als hätte sie eine Droge genommen. Aber wahrscheinlich war sie, noch nicht weit weg von ihrer Kindheit, vom Ariadne-Zuckerfaden geleitet, in diese Kindheit zurückgekehrt. Als ich Kind war, begannen am ersten Adventsonntag die »Engel-Ämter«. Warum sie so hießen und nicht wie anderswo »Rorate-Ämter« (rorate coeli...), das weiß ich nicht, aber das Wort Engel wob Geheimnis, und mir war die Anwesenheit von Engeln bei diesen frühen Gottesdiensten fühlbar. Die Messe begann um sechs. Um halb sechs weckte mich mein Vater. Die Mutter schlief weiter. Vater hatte schon Feuer gemacht im Küchenherd, die Buchenscheite krachten. Das Waschwasser war eiskalt. Frühstück gabs keines. Im Backrohr lagen faustgroße Kieselsteine, die wir, wenn sie heiß waren, in unsre Manteltaschen steckten, daran wärmten wir unsere Finger. In der großen Kirche (in Übersee am Chiemsee) wars bitter kalt, geheizte Kirchen gab es damals nicht. Vater, in Halbhandschuhen, spielte die Orgel. Wir sangen »Tauet Himmel, den Gerechten, Wolken, regnet ihn herab«. Vor den hohen Spitzbogenfenstern war's Nacht, entweder Schneegewölk oder das Firmament eisklar mit dem blaufunkelnden Hundsstern, dem Winterstern, und wenn wir um halb sieben aus der Kirche kamen, begann die Morgendämmerung, und es war noch kälter als zuvor, und der Schnee knirschte, oder der schneelos gefrorene Boden klang hohl und hart unter unsern Tritten. Schweigend zerstreuten sich die frühen Beter, viele von ihnen hatten weite Wege zu den abliegenden Gehöften. »Bleib doch daheim«, sagte der Vater mehrmals, »mußt doch nicht jeden Tag in die Kirche gehen«, und die Mutter sagte: »Wirst dich schon noch erkälten, dann vergehts dir, das Kirchengehen so früh.« Ich habe mich, glaube ich, nie erkältet, und das frühe Kirchegehen verging mir nicht. Es war mir wichtig und teuer. Wie hätte ich mich auf Weihnachten freuen können, wenn ich nicht zuvor den Advent durchgehalten hätte? Zuerst das Warten in Kälte und Dunkel, und erst dann Wärme und Licht. Eins nicht ohne das andre. Warten war unerläßlich. Das Reis aus Davids Stamm wird nicht von selber blühen. Unsre Erwartung muß es herbeiziehen mit aller Kraft und Sehnsucht. Wie habe ich, ein nachdenkliches Kind, eigentlich Advent verstehen können als Zeit der Erwartung

auf den Messias Jesus, da ich doch wußte, er war schon gekommen vor zweitausend Jahren? Natürlich wußte ich, daß »am Ende der Zeiten« dieser Messias wiederkommen würde, aber das lag weit weg, das meinte ich nicht mit Advent-Erwartung. Ich meinte viel näher Liegendes. Mein frühes Aufstehen und Frieren bedeutete für mich die Vorbereitung auf das Kommen des Messias zu MIR. Als ich einige Jahre später bei einem der deutschen Mystiker las, Christus sei nicht geboren, wenn er nicht in unsern Herzen wieder und wieder geboren werde, verstand ich das sofort. DAS wars, was mir der Advent bedeutete.
Eben, beim Nachlesen im ›Schott‹ (dem alten Meßbuch) finde ich als Lesung für den Quatembermittwoch im Advent die Worte des Propheten Isaias: »... Sie werden ihre Schwerter in Pflugscharen umschmieden und ihre Lanzen in Sicheln. Nicht mehr wird Volk gegen Volk das Schwert erheben, NOCH WIRD MAN FERNER ÜBEN FÜR DEN KRIEG!«

Dezember. Eine Frau aus Berlin, Frau K., ruft mich an, um mir rechtzeitig frohe Weihnacht zu wünschen. Ich freue mich über den Anruf. Und dann will Frau K. mir eine besondre Freude machen: sie erzählt, daß ich weiß nicht mehr wieviel tausend deutscher Lehrer gegen einen von der CDU ausgeheckten Plan protestieren, Böll und Grass und Wallraff und mich aus den Lesebüchern zu entfernen oder jedenfalls uns nicht mehr im Deutschunterricht zu behandeln. Daß so ein Plan überhaupt entstehen konnte?! SO WEIT also sind wir schon wieder, und da nimmt man es mir in Deutschland übel, daß ich Angst habe vor einer, wenn auch variierten Wiederholung des Dritten Reichs? so fing es doch an. Mein Gott. Frau K. weiß nicht, was sie mir angetan hat. Eine knöcherne Hand hat mein Herz gepackt. Und da sagt Willy Brandt neulich bei dem Abendessen im Münchner Ratskeller nach seiner Rede: »Aber nein, zu einem Polizeistaat werden wir Deutschland nicht machen lassen.« Nein? Nein??
Frage: Was habe ich getan, daß die deutsche Jugend mich nicht mehr lesen dürfte? Wissen diese bösartigen Dummköpfe eigentlich, daß ich ja gerade für Gewaltlosigkeit arbeite? Haben die je ein Buch von mir gelesen? Nein. Sie wollen keins lesen. Sie wollen nicht Kenntnis nehmen. Sie ahnen aber, daß ich kritisch denken kann, und sie fürchten, daß die Jugend davon ein bißchen angesteckt würde... Schlaflose Nacht. Erst gegen Morgen Schlaf. Traum: Ich sitze an einem langen Tisch mit andern Leuten, die mir

äußerlich und innerlich fremd sind. Essen wird aufgetragen, Platten mit einer Art ganz flacher panierter Schnitzel. Die andern greifen blitzschnell nach dem Fleisch. Ich komme gar nicht dazu, mir etwas zu nehmen. Schon ist die Platte leer. Ich stehe auf und sage: »Hören Sie, das geht doch nicht, Sie laden mich ein, und dann geben Sie mir nichts zu essen, vielmehr essen Sie es vor meinen Augen weg, das ist eine Provokation.« Wie zur Bestätigung bringt jemand eine zweite Platte mit einem Stück Fleisch, das anscheinend eigens für mich gebraten wurde. Aber schon greift wieder eine Hand blitzschnell danach, und weg ist das Fleisch. Ich gehe fort. Ich weiß: Das sind alles Feinde. Dann bin ich in Kloster Wessobrunn oder an einem ähnlichen Ort, ich muß in Abwesenheit meines Onkels das Pfarrhaus bewachen. Erst kommen wilde Kinder, die hereinwollen. Es gelingt mir, sie abzuweisen. Dann kommt ein schöner feiner Mann, sehr herrenmäßig, er will herein, ich will die Sperrkette vorlegen, er schiebt sich mit höchst autoritärer Geste herein, er führt ein Kind an der Hand. Dann nötigt er mich, in sein Auto zu steigen. Er fährt bergauf, aber es ist eine Einbahnstraße, ich sehe ein Auto herunterkommen, rechtmäßig, ich schreie, ich wache auf, es ist immer erst fünf Uhr früh. Im Aufwachen ist mir der Sinn ganz klar. Jetzt weiß ich ihn nicht mehr so klar. Aber die Träume sind, nach dem Berliner Telefongespräch, einfach zu analysieren. Jedenfalls sind sie politischer Natur und eine Warnung.
Ich habe Angst, und meine Angst hat einen Namen: Unfähigkeit der Deutschen, politisch sachlich zu denken. EINBAHN-Straße, das ist es.
Ich blicke auf von meinen Schreibtisch: draußen ist ein milder Tag, Winterfrühling, still und friedlich. Was gehts mich an, was diese wildgewordenen jenseits der Alpen tun? Ach, es geht mich an! Denn unter ihnen sind Millionen derer, die immer »das ANDRE Deutschland« sind, die gleich mir Angst haben davor, daß Deutschland in eine unheilvolle Isolierung gleitet. Fafner auf dem Rheingold, und danach die Tragödie, die Götterdämmerung. Und die Warner bringt man um. Und dabei weiß ich, daß meine Angst um Deutschland ja auch eine Form dessen ist, was ich als überholt erkenne: des Nationalismus.

Jesu »Geschlechtsverkehr«... Mitten in den heftigen Debatten um den Terrorismus taucht plötzlich in ›Publik-Forum‹ ein Artikel auf, den man absurd finden könnte, paßte er nicht doch

genau in unsre Zeit. Es wird da gesagt, da Jesus ganz Mensch und Mann war, müsse er auch fähig gewesen sein, Geschlechtsverkehr zu haben, und habe ihn wohl auch gehabt, und damit habe er die Sexualität und die Frau aufgewertet.
Ich kann mich nicht enthalten, in einem Leserbrief zu antworten. Frage: Was ist der eigentliche Sinn des »Geschlechtsverkehrs«? (Übrigens ein abscheuliches Wort: Verkehr. Erinnert an eiligen Straßenverkehr.) Also: der Sinn der Umarmung ist weder nur das Kind noch auch die flüchtige Lust, sondern das Einswerden mit einem als Person erfahrenen Du, und in diesem Du und durch es hindurch und über es hinaus das Einswerden schlechthin, nämlich mit dem All-Einen. Alles Irdische ist nur Gleichnis, auch der Beischlaf, dieser Rückgriff aufs Paradies, dieser Vorgriff auf den Himmel. Wer freilich nur »Sexual-Akt« meint und nicht »Liebes-Akt«, der versteht das nicht, und der weiß auch nichts, meine ich, vom wirklich geglückten Liebesakt.
Nun wissen wir aber von »Heiligen«, seien es christliche oder vorchristliche oder buddhistische, daß sie die Glückseligkeit des vollkommenen Einswerdens auch, und besser, auf andre Weise erreichten. »Diós sólo basta«, sagte die große Teresa von Avila, diese leidenschaftliche Spanierin, Dichterin, Mystikerin, Kirchenlehrerin. Eine Stimme für viele, auch männliche Heilige. Und Jesus, der Heiligste, sollte es billiger tun? Er sollte brauchen, was die Heiligen nicht brauchten? Im Liebesakt sucht der Mann die Frau oder im Mann das Weibliche. Auf jeden Fall sucht das »Yang« sein »Yin«, das männliche Prinzip das weibliche. Wunderbare Bedürftigkeit. Die Erfüllung in der Vereinigung ist leider nicht von Dauer. Daher unsre immer neue Suche beim selben Partner oder bei immer andern. Don Juans Tragik. Jesus war ganz Mensch, ja, aber was für einer! Seine Vollkommenheit besteht darin, daß er eben als Mensch ganz EINS war mit sich und »mit dem Vater«, mit ALLEM. Er war die Integration von Männlichem und Weiblichem. Das hat nichts mit physischer Androgynie zu tun. Es geht hier ums geistige Prinzip. Wenn aber einer in sich alles hat, was braucht er dann die Ergänzung? Mystiker aller Grade würden Ihre Erfahrung vom Einswerden mit »Gott« nicht um alles um-tauschen in die kleinere Münze des Beischlafs.
(Halte mich nur niemand für eine alte Jungfer oder eine asketische Nonne. Ich liebe die Liebe. Dennoch weiß ich etwas vom »andern«.)
Wie steht's nun mit der Behauptung, Jesus hätte die Frau aufgewertet, indem er mit Frauen schlief? Ich muß bitter lachen: besteht

nicht die Ab-wertung der Frau darin, daß man sie als Sexual-Objekt nimmt? Welche Herablassung der Männer: sie werten uns auf, indem sie sich herablassen, uns zu beschlafen! Womit hat Jesus die Frau aufgewertet? Indem er sie als Menschen behandelte, als Gesprächspartner, als FREUND. Und dadurch, daß er, als Auferstandener, zuerst Frauen erschien, weil die Frau ihm die fähigere Botin schien. (Ein Theologe schrieb mir, es sei purer Zufall gewesen, daß er zuerst Frauen erschien ...) Es ist schon entlarvend, daß die Männer, die männlichen Theologen, Jesu »Männlichkeit« so verteidigen. Mein Gott, wir nehmen euch Jesus, den Mann, nicht weg, ihr Männer, ihr Kleriker, ihr Zölibatäre (freiwillige oder unfreiwillige), ihr Päpste! Jetzt fällt mir aber ein, welchen Sturm ich unter Frauen entfachte, als ich vor zehn Jahren einen Vortrag hielt über das Thema »Unterentwickeltes Land Frau«, in dem ich sagte, das Patriarchat habe Gott natürlich als Mann dargestellt und darauf seien wir geprägt. Gott sei jedoch weder Mann noch Frau, sondern eben Gott, die Fülle, die absolute Einheit. Die Damen hätten mich gern gesteinigt, weil ich ihnen ihren Mann-Gott nehmen wollte zugunsten einer höhern, reinern Gottesvorstellung. Ja, aber: Jesus wurde nun einmal als Mann geboren. Nun, und? Als Frau in jener Zeit und in jenem Kulturkreis hätte er keine Möglichkeit gehabt, öffentlich zu reden und zu wirken, und somit hätte er nicht die Chance gehabt, angefeindet, ernst genommen, als Staats- und Synagogenfeind hingerichtet zu werden und so das Erlösungswerk zu vollenden. Erst im deutschen Mittelalter hätte er öffentliches Aufsehen erregen können: als Hexe.

Ja, sagt vielleicht ein Theologe, falls ein moderner überhaupt noch an derlei denkt: Aber in der Brautmystik ist Jesus doch eindeutig der Mann. Ja, schon. Aber das ist etwas anderes: wenn Jesus in sich selber beides ist, animus und anima, so ist er in der Beziehung zum Menschen, zur menschlichen Seele, das männliche, das geistige Prinzip. (Nicht aber der MANN!) Das Geistprinzip zeugt, die Seele empfängt. Nun, alles in allem: es ist schon recht, wenn die christlichen Theologen jetzt nachlernen, was sie in zweitausend Jahren nicht lernen wollten und konnten. Daß sie jetzt ins andere Extrem fallen, muß hingenommen werden. Vorübergehend.

Wenn ich jetzt aber auch einmal prekäre Fragen auf der Ebene des Artikelverfassers, eines katholischen Pfarrers, stellen darf: Wie hätte Jesus, der leidenschaftliche Mann, den Beischlaf erlebt? Hätte er, der immer aufs Ganze ging, dabei kein Kind gezeugt? DAS würde man wissen. Oder hat da vielleicht Maria Magdalena, die

Heereshure, schon Mittel gewußt, um die Empfängnis zu verhindern? Sieht man nicht, wie inadäquat solche Vorstellungen sind?
Und schließlich: wie wärs denn, wenn Jesus homosexuell gewesen wäre? Hätte ers nicht sein können, so unter lauter Männern und mit dem jungen Johannes an seiner Brust? Und nach griechischem Muster. Nein. »Wer ist mir Mutter, Bruder ... Geliebte, Geliebter? Der den Willen meines Vaters tut.«
Im übrigen: Sexualität wertet man nicht damit auf, daß man sie um jeden Preis auslebt. Wer weiß eigentlich noch etwas von Askese? Ich werde doch noch eine Arbeit DARÜBER schreiben, wie ich's lang plane.

Missionierung umgekehrt: Früher einmal gingen die europäischen, dann die nordamerikanischen Ordensleute nach Indien, um die »Helden« (die Buddhisten und Hindus und Moslems, religiöser als viele Christen) zu bekehren. Jetzt kommen aus Indien die Nonnen der Mutter Teresa, um uns Europäern zu zeigen, was das ist: christlich leben. In Rom hausen sie in einem baufälligen armseligen Gebäude, sie leben in äußerster Armut, und nachts gehen sie zu zweien aus und besuchen jene Orte, an denen die Obdachlosen sich schlafen legen, am Bahnhof zum Beispiel. Da füttern, tränken, kleiden sie die alten Bettler und jungen Streuner, und versuchen, sie zum Mitgehen zu überreden, daheim in ihrem Klösterchen ist Raum für alle. Die meisten gehen nicht mit, sie wollen kein Obdach, sie wollen Freiheit, so armselig sichs in ihr lebt. Die Nonnen setzen sich neben die alten Leute und halten ihre Hände und zeigen ihnen, daß es Liebe gibt. Sagen sie etwas vom Christentum? Wollen sie die Leute bekehren? Nein, das gewiß nicht. Aber Christus Jesus ist fühlbar mit ihnen. Und das genügt.

Gelesen ›LENZ‹ von Peter Schneider. Beim ersten Mal enttäuscht. Ist die junge Generation von heute so? Beim Lesen hatte ich Staub im Mund. Renés Kinder mögen das Buch. Sie erkennen sich darin wieder. Ich lese das Buch zum zweiten Mal. Jetzt finde ich interessante Sätze darin. Einer der Jungen sagt: »Kannst du deiner Frau sagen, daß du ihren Geruch nicht mehr ausstehen kannst, ohne dem Kapitalismus dafür die Schuld zu geben?« Und: »Die Gruppe hatte es sich zur Aufgabe gemacht zu

verreisen.« Einer fragt: »Zur Aufgabe gemacht? Aber habt ihr auch Lust dazu?«
Sehr aufschlußreiche Sätze. Das Buch IST wichtig. Aber es macht unendlich traurig.

Gespräch mit einem Bankier und großen internationalen Finanzberater. Er sagt: Jedes Unternehmen und jeder Staat hat in seinem Budget einen Posten, der heißt »Nützliche Ausgaben«. Was ist das? Ein hübscher Name für ein häßliches, aber, wie es scheint, unumgängliches Ding: Bestechung.
Davon wissen wir dummen Staatsbürger, wir Schafe, nichts. Wir erfahren nur gelegentlich von Vorkommnissen wie der Lockheed-Affaire, und wir meinen, das sei eine Ausnahme, ein einmaliger Skandal. Und dann regen wir uns erheblich auf. Lächerlich. In New York neulich sagte mir ein Japaner, ders wissen muß, daß es stimmt, was man so sagen hörte: der südkoreanische Staatspräsident, der Militärdiktator, hat US-Kongreßmitglieder mit hohen Summen bestochen dafür, daß sie GEGEN den geplanten Abzug der US-Truppen aus Südkorea stimmten. Hätte ihnen einer mehr geboten fürs Gegenteil ...
So wird da oben über unsern Köpfen Kaufen und Verkaufen gespielt. Und wir wundern uns, wenn die junge Generation da nicht mehr mitspielen will. Aber was dann? Wo wird denn NICHT so gespielt? In den sozialistischen Ländern? Ach ... Wir haben keine Illusionen mehr. Ich frage den Bankier: Und in der Bundesrepublik? Er sagt: »Da gibts den Posten nützliche Ausgaben natürlich auch.« Natürlich. Ganz natürlich.

Gründlich verdorbener Tag. Ich setze mich voller Arbeitsfreude an den Schreibtisch. Ich bemerke, daß ich die Post vom Vortag noch nicht gelesen habe, darunter ein rotes Heft: »Die Legalisierung der Rechtlosigkeit.« Ich lese darin, ich weiß vorher nicht, was ich lesen werde, und weiß darum nicht, daß ich dabei bin, mich einer Straftat nach dem Antiterroristengesetz schuldig zu machen: ich müßte ein rotes Heft angewidert in den Papierkorb, nein, ins Feuer werfen, aus dem Papierkorb könnte es jemand holen und lesen und die Nachrichten weiterverbreiten, und ich wäre schuld daran, daß ers kann. Rote Informationen interessiert lesen deutet auf Sympathie mit Terroristen ... Wer mit einem Studenten spricht, der einmal an einer Vietnamdemon-

stration oder (gar: UND) einer Hausbesetzung teilnahm, ist verdächtig. Wer sich für junge Menschen einsetzt, die, wie lebendige intelligente Jugend es muß, einiges oder Grundsätzliches ändern möchten in einem Staat, der ist ein Sympathisant. Indem ich solche Sätze schreibe und publiziere, setze ich mich der polizeilichen Verdächtigung und Überwachung aus. Ich übertreibe nicht; ich erinnere an die versuchte Denunziation durch einen Kollegen, als ich vor Jahren über Gudrun Ensslin positiv schrieb (ehe sie Mordtaten begehen half). Was steht in dem roten Heft? Daß zwei Studenten, des Terrorismus verdächtig, seit Anfang Januar, also schon über die gesetzlich erlaubte Zeit, in U-Haft sitzen, und zwar, obgleich sie keinen Mord begingen und keinen Menschenraub, in Isolationshaft unter bedeutend schärferen Bedingungen als Raubmörder. Sie sind »politische« Häftlinge. Im Stammheimer Prozeß tat man alles, um zu beweisen, daß die Baader-Meinhof-Gruppe eine »kriminelle Bande« ist. Weshalb diese Schizophrenie?
Und was haben die beiden Studenten getan? Das ist noch nicht heraus: Was immer es ist: Mord ist es nicht. Aber es ist, nach dem Terroristengesetz, das uns alle terrorisiert, ein Verbrechen im Sinne eben dieses Gesetzes. Die beiden Studenten, von ihren Kommilitonen und Professoren als besonders begabt und voll ausgeprägten Gerechtigkeitssinnes bezeichnet, werden behandelt wie gemeine Verbrecher. Sie unterstehen »Sondermaßnahmen«, denen ich einige Punkte entnehme:
1. Die Unterbringung der Beschuldigten gemeinsam mit andern Untersuchungs- und Strafgefangenen in demselben Raum ist ausgeschlossen.
5. Die Teilnahme an Veranstaltungen der Justizvollzugsanstalt und am Gottesdienst (!!) ist ausgeschlossen.
11. Die Beschuldigten, ihre Hafträume und die darin befindlichen Sachen sind täglich zu durchsuchen.
12. Jeder Beschuldigte ist bei Tag und Nacht auffällig zu beobachten.
19. Besucher der Beschuldigten sind vor jedem Besuch zu durchsuchen.
20. Jeder Beschuldigte ist vor und nach jedem Besuch bei völliger Entkleidung und Umkleidung zu durchsuchen.
21. Verteidiger dürfen vor jedem Besuch durch Abtasten der Kleider und Durchsicht der Behältnisse auch unter Zuhilfenahme eines Metalldetektors auf nicht der Verteidigung dienende Gegenstände durchsucht werden... Schriftstücke oder andere Gegen-

stände der Verteidigung sind dem zuständigen Richter vor der Aushändigung zur Prüfung vorzulegen.

......

Ich lese, daß die Zellen rechts und links der beiden Studenten leer sind. Wie mich das erinnert an die Gefängnisse in Südkorea! Der junge Dichter Kim Chi Ha lebt unter ähnlichen Bedingungen seit drei Jahren. Die ganze Welt entrüstet sich und protestiert. Für die Studenten, die in südkoreanischen Gefängnissen vergessen ohne Prozeß leben, interessiert sich niemand. Südkorea ist eine faschistische Diktatur.

Als ich unter Hitler im Gefängnis saß, war ich absolut rechtlos. Aber leben wir nicht in einem Rechts-staat? Nietzsche hat den Staat (schlechthin) als das kälteste aller Ungeheuer bezeichnet: er gebe vor, das Gute zu schützen, aber dabei schaffe er ein neues eigenes Böses.

Ist es, zum Beispiel, nicht furchtbar böse, wenn dieser Staat, der unsere, der von heute, ein Gesetz erläßt (§ 138a StGB), nach dem jeder strafbar ist, der eine Straftat nicht anzeigt? Auch Ehepartner, Eltern, Kinder, selbst Geistliche, Priester, fallen darunter. Und der zur Anzeige Verpflichtete, was zeigt er an? Einen Verdacht, eine Mutmaßung, die zur Verhaftung eines Menschen führt und unter Umständen zur Zerstörung seines Lebens – und der vielleicht (wie oft kams schon vor) sich später als Verleumdung oder Irrtum erweist? Und DAZU sind wir laut Gesetz verpflichtet?!

Und wie häßlich ist es, zu sehen und zu hören, wie die guten Bürger sich auf die Schenkel hauen vor Befriedigung, wenn wieder einmal so ein linker Student »erledigt« wird. Anstatt daß wir verzweifelt sind darüber, daß wieder einer der so dringend nötigen Impulse zur Entwicklung des Lebens abgewürgt wurde. Entsetzliches Schicksal des Menschen: ohne Gewalt erreicht er nichts in der Politik, und mit Gewalt schafft er Unglück und neue Gewalttat.

Ist vielleicht jede Bestrafung eines Verbrechens selbst ein Verbrechen? Gibt es eine Dialektik der Justiz, die »Rechtsprechung« per se zum Unrecht macht? Aber was tun? Verbrechen unbestraft lassen? Zumindest sollte jede Härte vermieden werden, die den Menschen seiner Würde beraubt. Wem aber sage ich das? Wer von denen, die »Recht« sprechen, hört mich?

Dezember. Inmitten der erneuten »Hetzjagd gegen mich erkenne ich mit einem Schlag, (ja, »Schlag« ist das einzig richtige Wort für die Art und Weise, in der so eine Erkenntnis

einen überkommt, es ist wie ein Schlag des Zen-Meisters), daß meine Widersacher nicht frei aus sich selber handeln, sondern im Auftrag. In wessen Auftrag? In des Teufels Auftrag? Aber der Teufel ist die Kraft, die das Böse will und das Gute schafft. Auch der Teufel ist nicht vollkommen frei. In meinem Fall handelte er nach der Ordre des Lenkers meines Schicksals. Es war nämlich an der Zeit, daß ich wieder einmal am eigenen Leib erfuhr, wie Millionen Menschen unserer Zeit leben: als Freiwild, als Gastarbeiter, Haftentlassene, südafrikanische Schwarze, politisch Verfolgte, durch Rufmord Verfemte. So gehöre ich wenigstens für eine Weile wieder einmal zu den Minderheiten, den Rand-Gruppen: gedemütigt, verleumdet, in gewissem Sinne wehrlos, und auch (das Schlimmste, was meinem Stolz passieren kann) bemitleidet.
Es scheint, daß der Lenker meines Schicksals Ernst macht mit mir. Er treibt mich in die Solidarität mit den Erniedrigten. Ob es objektiv überhaupt stimmt, daß ich so erniedrigt wurde, das ist eine ganz andere Frage; es kommt einzig darauf an, daß ich die Leiden der Erniedrigten mitspüre und das AUSHALTE.
Ich kann jedem versichern, daß das (ich kanns nur ein wenig schnoddrig sagen) »an die Nieren geht«. Aber ich komme nicht drum herum. Also denn: es sei so.
(Wenn meine Widersacher wüßten, welch teuflisch-göttlichen Dienst sie mir taten!)

Nachtrag: Jetzt ist mir freilich klar, daß ich gar nicht wirklich verfemt war. Im Gegenteil: die Angriffe meiner politischen Feinde haben mir weit mehr Sympathien eingebracht, als ich vorher hatte. Ich meine jetzt nicht die Rehabilitierung durch den Bundespräsidenten und den Bundeskanzler vor dem Parlament, auch nicht Willy Brandts mehrmaliges öffentliches Eintreten für mich, ich meine auch nicht die imponierenden Unterschriften-Sammlungen für Böll, Grass, mich, ich meine die Briefe, die mich danach erreichten. Briefe von Frauen und Männern, alten, jungen, deutschen, holländischen, schweizerischen, österreichischen, und vor allem von jungen Menschen. »Lassen Sie sich nur nicht unterkriegen«, schreiben sie mir, »wir sind auf Ihrer Seite.« Und immer noch treffen solche Briefe ein, und Einladungen, in Jugendgruppen zu sprechen, in gar nicht einmal nur »linken«, sondern ausdrücklich »christlichen«, sogar betont katholischen. Nichts habe ich verloren im Herbst, vieles habe ich hinzugewonnen. Aber: ich durfte das nicht wissen, ich mußte, die Realität außer acht lassend, das Bewußtsein der Verfemung bis zum Grund auskosten.

Bescheidene Kolossalgeste. Der Papst bietet sich als Geisel für die Entführten in Mogadischo an.
Erhebt sich kein Weltsturm der Begeisterung? Nichts. Man nimmt kaum Notiz davon.
In einer deutsch-international-katholischen Zeitung gelesen: »Mehr denn je ist es die Aufgabe des Papstes und der Kirche, für das Leben einzutreten, und das heißt: die Menschheit vor Elend, Folter, Drogen ... zu bewahren.«
Zu spät. Wer je Kriegswaffen segnete, hat verspielt.
Kirche von oben hat keine Effektivität mehr. Nur die Kirche von unten kann noch etwas retten.

Wieder daheim, denke ich nach über Deutschland, und ich wundre mich: Ein ganzes Volk ist in Angst, Verwirrung, Hysterie, weil einige Terroristen einige Leute umbrachten.
Dasselbe Volk duldet die Judenmörder aus dem Dritten Reich unter sich als Ehrenmänner.
Dasselbe Volk duldet es, daß die Helfershelfer der Massenmorde in Krieg und Lagern, die SS, wieder marschieren.
Dasselbe Volk nimmt es stumpf hin, daß Terroristen größten Stiles ihren Schlag vorbereiten: unsre Vernichtung durch Nuklearwaffen.
Dasselbe Volk nimmt es hin, daß die großen bösen Macher in der Welt sich untereinander verbünden und damit Katastrophen heraufbeschwören.
Dasselbe Volk ist zufrieden, wenn die Warner vor dem viel größeren Terror als Sympathisanten der kleinen Terroristen verfemt werden. Versteh's, wer kann.
Die derlei inszenieren, sind gerissen. Aber zuletzt, ganz zuletzt fällt die Bombe auch auf sie. Das freilich ist kein Trost.

Antwort auf eine Umfrage für ein Buch, das Inge Meidinger-Geise macht: »Wer ist mein Nächster?« Ich lese Monate später meine Antwort. Ich muß sie ergänzen.
Wer ist wirklich mein Nächster?
Die politischen Gefangenen in allen Diktaturen

Die vom Machtteufel gejagten Diktatoren
Die beiden jungen Zigeunerinnen, die ein rabiater niederbayerischer Bauer erschoß im Sommer 76
Der unselige Mörder und seine unseligen Richter, die ihn freisprachen
Die gegen eine korrupte, abgewirtschaftete Gesellschaft revoltierende Jugend
Die ans Parteisystem geketteten hilflosen Regierungen
Die sowjetischen Flüchtlinge aus Israel, die kein Land der Erde haben will
Die Israeli, die sich verzweifelt tapfer wehren gegen ein übermächtiges Schicksal
Die Palästinenser, die ihr Heimatland wiederhaben möchten
Die vietnamesischen Flüchtlinge, die in ihren kleinen Schiffen auf den Meeren herumirren, weil kein Staat ihnen Lande-Erlaubnis gibt
Die von deutschen Urlaubern an den Grenzen ausgesetzten Hunde
Der blühende Kirschbaum, den Unbekannte roh und sinnlos umgehauen haben
Die, welche ihn umhieben aus Haß gegen alles Schöne, das ihrem Elend widerspricht
Der in einem finstern Versteck dem Tod ausgelieferte Arbeitgeberpräsident und seine traurigen Bewacher, die glauben, töten zu müssen um einer bessern Zukunft willen
Die von den Verwandten in Irrenhäuser abgeschobenen unbequemen Alten und Unnützen
Die Irrenwärter, die Gefangenenwärter, die Polizisten, die Richter
Die zur Abtreibung getriebenen jungen Mütter . . .
Weiter! Alles aufzählen. Ein langes Register anlegen. Nichts und niemand auslassen. Das Register wird alles enthalten, was IST. Mein Nächster ist ALLES. Der Christus in Milliarden Gestalten. Was tu ich für ihn?

»Meine« Juden in Ostia. P. vom Schweizer Fernsehen sagt: »Sie müssen mitkommen nach Ostia, da sehen Sie ein Elend, wir filmen es, wir hoffen, mit dem Film die Aufmerksamkeit der Öffentlichkeit auf den Fall zu lenken, da niemand sonst sich wirklich darum kümmert.« Natürlich fahre ich mit. Ich ahne nicht, welch neue Aufgabenlast ich mir damit zuziehe. Wohin hat es

mich verschlagen? Was für ein trister Ort ist das! Ein Bahnhof, an dem Menschen warten auf einen Zug, der nie abfährt, einer, an dem gar nie mehr ein Zug ankommt: das Postgebäude von Ostia-Lido, die offene öde Säulenvorhalle, durch die der Wind vom Meer streicht. Was für Menschen sind es, die da warten? Worauf warten sie, was erhoffen sie noch?
Es sind Emigranten, russische Juden. Seit 2 Jahren sind sie hier und warten auf ihr Visum für die USA. Es kommt nicht, es kommt nicht ... Es MUSS aber kommen, sagen diese Menschen, wenn nicht, verderben wir hier, unsre Kinder, ohne Möglichkeit, in italienische Schulen zu gehen, werden Straßenkinder und kriminell, was sollen sie tun, sie können nur Russisch und Iwrit (Hebräisch), und unsre Männer, was können sie arbeiten, nur ein wenig handeln können sie am Flohmarkt in Rom, aber es sind doch alle gelernte Arbeiter, Facharbeiter, Ingenieure, und unsre Frauen sind alle beruflich ausgebildet, die dort ist Lehrerin, die da Ingenieur.
Ach, wir sind doch Juden, zwar nicht verfolgt, aber frei doch auch nicht. (Ein Mädchen kann ganz gut Italienisch, sie übersetzt.) Und eines Tages nahmen wir die Nachrichten aus den verboten abgehörten Westsendern ernst: die ›Stimme Amerikas‹ versprach uns Freiheit in den USA, und wir wollten heraus aus unserm Land, ja, aber wie? Man sagte uns (wir wissen jetzt erst, daß wir falsch informiert wurden!), wir könnten nur via Israel heraus, also meldeten wir uns zur Emigration für Israel an. Und dann, als wir dort waren, merkten wir, daß wirs ganz falsch gemacht hatten: einmal in Israel, wollte man uns von dort nicht mehr auswandern lassen. Wir haben euch Arbeit besorgt und Wohnungen und haben euch Geld gegeben zum Aufbau eurer Existenz, und nun wollt ihr Undankbaren wieder weg? Ja, das ist schon verständlich, aber wie, wenn man einfach nicht dort leben kann? Wenn man sich als Neuzugezogener nur als Eindringling fühlen kann und es so zu fühlen bekommt? Und wir wollen doch nur zu unsern Verwandten in die USA. Schließlich ließ man uns auswandern, als wir alle Guthaben auf Heller und Pfennig an Israel zurückgezahlt hatten. Man gab uns einen Paß, der ein Jahr gültig war. Erneuern lassen konnten wir ihn nur in Israel selbst. Aber dorthin zurückzugehen bedeutet, endgültig dort bleiben zu müssen. Also, was tun? Man versprach uns die Visa für die USA. 2 Jahre!! sind vergangen, wir haben sie nicht bekommen, was tun, wir verzweifeln. Unsre Pässe sind abgelaufen, die Italiener geben uns keine italienischen, die Amerikaner keine Visa, die Deutschen wollen uns auch nicht, wir

wären bereit, dorthin zu gehen, es ist ja ein gutes Land jetzt, seit Hitler tot ist. Arbeit gäbe es dort, und wie gerne wollen wir arbeiten, nur, bitte, ein Land müßte uns aufnehmen, ehe wir hier vor die Hunde gehen.
Es sind intelligente Leute, gute Gesichter, disziplinierte Menschen, sie bemühen sich, ihre Familien über Wasser zu halten und in guter Moral, aber wie lange, wie lange noch ...
»An den Flüssen Babylons sitzen wir und weinen ...«
Ich sehe einige der ihnen zugewiesenen Wohnungen. Einige sind Kellerwohnungen, unterm Meeresspiegel, feucht, modrig, ein einziges Zimmer für fünf Leute, ein Bub liegt mit gebrochnem Bein da, es heilt nicht in der Feuchte, sagt der Arzt, aber eine trockene Wohnung beschaffen, das kann er nicht. Andre haben Zimmer in einer der häßlichen Mietskasernen. Da hausen sie zu acht, zu zehnt, zwischen gepackten Koffern und verschnürten Kartons, wie am Bahnhof, wie am Auswandererhafen, wie am Nil. Aber kein Moses kommt, sie in die Freiheit zu führen, ins gelobte Land USA.
Aber warum, zum Teufel, wollen die USA die paar Juden, dreihundert, nicht aufnehmen?
Ich bekam vom Weltkirchenrat in Genf ein Schreiben: Wenn die Amerikaner diese dreihundert aufnehmen, öffnen sie die Büchse der Pandora, denn dann wollen auch noch Tausende andrer aus Israel in die USA emigrieren, und das kann Israel schließlich wirklich nicht erlauben. Im übrigen, so schreibt man mir, könne man diese russischen Juden nicht mehr als sowjetische Emigranten behandeln, da sie ja schon länger als ein Jahr Israeli-Staatsbürger sind. Sie mögen nach Israel zurückkehren und dort, wie andre es tun, einen Emigrations-Antrag für die USA stellen. Freilich, so steht auch noch in dem Schreiben, scheint es den Juden in Ostia sicherer, nicht nach Israel zurückzukehren, da sie in Italien die Aufmerksamkeit der Weltpresse weit effektiver erfahren.
Wieviel Gänge habe ich seither für »meine« Juden gemacht, wie viele Briefe geschrieben an Organisationen, wie viele Zeitungsauszüge, wie viele Telefongespräche geführt, wie bin ich lästig geworden in Washington und Genf und Bonn ... Wie oft mußte ich in Ostia sagen: Leider noch nichts ...

23. Februar 78: ein Brief von Willy Brandt. Kanada ist bereit, »meine« Juden aufzunehmen.

Der Fall Kappler. Ists der Mühe wert, ihn zu erwähnen? Wieviel politischen Staub hat er aufgewirbelt! Wieviel Ärger entstand zwischen Italien und der Bundesrepublik!
Was war geschehen?
1943, als Rom zur freien Stadt erklärt und jede militärische Handlung verboten war, stellte ein italienisches Partisanenpaar den einmarschierenden deutschen Soldaten ein Müllwägelchen in den Weg, auf dem unterm Müll Bomben lagen, die, als sie explodierten, dreißig deutsche Soldaten töteten. Erster Fehler, erstes Unglück. Zweiter Fehler, noch größeres Unglück: der SS-General Kappler ließ, wie es das Kriegsrecht erlaubt (»befiehlt«), für jeden Deutschen zehn Italiener töten, Zivilisten, meist junge, die gar nichts zu tun hatten mit Heer und Partisanenkampf. Er ließ sie erschießen in den Ardeatinischen Gräben. Aber er ließ dreißig (oder auch nur zehn, das spielt keine Rolle) zuviel erschießen. Auf jeden Fall: DAS war nicht mehr unterm Kriegsrecht, das war MORD.
Nach dem Krieg kam Kappler vors Kriegsgericht und wurde zu lebenslänglicher Haft verurteilt. Verständlich. Verständlich auch, warum alle Versuche deutscher Stellen bei der italienischen Regierung, Kappler freizubekommen, nichts erreichten. Kappler, das war nun einmal DER SS-Mann, DER Sündenbock. Einer muß es sein.
Ich denke an den unseligen alten Rudolf Heß, der immer noch im Spandauer Gefängnis sitzt – als »Stellvertreter des Führers«, der er war. Mich überläufts jedesmal kalt, wenn ich denke: als STELLVERTRETER für den toten Hitler muß dieser eine Mann büßen...
Kappler lebte so schlecht nicht in seinem Gefängnis in Gaëta, er fand sogar eine Ehefrau, die ihn besuchen durfte, unbewacht. Eines Tages wurde der SS-General krank, und man überführte ihn in das Militärkrankenhaus in Rom. Auch da hatte seine deutsche Frau ungehindert Ein- und Ausgang. Und eines Tages nahm sie ihn mit. Das heißt: sie, oder wer immer, inszenierte seine Entführung. Abenteuerliche Geschichten kamen in Umlauf. Jetzt stehen ein paar Sündenböcke vor Gericht: das fahrlässige, vermutlich bestochene Wachpersonal... Wer hat den alten SS-Mann entführt? Wer anders als die Faschisten diesseits und jenseits der Alpen? Mir ists gleich. Was mir nicht gleich ist, das ist die falsche Haltung der deutschen Regierung: warum hat der Bundeskanzler nicht sich sofort distanziert? Warum schickte er keine Botschaft des Bedauerns über den fatalen Zwischenfall? Eine Woche keine Reaktion. Eine Woche Zeit fürs Ausland, Deutschland wieder

einmal als faschistoides Land zu bezeichnen. Jetzt ist der alte SS-General tot.

Deutsche Narretei 1977. ›Der Spiegel‹ (was fiel ihn an?) bringt ein Titelbild: ein Teller Spaghetti, darauf ein Revolver. Was müßten die Italiener aufs Titelbild einer Deutschlandnummer setzen, wenn sie mit gleicher Münze zurückzahlen wollten? Ein Schokoladenherz vom Oktoberfest mit einem Guckfensterchen, durch das man Hakenkreuzchen und Militärstiefelchen sieht? Oder einen Teller Eisbein (Schweinshaxe) mit einem Maschinengewehr im Knochen versteckt! Denn auch in Deutschland schießt man mit Revolvern auf Bankdirektoren und Richter und vermeintliche Sympathisanten mit den »Roten«. Und hat nicht vielleicht die Bundesrepublik die höchste Verbrechensrate Europas?
Die ›Spiegel‹-Nummer war für einen Tag Straßengespräch hier, aber ich traf niemanden, der aggressiv gesprochen hätte, und nicht etwa, weil ich Deutsche bin, mich nehmen sie nach zwanzig Jahren als halb Einheimische.
»Ach, wissen Sie«, sagt der Bankbeamte am Schalter, »das ist nicht so todernst zu nehmen. Noch nie waren soviel Deutsche in Italien wie dieses Jahr, nie habe ich mehr deutsches Geld gewechselt als in diesem Sommer. Und was unsern schlechten Ruf anlangt: an dem sind wir selber schuld. Wir sind natürlich nicht besser und nicht schlechter als die Deutschen und andre Völker, nur sind wir unklug, wir hängen unsre Fehler an die große Glocke, wir reden im Radio darüber und im Fernsehen und in den Zeitungen. Die Deutschen schweigen ihre Fehler tot oder bagatellisieren sie.«
So ist es.
Die Italiener sind ungemein selbstkritisch, bis zur Selbstverneinung.
Die Deutschen vertragen weder Fremdkritik, noch sind sie zur Selbstkritik fähig. Wer als Deutscher die Deutschen kritisiert, und sei es noch so maßvoll, der wird »Nestbeschmutzer« genannt.
Was steckt hinter diesen so verschiedenen Verhaltensweisen?
Wer kann sich Selbstkritik erlauben, wer verträgt Kritik? Der Selbstsichere.
Wer fürchtet Kritik? Der Unsichere.
Die Italiener können sich Selbstkritik erlauben: sie ruhen in sich.
Die Deutschen sind unsicher und kompensieren die Unsicherheit mit Präpotenz.

Die Unsicheren sind die Schwächeren. Das wissen die Italiener, aber sie brauchen das Bild vom starken Mann, vom starken Deutschen, denn: Die Italiener sind ein weibliches Volk, die Deutschen ein männliches. Das männliche Deutschland braucht das Bild vom schwachen Italien, um sich männlich überlegen fühlen zu können. Die Deutschen und die Italiener brauchen sich so nötig wie Mann und Frau in der Ehe. Es ist ein Rollenspiel. Aber die Deutschen durchschauen es nicht.
Was meine ich aber mit weiblich und männlich eigentlich? Ich meine, was der Psychologe Erich Fromm meint, wenn er sagt, es gebe biophile und nekrophile Menschen und Völker, auch die Geschlechter unterscheiden sich hinsichtlich ihrer Haltung zum Leben: die Frau, das pfeifen die Spatzen vom Dach, liebt das Leben, der Mann, der Krieger, liebt den Tod und sucht ihn. Die Italiener sind ein entschieden biophiles Volk, die lieben das Leben, auch wenn sie darüber klagen, sie hassen den Krieg, erscheinen den nekrophilen Deutschen darum feige und »weibisch« (uneingedenk der unerhört tapferen Haltung der Leute im italienischen antifaschistischen Widerstand). Die Deutschen sind todessüchtig wie die urdeutsche Musik Richard Wagners, die Hitler so liebte.
Ich dachte früher, die Beziehung Deutschland–Italien sei eine Haß-Liebe. Nein, niemand haßt. Es ist eher neidvolle Bewunderung. Gegenseitig. Die Deutschen geben die ihre nur nicht zu. Sie spielen: Italiener nicht ernst nehmen, sie verachten. Die Italiener spielen: die Deutschen in den Himmel heben.
Daß trotz des törichten ›Spiegel‹-Bilds immer mehr Deutsche nach Italien reisen, ist nicht vor allem des günstigen Währungskurses wegen, das ist der vorgeschobene Grund. In Wirklichkeit fahren sie ihrem Herzen nach, das klüger ist als ihr politischer Verstand.

Heiligabend. Ich bin allein, weder Christoph noch Stephan konnten dies Jahr kommen, und bei ihnen in Deutschland, bleiben wollte ich nicht. Ich bin gern allein an solchen Tagen, sie bedeuten mir, was sie bedeuten. Ich bin nicht sentimental, aber dieses Jahr bin ich »angeschlagen«. (Schwere Verletzungen spürt man nicht sogleich, denn sie bewirken zunächst eher eine Euphorie, erst später kommen die Wundschmerzen.) Wer tröstet mich? Ich lese im Evangelium, ich lese im Tao Te King, ich lege mir das I Ging, es rät mir zum Schweigen gegenüber Verleumdern, es verheißt mir das Licht, das ist schön. Gegen Mitternacht gehe ich

in den Garten. Still liegt er da im Vollmondschein. Er hält den Atem an. Über der großen Zeder, die jetzt, nachts, fast wie eine deutsche Tanne aussieht, steht der Mond, gerade auf der Baumspitze steht er. Die Nacht ist mild, ich brauche keinen Mantel. Die Erde, rasch wieder aufgetaut nach ein paar Frosttagen, riecht nach Frühling. Mandelbäume und Mimosen bereiten die Blüte vor. Wintersonnwende ist vorüber, der Tag wächst, und überall beginnt die Lebensarbeit. Mit einem starken Mikrophon müßte man hören, wie die Säfte steigen, wie sie angesogen werden. Rieseln, Schlürfen, Plätschern, Brodeln müßte man hören. Frühlingsmusik wie bei Schneeschmelze. Hoffnung liegt in der Luft. Ich besuche meine Lieblingsbäume: die vier alten Ölbäume, die Ur-Einwohner meines Stückes Erde, die jüngsten Pinien, die sich selber angepflanzt haben unter der Mutterpinie, die Kirschbäume, den großen wirrästigen Rosenstrauch am Wasserbecken, der voller Hagebutten steht (»Maria durch den Dornwald ging...«), und mein Sorgenkind, die einmal zu oft verpflanzte Magnolie, die endlich sich zu erholen beginnt und die viel Liebe braucht. An der Hauswand ist eine weißgelbe Rose aufgeblüht, die Sorte heißt GIOIA, Freude. Das Mondlicht fließt still den Hang hinunter. Mir fällt ein, daß früher die Bauern in meiner Kinderheimat in der Christnacht durch die Obstgärten und über die Felder gingen, und durch die Viehställe auch, und den Segen Gottes herabbeteten. Und da fällt mir ein: »Im Woid is so staad/olle Weg san vawaht/olle Weg san vaschniem/is koa Steigerl net bliem...« (Ludwig Thoma). Heimweh? Nein. Schmerzlose Erinnerung.
Letzter Tag des Jahres 1977, letzter Eintrag ins kleine Tagebuch: »Unruhiges Jahr. Möchte so eins nicht mehr gern erleben.«
Unruhig, ja, schmerzlich auch, der Tod meiner Freundin H. P. und ein paar Tage darauf der Tod meines schönen Hundes, und später die politischen Angriffe und Verleumdungen und die ganz unbegreifliche Anfeindung durch den Sohn meiner toten Freundin: Ja, ich bin verwundet worden in diesem Jahr, aber freilich nicht in meiner Substanz.
Alles in allem ein sehr wichtiges Jahr meines Lebens: ich habe etwas gelernt, vielmehr, mir wurde endlich etwas gewährt, was ich lang ersehnte: den Ich-Verlust. Schon mag ich nichts mehr aufschreiben, was dieses Ich betrifft, aber ich muß es noch tun, ich muß noch eine Weile ICH sagen, statt WIR oder ER.
In der Silvesternacht bei Ingeborg und Michael, als es zwölf schlug und wir alle uns zutranken und uns umarmten, hatte ich plötzlich den heftigsten Wunsch, mich nicht in dieses neue Jahr mithinein-

ziehen zu lassen. Bitte, kein neues Jahr mehr, keine Zeit mehr! Ich will das ganz andre: die Nicht-Zeit, den Nicht-Raum, das Nicht-Ich. Bitte, laßt mich abspringen vom Rad!
Aber dann, allein am Fenster stehend, die vielen Lichter in der Ebene, der Küste vorgelagert, anschauend, kam mir jenes Gebet in den Sinn, das ich früher mit den Kindern betete bei der Jahreswende:

»In ihm sei's begonnen,
Der Monde und Sonnen
An blauen Gezelten
Des Himmels bewegt!
Du, Vater, du rate!
Lenke du und wende!
Herr, dir in die Hände
Sei Anfang und Ende,
Sei alles gelegt!

(Mörike)

So sei es. Nicht Ich, nicht Nicht-Ich.

Weihnachtsabend-Rede im WDR. Ich habe unüberlegt zugesagt. Jetzt sitze ich da und soll etwas aufschreiben und nachher auf Band sprechen, etwas Weihnachtliches. Ja was denn? Was bietet sich an in diesem Jahr der Hysterien allüberall? Was denn außer dem Thema Friede? Mir fällt ein, daß ich vor vielen Jahren einmal für die ›Süddeutsche‹ eine Weihnachtsgeschichte schrieb mit dem Titel: ›Sie wollen den Engel erschlagen.‹ Sie, das sind die Hirten auf dem Felde bei Bethlehem. Die Geschichte finde ich nicht mehr, aber das Thema, das paßt. Also: Den Israeli in der Nähe von Jerusalem, auf jenen berühmten Feldern, erscheint ein Engel und redet von Frieden. Friede den Menschen, die eines guten Willens sind. Was antworten die Angesprochenen? Sie erheben ein Gelächter. Was schwätzt der von Frieden? Was weiß der von unserer Situation? Wer schickt ihn: die Amerikaner, die Sowjets, die Syrier, die Jordanier, die Libyer? Wer macht uns ein Friedensangebot, und was verlangt er dafür? Ha, DIE Rede kennen wir. Vor zweitausend Jahren kam auch schon so einer und versprach Frieden. Na, und was geschah dann? Zweitausend Jahre Verfolgung, das wars, was kam. Friede für Gutwillige ... Waren wir's, die böswillig sind? Scher dich zum Teufel!

Aber, wagt ein Rabbi zu sagen, oder vielleicht ist es ein sehr alter weiser Schafhirt, aber es gibt doch einen Frieden, einen innern ... Sie lassen ihn nicht ausreden, sie schlagen ihn tot. Das hat er nun von seinem unpolitisch-pazifistischen Geschwätz.
Und wenn auf einem deutschen Fernsehbildschirm ganz illegalerweise ein Engel erschiene, ein unbekanntes befremdliches Wesen, und sagte, es verkündige uns den Frieden, was würden wir sagen? Ist der von der Heilsarmee, oder von welcher Partei kommt denn der, ganz gewiß von so einer kommunistischen Tarnorganisation, von der Friedensunion oder dergleichen. Ausblenden! Wer hat den Kerl überhaupt ins Funkhaus reingelassen? Bestraft den Pförtner!
Aber so ein Engel ist nicht totzuschlagen. Er bemächtigt sich meiner. Ich muß einfach über den Frieden reden. Es gibt ihn, es gibt ihn. Plötzlich sehe ich in mir Bilder: Daniel in der Löwengrube, die drei Jünglinge im Feuerofen, und die Jünger Jesu im Sturm auf dem galiläischen See. Die Löwen greifen nicht an, das Feuer schlägt einen Bogen um die jungen Männer, und Jesus, erwachend im Boot, sagt: Wovor fürchtet ihr euch denn? Und der Sturm legt sich.
Ja, schon. Für mich selber kann ich das denken. Ich selber kann das glauben, ich habe es erfahren. Aber kann man den Israeli sagen: Fürchtet euch nicht, der Friede ist IN EUCH? Kann mans den jungen Revolutionären sagen, die das Festgefahrene mit Gewalt ins Rollen bringen zu müssen glauben? Kann mans den Palästinensern sagen, die sich um ihr Land betrogen sehen? Kann mans uns allen sagen, über denen die Neutronenbombe hängt?
Ist die Rede vom innern Frieden nicht eine stinkbürgerliche Phrase, gleich jener von der »Armut, die ein großer Glanz von innen« sei?
Mit den Gehirnen der andern, der Recht- und Friedlosen denkend, schäme ich mich meiner Friedensrede.
Ist derlei nicht esoterisches Geschwätz, wird da nicht etwas billig beschwichtigt, was gar nicht beschwichtigt werden DARF? Ich weiß nichts mehr.
Ich könnte vielleicht sagen: Leute, Mitmenschen, die da redet, die hat selber nur wenige friedliche Tage erlebt, und dennoch ...

Nachtrag: Der Engel in Bethlehem hat für eine Weile das Gesicht Sadats. Wenigstens DAS ist wahr.

1978

Neujahrs-Umfrage der RAI: »Wie sehen Sie die Zukunft?« Eduardo di Filippo (Bühnenautor, Schauspieler, Regisseur) macht sein napolitanischstes Gesicht: »Ja wissen Sie, das ist so: ich bin geboren, als Napoli und ganz Italien in einer schweren Krise war. Meine Eltern sind geboren, als Napoli in einer schweren Krise war. Meine Großeltern sind ... Meine Kinder sind ... Meine Enkel werden ... immer ist Krise. Und Immer haben wir weitergelebt.«
Der ehemalige Erzbischof von Florenz, Pellegrini, sagt: »Ich bin von Beruf Historiker. Mich erinnert die heutige Zeit an die des heiligen Augustinus, im 4. Jahrhundert. Augustinus sah höchst pessimistisch den Untergang der abendländischen Kultur voraus, als die ›Barbaren aus dem Norden‹ in Italien einbrachen. Alles schien verloren, was vor dem Wert hatte. Aber«, sagt der Historiker-Erzbischof, »NICHTS war wirklich verloren; es brach nur ein ganz neues Zeitalter an. So auch heute: wir stehen am Beginn einer neuen geschichtlichen Epoche.«
Die Wirren sind also Geburtswehen. Das meine auch ich, damit tröste ich mich und andre schon lange, ich glaube es wirklich, ich WEISS, daß es so ist. Wir stehen am Anfang einer weltumfassenden und weltverändernden Revolution, gegen welche die russische ein kleines Vorspiel war. Ich bin keine Bibelforscherin, ich gehöre keiner Sekte an, die den nahen Weltuntergang prophezeit. Aber ich ahne: der Endkampf hat begonnen. Der Anti-Christ ist unter uns. Die »Bösen« unsrer Tage, in was immer für einem Lager, sie sind Befehls-Empfänger, Soldaten des Anti-Christ, Werkzeuge. Wer fürs Böse, Heimtückische, Lügenhafte anfällig ist, der läßt sich mißbrauchen. Es bedarf großer Kraft, zu widerstehen und sich nicht anstecken zu lassen.

Platons ›Gastmahl‹ wieder einmal gelesen. (Zum ersten Mal las ich es 1929 in einer Reclamausgabe, die ich noch besitze, Name und Jahreszahl sind darin vermerkt. Ich war achtzehn.)
Jedesmal bin ich von einer andern Stelle betroffen. Dieses Mal ist

es der Satz Alkibiades in seiner Lobrede auf Sokrates: »Von ihm wurde ich oftmals in eine Stimmung versetzt, in der mir das Leben unerträglich schien, wenn ich so bliebe, wie ich bin.« Ich kenne keine größere Qual, als zu erfahren, daß ich einen Rückschritt gemacht habe, und keine heißere Angst als die, »stehenzubleiben«. (Ich spreche nicht von meiner literarischen Arbeit, obgleich sie mit dem andern zusammenhängt.)

1968, 1978. Studentenrevolten, Schüleraufstände in Italien, sie häufen sich. Freilich: niemand fällt deshalb in epileptische Zuckungen. Man wird hier nicht so leicht hysterisch wie jenseits der Alpen. Man behält den gesunden Sinn für Relativitäten. Wie viele Studenten und Schüler randalieren? Eine Minderheit. Nun also! Das Leben geht weiter. Man wird die wenigen doch um Gottes willen ertragen. Und verstehen, das auch. Was wollen sie, wogegen rebellieren sie? Was treibt sie? Wissen sie den wahren, den letzten Grund? Was meinen sie, wenn sie schreien: »Macht kaputt, was Euch kaputtmacht!«? Ist das der simple finstere Geisthaß der deutschen SA 1933? Sicher nicht. Es ist auch nicht, wie oft so leichthin gesagt wird, blinde Zerstörungswut. (Die spielt mit, sicher, aber eben: sie spielt nur mit.) Ist es die Wut einer sozialistisch orientierten Jugend auf die Universitäten als Institute der kapitalistischen Gesellschaft, die sich der Schulen bedient, um die Jugend in den harten Griff zu kriegen und für Zwecke brauchbar zu machen, die der Jugend als lebensbedrohend erscheinen? Ja, das ist schon nahe an der Wahrheit. Was studiert man denn an den Universitäten? Jurisprudenz: die Lehre davon, wie man die Leute dazu bringt, Gesetze zu halten, die im Namen einer abstrakten Gerechtigkeitsvorstellung erlassen und von Zeit zu Zeit verschärft werden, wenn die Privilegien der besitzenden und der herrschenden Minorität in Gefahr geraten und geschützt werden müssen gegen die Majorität, welche nach Veränderung der bestehenden Zustände schreit und schließlich aus Ungeduld zur Gewalt greift und damit »kriminell« wird, womit sie den Gesetzgebern Anlaß zur Verschärfung der Gesetze zum Schutz der Privilegierten gibt und den Richtern Gelegenheit, die ungeduldigen Veränderer als Staatsfeinde zu jagen und einzusperren ...
Medizin: die Lehre davon, wie man Menschen am Leben hält, die nicht recht wissen, wozu sie weiterleben sollen, da sie keinen Sinn darin sehen, in bester Gesundheit hundert Jahre zu werden, ohne zu wissen, was damit gewonnen ist, lang zu leben in einer Welt, die

nicht imstande ist, zugleich mit der physischen Gesundheit das Wissen um Woher und Wohin und Warum und Wozu des langen Lebens zu lehren.
Philosophie: die Lehre davon, wie man intellektuell über die Meinungen Intellektueller diskutiert, ohne daß man dabei gezwungen wäre, sein Leben zu ändern.
Theologie: der untaugliche Versuch, mit Hilfe der Ratio dem Irrationalen nahezukommen, das Geheimnis, Gott genannt, dem Intellekt zugänglich zu machen und aus dem Tremendum sanctum ein Politicum und eine konservierende Moral zu machen.
Naturwissenschaften: die Lehre davon, wie man, am Ende des Fortschritts angekommen, so tun kann, als gebe es unendlichen Fortschritt, wobei man verschleiert, daß der Fortschritt darin besteht, immer tauglichere Mittel zur Selbstvernichtung der Menschheit und der Erde zu finden.
So stellt sich vielen jungen Menschen heute die Universität dar: als Stätten, an denen man sinnlos seine Jugend vertut und nicht im mindesten vorbereitet wird auf die bevorstehende Umkehrung des Wegs, der nicht mehr nach außen, sondern nur mehr nach innen führen kann. Nicht mehr um die Erforschung der Biosphäre wird es gehen, sondern um das Einüben eines Lebens in der Noosphäre (wie Teilhard de Chardin den »Geistmantel« nennt, der unsre Erde umgibt). Die Jugend fühlt das ungeheuer Neue, aber sie vermag es, so gescheit und bewußt sie ist, dennoch nicht zu artikulieren. So schlägt sie erst einmal auf das Alte ein. Aber was sie tut, ist ein Handeln im Auftrag der Geschichte der Menschheit.
Das ist der zaghafte Versuch einer Analyse. Es ist keine Rechtfertigung der Gewalt und der Zerstörungssucht. Jedoch: VERSTEHEN MUSS man!

In der RAI läuft ein Fernsehfilm: ›Aus dem Tagebuch eines Richters‹. Er ist nahezu authentisch. Der Richter, ein höchst erfolgreicher Mann, erträgt eines Tages (oder von einem bestimmten Tag, Prozeß und Urteil an) sein Amt nicht mehr. Er sieht seinen Platz nicht mehr unter den Richtern, sondern unter den Delinquenten.
Mir fällt dabei eine Geschichte ein. Wie wäre es, wenn ein alternder Mann, wohlhabend, Junggeselle oder Witwer, sehr einsam, sich erinnerte, daß er irgendwo einen unehelichen Sohn hat, und er sich aufmachte, ihn zu suchen, und ihn als politischen Häftling in einem Gefängnis fände und sich zu ihm bekennte? Das

Thema der großen Konversionen in vielen Gestalten. Das gäbe einen Roman, wenn man die Schicksale sich begegnen ließe.

Was allein wichtig ist überall. Großer Parteitag in China, Februar 78. Die Kulturrevolution ist zu Ende, eine neue Zeit beginnt. Man hat ein Feindbild: Die Bande der Vier (mit Maos Witwe). Man erweist nach wie vor dem großen Mao tiefe Reverenz, aber schon hat man anderes im Sinn: die Entwicklung Chinas zum größten, modernsten Industriestaat der Erde. Der TV-Sprecher an der RAI findet die passende Formel: »Rot oder Schwarz – wichtig ist, daß die Katze die Maus kriegt.« Wird da ein großes Erbe, eine große Hoffnung verspielt? Worin wird China sich schließlich unterscheiden von den USA und der Sowjetunion? Maos Geist haben sie eingemauert. Überlebt er das, und wo?

Die Partei der Ökologen. Ich habe in Deutschland die Plakate gesehen, die dafür werben. Jetzt gibt es sie auch in Frankreich. Der berühmte Tiefseetaucher Cousteau ist ihr Wortführer, glaube ich verstanden zu haben. Eine Partei zur Rettung der Erde und des Menschen. Wann werden die großen Industriemächte sie abwürgen? Man muß sich dieser Bewegung anschließen. Vielleicht gelingt es ihr, das überalterte Parteiensystem zu sprengen. Eine Hoffnung. Ein Strohhalm noch, aber DA ist er!

Unterschied zwischen Deutschland und Italien: am 8. Januar, einem schwarzen Tag in Rom, wurden zwei junge Neofaschisten getötet bei einem Straßenkampf, den diese selbst begonnen hatten. Am Abend sagte der beauftragte Sprecher im Fernsehen, die Worte der Regierung übermittelnd (dem Sinne nach): Wir beklagen die erneuten Gewalttaten, und wir beklagen die Opfer. Sage nur niemand von der Linken: Nun ja, es sind Faschisten, recht geschiehts ihnen. Nein: auch sie sind Kinder unseres Volkes, und wir betrauern ihren frühen Tod.
Hätte das jemand in Bonn sagen wollen, sagen DÜRFEN, ohne gelyncht zu werden, als die jungen Menschen, auch sie Kinder unseres Volkes, in Stammheim starben?
Italien steht zu seinen verirrten Kindern, Deutschland verleugnet und verstößt sie.

Die schwarzgoldene Großmutter. Den Jahren nach ist sie eine junge Frau, dem Wesen nach ein Mädchen, das nicht Frau werden kann. Warum? Auf der Schwelle zum Leben sitzt ihr eine finstere allmächtige Gestalt, die es real gab und die es höchst wirklich weiterhin gibt, noch Jahre nach ihrem Tod: die Großmutter, Tochter einer Schmiedin, aus einem Geschlecht von gesunden Riesen, die das Leben ingrimmig meisterten. Die Enkelin ist klein und zart, vom Wind wegzuwehen. Die Mutter zählt nicht, der Vater ist tot, die Männer sterben früh in dieser Sippe. Großmutter machte alles, Großmutter leitete die Flucht aus dem Osten, Großmutter baute im Westen eine neue Heimat auf, Großmutter erzog die Kleinen. Großmutter sagte: Man weint nicht, man lacht nicht, man darf sich nicht freuen; wenn man Vergnügen hatte, muß man dafür büßen; wenn man sündigte, muß man bekennen und Buße tun. Großmutter war katholisch, fürchterlich katholisch. Sie hatte eine strenge Moral. Jeden Samstag nahm sie den Kleinen die Beichte ab. Aber sie sorgte wunderbar gut für die Kinder. Sie hatte auf der Flucht der Kleinsten das Leben gerettet: unter ihren Röcken hatte sie sie vor dem Erfrieren geschützt und vor dem Totgetrampeltwerden. Großmutter ist eine Göttin. Die Muttergöttin, die gebiert, ernährt, beschützt und verschlingt. Einmal hat das Mädchen drei Tonfiguren gemacht, drei gleiche; zwei davon strich sie schwarz an, eine aber golden. Sie hatte die Großmutter bisweilen »meine goldene Großmutter« genannt. Natürlich ist das Mädchen neurotisch, natürlich ist es schwerst belastet, und selbst die lange Analyse bringt es nicht zuwege, die Großmutter-Göttin, die schwarzgoldene Trinität, zu töten. Es ist nämlich verboten. SIE verbietet es. SIE würde sich schrecklich rächen. Lebendiger Mythos. Zu groß für eine einzelne Seele.

Diskussion an einem Berliner Gymnasium. Auch diese jungen Leute, Primaner, haben Fragen vorbereitet. Literarische. Sie haben, verteilt, eine Reihe meiner Bücher gelesen. Mir fällt es schwer, mich überhaupt zu erinnern, was ich da einmal geschrieben habe. Vorbei, vorbei. Das Gespräch hakt sich schließlich fest an meinem ›Gefängnis-Tagebuch‹. Aber kommen wir aufs Politische? Nein. Wir streifen es nur. Woran hängen sich diese jungen Leute? An die beiden Briefe, die dem Buch beigegeben sind: den Brief meiner Denunziantin L. G. und meiner Antwort darauf. L. G., ehemalige Mitschülerin, die dann einen oberbayrischen Lehrer heiratete, der schon 1933, noch im Kloster als »Schulbruder«, bei

der Nazi-Partei war und bei Kriegsbeginn zur »Feld-Gestapo« ging, diese L. G. schrieb mir 1945, nach Kriegsende, daß ich mich fürchterlich räche. Aber wieso? Ihr Mann sitze in einem Lager der Amerikaner. Ich schrieb ihr, daß ich ganz gewiß nicht schuld daran sei, wenn er dort sitze, denn ich rächte mich nicht, sie irre darin. Ich, so schrieb ich (das lesen mir die Schüler vor aus meinem Brief vom Oktober 45) kann doch nicht dasselbe tun, was ich an Euch (den G.s) bekämpfe! »Laß uns«, so schrieb ich weiter, »laß uns Schluß machen mit Haß, Blut und Tod. Was wir wollen, das ist Friede und Menschlichkeit. Aber«, so liest mir eine Schülerin vor, mich denunzierend vor mir selbst. »Aber Sie schrieben, daß Sie den Haß, der aus den Augen jener Frau sprach (bei dem letzten langen Verhör vor dem Sicherheitsdienst in Berchtesgaden im Februar 45) weder vergessen noch verzeihen können. Wie stimmt das«, fragt die junge Richterin, »mit Ihrem Christentum überein?« (Wie sie darauf lauern, mich in der Falle zu sehen!) Aber lesen Sie bitte den Satz noch einmal! . . . Was also ists, das ich nicht vergesse und nicht verzeihe? Der Haß ists, der aus den Augen der L. G. sprach. Lesen Sie weiter! »Das warst nicht du, das war der Wahnsinn, der dich ergriffen hatte, wie er die vielen andern ergriffen hatte.« Ist das nicht klar genug?
Nein, es scheint ihnen unmöglich zu trennen, was einer IST und was einer TUT. Ich sage: Wenn ich mich für Strafgefangene, Lebenslängliche, Mörder also, einsetze, heiße ich damit ihre Tat gut? Ist so ein Mensch denn durch und durch Mörder und nichts anderes? Ist er nicht ein Mensch, ein Kind Gottes, den das Schicksal, das Verhängnis, seine Schwäche, die Umstände schuldig werden ließen? Ja, aber wie verhalten sich dann Schicksal und eigene Schuld? Das, ihr Lieben, kann durchaus nicht in Bausch und Bogen für alle geltend gesagt werden. Was ich mit Sicherheit sagen kann, ist aber dies: Potentiell sind wir alle Straffällige, und wenn ich einen Richter so schön glatt einen Mörder aburteilen höre, dann denke ich: Herr Richter, haben Sie nie in Ihrem Leben den Wunsch verspürt, Ihre lästige Ehefrau umzubringen? (Die Schüler lachen betroffen.) Ja, sage ich, und die Psychologen wissen aus den Analysen der Neurotiker, der Schizophrenen, daß es keinen Sohn gibt, der nicht seinen Vater ermorden wollte. (Ein Satz, über den sich streiten ließe.) Nur: die Schwellen, über die so ein Wunsch steigen muß, ehe er real ausgeführt wird, sind verschieden hoch, und wenn die Schwelle bei Ihnen hoch genug ist, dann danken Sie Gott, und haben Sie Mitleid mit denen, bei der sie niedrig liegt.
Das Gespräch bleibt im Moralischen. Ich versuche es mit List aufs

Politische zu bringen. Es gelingt nicht recht. Die Schüler drücken sich. Ein einziger, der die Zeit über mit maliziösem Lächeln dasaß, nimmt die Herausforderung an, er spricht vom Polizeistaat. Aber man widerspricht ihm. Es sind Lehrer im Raum. Ich verstehe. Ich verstehe nachher noch besser: Nach wenigen Sätzen mit dem Direktor der Schule (oder was war er?) spricht er schon von den »Stammheimer Selbstmördern«. Ich sage: Aber wollen wir mit so einem Wort nicht warten, bis Untersuchungs-Ergebnisse vorliegen? Da gibt es, meint er, nichts zu untersuchen, der Fall sei klar.
Später treffe ich einen Lehrer der Schule, ich erzähle ihm das. Er seufzt: Ja, es wird immer unmöglicher an unsrer Schule, ein freies Wort zu sagen; so schweigt man eben.
Ja. So schweigen die Schüler eben. Und das in Berlin. Aber das wird nicht von langer Dauer sein.
Ich frage mich aber, wieso und wozu mich Herr R., zuständig für Berliner Kultur, in diese Schule und zu der Lesung in der Bibliothek eingeladen hat. Ein Alibi dafür, daß man sich nicht an der Hexenjagd zu beteiligen gedenke? Ein Akt der Wiedergutmachung? Eine echte liberale Geste? Gejagtes Wild traut so leicht keinem mehr.
Ich bringe aus Deutschland diesmal nicht nur die Grippe mit, die dort schier alle haben, ich bringe das Gefühl mit, daß die Deutschen sich von ein paar frechen politischen Erpressern augenblicks ins Bockshorn jagen lassen. Sind wir ein Volk von Subalternen? Was ist denn mit uns? Wer hat uns das Rückgrat gebrochen? Ein paar junge Terroristen, ein would-be-Diktator, und schon kuschen wir. Bis hinauf in die Regierung. Bis hinunter in die Schulen.
Nein, ich bin ungerecht. Hängt nicht an der Wand neben mir seit zwei Monaten ein Zeitungsblatt, eine Riesenanzeige im ›Hamburger Abendblatt‹ mit 1600 Unterschriften von Hamburger Lehrern und Lehrerinnen, die sich dagegen verwahren, daß man Böll und Grass, Wallraff und mich und andere, als »Sympathisanten des Terrorismus« verleumdete Deutsche, aus den Schulen und Schulbüchern verbanne?
»Wenn Kritik am Staat und an der Gesellschaft nicht mehr erlaubt sein soll, ist die Weiterentwicklung der Gesellschaft im Interesse der Menschheit in Frage gestellt.« Es steht auch da: »Schon einmal haben Deutschlehrer in unserm Land geschwiegen, als Menschen wie Thomas und Heinrich Mann [...] zur Emigration gezwungen wurden. Eine Bücherverbrennung in Deutschland darf es nie mehr geben.«

Elisabeth Winkelmann heißt die Frau, welche diesen Aufruf initiierte.

Das wesentliche Nichts. Inmitten schlechter politischer Nachrichten aus Deutschland, inmitten vielen Ärgers und großer Trauer über die neuen Kriege in Indochina, in Somalia, über neue Verhaftungen in Südkorea und in der Sowjetunion scheint mir das Leben nicht mehr lebenswert. Ich bins leid, mit Worten gegen die teuflischen Windmühlen zu kämpfen. Ich verstehe die Ungeduldigen, die aus Verzweiflung zur Gewalt greifen. Ich bin, kurzum, ganz aus dem Geleise geworfen. Ich verliere den Maßstab. Ich bin aus meinem Brennpunkt hinausgeschleudert, ich finde keinen Boden unter den Füßen. Ich schweife in der Welt umher, Hilfe suchend, ein verzweifelter Irrstern. Man kann entsetzlich allein sein in solchen Zeiten.
Plötzlich streckt sich mir eine Hand entgegen, und Augen sehen mich an, und ich höre eine klare sanfte Stimme: »Alles ist Nichts.« Ich finde mich in Korea, im buddhistischen Kloster Bulgug-Sa. Der zu mir spricht, ist der Abt. Er steht, wie damals, auf der Schwelle des Klosterbaus, der hochgewachsene englisch sprechende Mönch ist in den Schatten getreten, der Abt steht im vollen Mondschein. Im waldigen Tal rauschen die Bäume oder die Bergwasser. »Kommen Sie wieder«, hatte der Abt gesagt.
Oktober 1975: ich war mit den Lees auf der Fahrt von Seoul in den Süden in diesem Kloster. Aber es ging dort zu wie an bayrischen Wallfahrtsorten: Schulklassen wurden herumgeführt und belehrt, Touristen, Japaner zumeist, standen fotografierend und säkularisiert vor den Holztempeln, in denen nur wenige Fromme beteten. Auch dort liefen Kinder ein und aus. Ich traf in einem der Tempel die Mönche beim Gebet, ich schloß mich ihnen an, einer schob mir ein Sitzkissen zu. Ich konnte mich nicht sammeln. Nachher sprach mich der freundliche Mönch an, er sprach englisch, er fragte nach meiner Heimat und wieso ich hier sei. Ich antwortete höflich, sagte aber dann, ich wünschte, in Ruhe an einem der Gottesdienste teilzunehmen, wenn keine Fremden da seien. (Als sei ich keine Fremde.) Der Mönch sagte: Kommen Sie heute abend gegen sechs Uhr an das Pförtchen neben dem großen Tor, ich werde Sie erwarten.
Leider konnte ich nicht allein kommen: wollte ich nicht überaus unhöflich sein oder auch nur politischen Verdacht erwecken, mußte ich meine Reisebegleiter mitbringen. Der Mönch, der mich

wirklich erwartete, akzeptierte sie schweigend. Während wir in der frühen Dämmerung bergan stiegen, erklang der Gong: dreiunddreißig Schläge. Zu oft hatte ich in den Wochen vorher die Zahl wahrgenommen. Jeden Morgen hörte ich dreiunddreißig Glockenschläge von der katholischen Kathedrale. Dreiunddreißig Koreaner, darunter die Führer der wichtigsten Religionen, unterzeichneten 1919 das Manifest, in dem sie Freiheit von der japanischen Unterdrückermacht forderten. Dreiunddreißig südkoreanische Journalisten unterzeichneten 1975 ein Manifest, in dem sie Pressefreiheit forderten. Dreiunddreißig Politiker und Intellektuelle unterzeichneten 1975 das Manifest, in dem sie Aufklärung über den obskuren Tod des oppositionellen Abgeordneten Chang Jun-Ha forderten.
Dreiunddreißig Gongschläge auch hier. Dann Stille. Bäume rauschen oder ferne Bergbäche. Der Mond steigt auf. Im Haupttempel warten schon die Mönche. Kaum haben wir nach den rituellen Verbeugungen uns niedergelassen, beginnen sie zu singen.
Es gibt Schallplatten solcher Gesänge. Sie außerhalb eines Tempels, sie in Europa zu hören, bereitet mir Qual, so als böte mir jemand eine verwelkte Lilie an. Auch der westliche, der benediktinische Mönchschoral sollte außerhalb der Klostermauern verboten sein. Heilige Gesänge, heilige Worte gehören an heilige Stätten. Der Goldbuddha muß leuchten, Weihrauchstäbchen, in den Sand der Messingschalen gesteckt, müssen duften, und man muß auf dem hölzernen Tempelfußboden sitzen, mit bloßen Füßen und in tiefer Andacht, und man muß aufstehen und sich niederlassen, sooft es die Mönche tun, man muß sich ganz hineingeben in diese Musik, anders begeht man ein spirituelles und künstlerisches Sakrileg.
Ich bin ohne Wunsch und ohne Gedanken. Aber der Mönch erfüllt mir einen Wunsch, den ich nicht einmal zu denken gewagt hatte. »Unser Abt lädt Sie zum Tee ein und zu einem Gespräch.«
Ich muß wieder meine Reisebegleiter mitnehmen. Ich wäre jetzt brennend gern ohne sie gewesen. Ich hätte den Abt einiges Politisches fragen wollen. In Gegenwart der andern war das untunlich. Kein Koreaner sagt vor andern Koreanern, was er denkt über die Politik des Diktators.
Als der Abt eintritt, entfallen mir politische Fragen.
Er ist großgewachsen, und er ist schön. Ein glattes, altersloses Gesicht mit jenem leicht und fein geschwungenen Mund, wie ihn die schönsten Bronze-Buddha-Gesichter zeigen. Er ist Würde und Einfachheit in Person.

Er kann keine Fremdsprache, die ich kann. Der Mönch übersetzt fließend zwischen Koreanisch und Englisch hin und her. Wir lassen uns auf den Boden nieder. Ein Mönchlein, halbes Kind noch, bringt Tee, setzt die Tassen neben uns auf den Boden und entfernt sich schweigend. Es ist ganz still. Der Abt schaut mich an. Ich fühle, daß er mich in sich aufnimmt. Dann stellt er eine Frage: »Was ist das Ziel Ihres Lebens?« Ich bin sicher, daß Frau L. in ihrem Schulenglisch, in ihrem aufs Praktische, Vernünftige zugerichteten Wortschatz weder die englischen noch die koreanischen Begriffe findet, die zu gebrauchen der Abt von mir fordert. So bin ich ziemlich frei in Antwort und gelegentlicher Frage. Aber, seltsam: ich weiß sehr wohl, worüber wir sprachen, aber wenn ich versuche, es wiederzugeben, fühle ich ein Siegel auf meinem Mund. Ich erinnere mich nur der Frage des Abts, was ich von Papst Johannes XXIII. halte. »Er war ein Heiliger«, sage ich. Er korrigiert mich sanft: »Er IST ein Heiliger.« Damit ist unser Gespräch auf eine »normale« Ebene gestellt. Der Abt fragt mich nach dem Stand der Ökumene, nach dem Zweiten Vatikanischen Konzil, aber nach unsrer politischen Theologie fragt er nicht, natürlich nicht. Ich möchte, daß er die L.'s ins Gespräch einbezieht. Ich bitte ihn, koreanisch mit ihnen zu sprechen. »Warum?« fragt er. Ich sage: »Weil ich lieber schweigen möchte. Ich will nichts als hier sein. Ich fühle mich seltsam zu Hause hier, als sei ich schon hier gewesen.« Der Abt schaut mich wieder lange an, dann lächelt er: »Kann sein«, sagt er. Von da an darf ich schweigen. Ich versinke in seligen Frieden. Schließlich fühle ich wieder seinen Blick auf mir. »Wie lange bleiben Sie hier?« fragt er. Ich sage, daß wir leider morgen schon wieder weiterfahren müssen. Er sagt: »Man kann hier wohnen.« Im Kloster? Warum nicht? Aber ich bin doch eine Frau, und dies ist ein Mönchskloster. Jetzt lächelt er. »Hier zählt das Geschlecht nicht mehr.« Er sagt: »Kommen Sie wieder!« Er gibt mir seine Karte, er heißt Chae Wol-San.
Wir verabschieden uns, wir ziehen vor dem Haus die Schuhe wieder an. Ich wende mich um, der Abt steht noch auf der Schwelle. Ich gehe zurück, ich sage: »Geben Sie mir ein Wort mit auf den Weg!« Er schaut mich wieder an, streng und liebevoll, dann sagt er: »Alles ist Nichts.« Dieses Wort höre ich jetzt, Jahre später, und ich sehe die hohe helle Gestalt stehen im Mondlicht. »Alles ist Nichts.«

Stalin. Jetzt feiern sie seinen hundertsten Geburtstag und sagen, obgleich natürlich wahr sei, daß er »Verbrechen« beging, war er doch derjenige, der den Massen des arbeitenden Volks zu ihrem Recht verhalf; er war der Vater der Proletarier. (Und Chruschtschow, der Gute, der Enthüller der Stalinschen Verbrechen, er war ein schwacher Mann ...) Stalin war grausam, aber stark und klar in seinen Zielen, und WIRKSAM. Es ist richtig und recht, daß ihm sein Volk auf dem Roten Platz neben Lenin ein Mausoleum errichtete. Es ist recht, daß dort das arbeitende Volk Blumenkränze niederlegt.
Die andern: Stalin ist tot, aber, man siehts, der Stalinismus lebt. Er lebt so, wie in der Bundesrepublik Hitlers Faschismus weiterlebt. Bald wird man, sagen sie, Hitler ein großes Denkmal setzen ... Ist man nicht schon lebhaft dabei, ihn zu rehabilitieren? Sagte mir nicht kürzlich A., Studentin, antifaschistisch bisher, der Film nach Fests Buch lasse Hitler doch in einem andern Licht erscheinen, als mans bisher wußte, er war doch auch ein Mensch und wollte das Beste für Deutschland, er wollte den Schmachfrieden von Versailles austilgen ...
Das Rad der Geschichte, es dreht sich, dreht sich. Eigentlich muß man ein großes Gelächter anstimmen über die Windfahnen-Mentalität der Völker. Jedoch, es IST Wahres im Bilderwechsel: nie ist etwas ganz böse, nie etwas ganz falsch, nie ist die Nacht ganz schwarz, und Wirkungen werden durch spät aufgedeckte Ursachen gerechtfertigt. Man muß sehr viel politischen Instinkt (über das Wissen hinaus) haben, um sich überhaupt noch für eine politische Richtung entscheiden zu können. Resignation aber wäre Schuld. Auch wenn ethische Entscheidungen durch politische Entwicklungen überrollt scheinen, so sind es doch diese ethischen, die geistigen Maßstäbe, die auszulegen uns abverlangt wird.

Zum wievielten Mal ›Die Zeitmaschine‹ von H. G. Wells gelesen. Bisher habe ich das als pure Literatur genommen. Jetzt, auf einmal, macht mir das Buch entsetzliche Angst. Es hat RECHT!
Neulich sagte mir der Regisseur St. bei einer kleinen Rundfunkarbeit: »Ja, Ihre literarischen Bilder sind schön, aber meinen Sie, daß die Jugend sie versteht? Meine eigene Tochter weiß nichts von Daniel in der Löwengrube und den drei Jünglingen im Feuerofen und nichts vom Hohenlied!« Aber, sage ich, sie geht doch aufs

Gymnasium?! Da, sagt der Regisseur, lernen sie derlei nicht mehr.
Eines gar nicht fernen Tages wird man uns alte, »gebildete« Autoren nicht mehr verstehen. Dieser Verdacht greift kalt nach meinem Herzen. Für wen schreibe ich? Für die kleinen schönen dummen Wesen aus Well's Buch? Unsere Bücher werden in Staub zerfallen, der Staub wird im Wind verwehen.
Aber: ganz zum Schluß des furchtbaren Buches steht etwas, das tröstet, denn es ist wahr (wieso es wahr ist, kann ich nicht beweisen, aber ich WEISS es!): Was von all dem Spuk übrigbleibt, sind ein paar Blumen »als Zeugnis dafür, daß selbst dann, als der Geist gewichen war, Dankbarkeit und gegenseitige Liebe im Herzen der Menschen weiterleben«.

Zum Fall Rudolf Bahro, den die DDR eingesperrt hat, weil er Kritik am DDR-Kommunismus übte, und zum Fall aller sozialistischen Regierungen im Verhältnis zu ihren »Dissidenten«:
Mao Tse-tung in ›Über die Revolution‹:
»... Wenn der Marxismus Kritik fürchtete und durch Kritik umfallen könnte, dann wäre er nutzlos ... Marxisten sollen Kritik nicht fürchten, von wem sie auch komme. Im Gegenteil, die Marxisten werden sich im Feuer der Kritik und im Sturm des Kampfes stählen [...] Die Politik, hundert Blumen nebeneinander blühen und hundert Denkrichtungen miteinander streiten zu lassen, wird die führende Stellung des Marxismus in der Gedankenwelt nicht schwächen, sondern stärken. Welche Stellung sollen wir gegenüber nichtmarxistischem Denken beziehen? Gegenüber offenen Konterrevolutionären und solchen, die den Sozialismus sabotieren, ist die Sache einfach, man entzieht ihnen das Wort. Gegenüber falschen Ideen innerhalb des Volkes aber ist die Sache anders. Geht es etwa an, solche Ideen zu verbieten und ihnen keinerlei Gelegenheit zur Äußerung zu lassen? [...] Auch wenn man die falschen Anschauungen nicht zu Worte kommen läßt, werden sie doch weiter bestehen [...] Wir sollten nicht Methoden der Unterdrückung anwenden ...«

Zum Judentum konvertieren. Vier Fälle in wenigen Jahren werden mir zugetragen. Bei C. ists verständlich: sie hat einen Juden geheiratet und ist mit ihm nach Israel gegangen. Aber

N.? Und W.? Und nun Frau K. Sie schreibt mir, sie sei ratlos dem gegenüber, was ihr geschieht. Sie ist evangelischer Herkunft, heiratete einen gläubigen Katholiken, hat eine gute Ehe, ist selbst acht Jahre nach der Heirat zum Katholizismus übergetreten. Sie hatte eine jüdische Mutter, die früh starb, eines natürlichen Todes, alle übrigen Verwandten sind in Auschwitz umgekommen. 1972 machte sie eine Reise nach Israel. Es sollte eine christliche Pilgerfahrt werden. Es wurde eine Bekehrung zum Judentum. Dort in den Wüstenlandschaften, so schreibt sie mir, spricht noch Gott, und nur dort erfährt man, was es heißt, von ihm herausgeholt zu werden aus allem, was einem teuer war.
Was ist da eigentlich geschehen? Die tote jüdische Mutter, die nicht tot ist, die im Blut ihrer Tochter lebt, wachte auf, als diese Tochter jüdische Erde betrat, und sprach zu ihr: Hierher gehörst du, zu den Verfolgten, hart Bedrängten, den Gezeichneten Gottes, und nicht zu den Verfolgern und Bedrängern. Komm!
Frau K. wehrte sich gegen den Ruf, was sollte sie tun, ihren Mann verlassen, nach Israel auswandern, jüdisch werden? Sie suchte Anschluß an die jüdische Gemeinde ihrer Stadt. Aber das ist ein kümmerlicher, veralteter Verein. Sie suchte Aussprachen mit katholischen Freunden, ihrem Mann, Geistlichen. Keiner wollte, konnte sie verstehen. Sie pilgerte nach Rom, mit ihrem Mann. Das war Wasser auf ihre Mühle: Rom ist eine heidnische Stadt. »Ich bin nicht ungläubig geworden«, schreibt sie, »ich kann nur nicht mehr glauben, daß Jesus Christus der Sohn Gottes ist. Sein Kreuz steht für mich inmitten der rauchenden Öfen von Auschwitz und Maidanek« (sie zitiert Ben Chorin).
Ich versuche diese Logik zu verstehen, statt ihr gefühlsmäßig recht zu geben, wozu ich von Herzen bereit bin. Aber: was hat das miteinander zu tun?
Ist es wieder einmal die Frage: Kann Jesus Gottes Sohn, der Messias, sein, wenn seit seinem Kommen sich nichts geändert hat? Wäre Auschwitz möglich gewesen, wenn Jesus wirklich Gottes Sohn und der verheißene Erlöser wäre?
Die Frage ist falsch. Jesus hat nie gesagt, er sei gekommen, um allem Erdenleid ein Ende zu machen, im Gegenteil, er sprach vom Kreuz. Als er aber die Erde verließ, versprach er wiederzukommen. Warten also nicht auch die Christen weiter auf den Messias, vielmehr darauf, daß er, wenn wir mit ihm durch den Endkampf gegangen sind (und in dem stehen wir alle miteinander) uns Frieden und Freude bringe? Was er uns lehrte, ist dies: Ihr seid nicht Verlorene und Verlassene, mitten im Leiden BIN ICH.

Schwer zu verstehen, was »potentiell erlöst sein« heißt. Mitten im Leid und im Schuldigsein in stummem Jubel zu wissen: Und wir sind dennoch Kinder Gottes.
Warum denkt Frau K. nicht, daß dieser Jesus Christus in jedem KZ zugegen war und mit geschlagen und vergast wurde?
Ja, aber, so denkt sie, es waren doch Christen, die das Böse taten! Ach, liebe Frau K., lesen Sie das Alte Testament: wieviel Böses taten auch die Juden, obgleich ihr Gott in der feurigen Wolke bei ihnen war und in der Bundeslade, viel spürbarer gegenwärtig, als unser Christus es ist: bekam nicht jeder einen elektrischen Schlag, der die Lade berührte, so stark anwesend war Jehovah?
Wenn jüdisch sein heißt: leugnen, daß der Messias kam, kann ich nicht zustimmen. Wenn jüdisch sein heißt: auf die Vollendung der Erlösung warten, dann bin ich als Christin ebensogut Jüdin. Warum daraus ein so großes Problem machen?
Was Frau K. eigentlich meint, ist vermutlich dies: sie möchte, dem Ruf der jüdischen Mutter folgend, eintreten in die Schicksalsgemeinschaft Israel. Mit allen Konsequenzen. Und das kann ich ganz und gar verstehen. Ich fürchte aber, sie kann das nicht, und so wird sie ihr Leben lang zerrissenen Herzens bleiben. Und gerade so wird sie ihr jüdisch-christliches Doppelschicksal leben. (Ich muß ihr raten, Franz Werfels ›Stern der Ungeborenen‹ zu lesen.)

Berliner Impressionen. Ich laufe in Kladow an der Havel entlang, da, wo sie zum See wird. Nachts hat es geschneit. Jetzt steht eine blasse Messingsonne am Himmel. Das Wasser antwortet mit ein bißchen rosa Geglitzer. Dann wird der Vorhang zugezogen. Jetzt gibt es keine andern Farben mehr als Silbergrau, ununterschieden, ob Himmel, ob Wasser, ob Ufer. Geisterhaft. Nur das Schilf hat einige Wirklichkeit: wie mit dem Silbergriffel eingeritzt steht es da, in Kristallvasen eingefroren. Das Wasser ist eisfrei, aber am Ufer schwimmen dünne Glasplatten mit weißen Blasen. Wenn draußen ein Fährschiff das Wasser schneidet, klirrt das Glas. Wie mich friert! Lautlos fällt ein schwarzer Vogel auf einen Weidenast. Eine Amsel. Sie lauscht. Sie und ich, wir hören es beide: vom andern Ufer her kommt der Ruf, zögernd, zur Probe. Die Amsel auf der Weide glaubt es noch nicht, sie wartet. Dann fängt sie an. Mitten in der gefrorenen Nebelwelt fängt sie an zu singen. Erster Amselruf. Wie er mich trifft, jedes Jahr aufs neue, wie oft noch? Ich eile nach Hause, ich rufe: Die erste Amsel singt, hört doch! Aber wie heißt Amsel auf Koreanisch? Ihr kennt den

Vogel doch! Kann sein. Aber wie ist es möglich, daß die beiden Koreaner, die Freunde, mit denen ich mich so gut verstehe, meinen Jubel über den ersten Amselruf nicht teilen? Ist das ein so nur deutsches Erlebnis? Die erste Amsel, versteht doch, sie verpfeift den Winter, Frühling wirds! Sie pflichten mir höflich bei. Mir steckt der erste Amselruf wie ein klingender Pfeil im Herzen.

Drei Tage Grippe. Ein richtiger Überfall war das, ich bleibe körperlich ganz matt zurück, aber was ist mit meinem Geist? Die Gedanken, ausgeruht im Dämmerschlaf der drei Tage, laufen wie junge, nicht zugerittene Pferde aus dem Stall und über alle Berge. Einfall um Einfall, aber viel zu schnell, um standzuhalten. Gedankenflucht. Bisweilen fange ich einzelne Sätze auf. So hörte ich eben: Frühling am Kraterrand. Guter Romantitel. Aber es ist die Antwort, die ich meinem Interviewer neulich schuldig blieb, als er mich nach meiner Ehe mit C. O. fragte. Was ich ihm wirklich sagte, war dies: C. O. können Sie nicht als Zeitgenossen betrachten. Wohin er gehört, wurde mir mit Schrecken klar, als ich vor zwanzig Jahren mit ihm in Griechenland war. Wir standen in Mykene, es war ein grauer Tag, der Wind strich durch die Ruinen, Elektra klagte, und C. O. stand dunkel gegen die alten Mauern, und er war entsetzlich einsam, aber daheim. In unsern Tagen, in Bayern, da ist er wie ein von Mykene oder Tiryns hergeschleppter, erratischer Block. Fremd, fremd. Wie erschütternd seine Versuche, sich mit ›Der Mond‹ und ›Die Kluge‹ einzuschleichen ins Romantische, ein bißchen wärmende Heimat an sich, um sich raffend. Vergeblich.
Mir wird bewußt, daß es das erste Mal ist, daß ich etwas über ihn sage, öffentlich. Aber dann, beim Interview in der Schwabinger Talkshow, sparten wir wie auf Verabredung die Frage doch aus.

In der RAI-TV gesehen: ein kurzes Gedenken zum zehnten Todestag des Physikers Oppenheimer, der die erste Atombombe erfand. Ein eleganter Herr, sehr gut aussehend, von den Studenten »Oppi« genannt, und angebetet, eine brillante Figur im Weißen Haus und in allen Salons. Auf die Frage, ob er keine Bedenken habe gegen seine eigene Erfindung, sagte er: »Ich bin Wissenschaftler.« Was heißt das anderes als: Was gehts mich an, was andre tun mit meiner Erfindung? Ich schaue dieses Gesicht an: ein langes schmales asketisches Gesicht, durchdringend intelli-

gent, geschlossen selbstbewußt. Mich überläufts eiskalt: das ist ein luziferisches Gesicht.
Luzifer-Prometheus entriß den Göttern das Feuer, schuf Zivilisation und Zerstörung.
Oppenheimer starb an Kehlkopfkrebs. Sprachlos starb er.

Gegensätzliches ertragen. Talkshow im Münchner Kabarett ›Lach- und Schießgesellschaft‹. Interview diesmal mit dem »Fußball-Kaiser« Beckenbauer, einer schwarzen Gospelsängerin und »Ben Wisch«, Wischnewski, dem Mogadischu-Diplomaten, dem Geiselbefreier. Er kommt gerade aus Ost-Berlin, wo er nicht eben viel erreichte. Nicht alle Probleme lassen sich mit einem Handstreich lösen.
Willy Brandt ist auch da, nur so, als Gast, weil er gerade in München ist. Ich werde zu ihm an den Tisch gesetzt, neben Ben Wisch und Max von Heckel. Ben Wisch ist von einer Heerschar Geheimdienstler bewacht. Man erkennt sie, weil sie körpertüchtig, gelangweilt und mürrisch-wachsam sind.
Der Abend verläuft friedlich, auch interessant, man ist »unter sich«, unter Gleichgesinnten, unter Freunden auch. Ich bin gern in Willy Brandts warmer Atmosphäre.
Gegen Mitternacht verabschiede ich mich, ich nehme ein Taxi. Der Fahrer, sehr jung, sagt mit einem Blick auf die vor der Tür parkenden Polizei-Autos: »Ist da Prominenz anwesend?« Ich sage es ihm. Er schweigt. Sein Schweigen hat etwas Eindringliches, Ablehnendes. Schließlich ergibt sich doch ein Gespräch: er ist Junglehrer ohne Anstellung, und er bemüht sich auch nicht mehr darum, eine zu bekommen, er mag nicht Kinder erziehen müssen in diesem Staat, der nichts versteht von den echten Bedürfnissen der Kinder, einem Staat, der seine Lehrer politisch überwacht und sie einengt auf die Rolle des gedrillten und drillenden Funktionärs. Er sagt das alles ohne Aggression. Er ist, sagt er, kein »Radikaler«, sondern ein Mensch, der frei sein und nach seinem Gewissen handeln will. Er hat Geld gespart und will morgen auf Fahrt gehen, irgendwohin, auf unbestimmte Zeit. Und dann? Er zuckt die Achseln. Schließlich will er von mir wissen, was ich denn mit »denen«, der »Prominenz«, zu tun habe. Ich erkläre es ihm. Er sagt: »Aber ich kenne Sie doch vom Fernsehen. Darum frage ich Sie ja, was SIE mit denen zu tun haben. Gehören SIE denn dazu?«
Was soll ich sagen? Wohin gehöre ich? Auf einmal wird mir bewußt, daß ich (von Willy Brandt abgesehen) lieber in der

Gesellschaft dieses Jungen bin als in jener, die ich eben verlassen habe. Aber auch jene gehört zu mir. In jener arbeite ich für diese, die ich mehr liebe. Aber arbeite ich für diese, indem ich für die andre arbeite? Das ist eine harte Frage. Eine der Zerreißproben, die nicht nur ich immer wieder zu bestehen habe.

Bei Camus früher einmal gelesen, im Gedächtnis behalten: Wir dürfen erst dann von Liebe reden, wenn wir so lange auf dem nackten kalten Boden schlafen, bis der gefangene Freund aus der Haft entlassen wird.
Definition von Sozialismus: so lange hungern, bis kein Kind der Dritten Welt mehr verhungert. So lange auf Entbehrliches verzichten, bis alle das Unentbehrliche haben. So lange untröstlich sein, bis alle getröstet sind.

Christoph schrieb mir in mein Kalender-Tagebüchlein (er schenkt mir jedes Jahr eins): »Es ist nicht an Dir, das Werk zu vollenden, doch bist Du auch nicht frei, Dich ihm zu entziehen.«
(›Mischna‹, ›Sprüche der Väter‹.)

Aus einem Briefwechsel mit einem Juristen. »Am Schluß Ihres Briefes fragen Sie, ob ich als Jurist einmal über das Problem der Huren nachgedacht habe. Als Strafrichter hat man oft mit Prostituierten zu tun, denn ihr Gewerbe verstrickt sie häufig in strafbare Handlungen oder macht sie zu deren Zeugen. Die Problematik der weiblichen Prostitution ist in einer Gesellschaft begründet, in der die Gleichberechtigung der Geschlechter noch lange nicht verwirklicht ist. Alle Versuche, die käufliche Liebe zu beseitigen, sind bisher gescheitert. Der rigorose Puritanismus der sozialistischen Länder auf diesem Gebiet scheint mir auch keine ideale Lösung.«
Eine meiner Leserinnen schreibt mir, sie habe angefangen, sich um »diese Mädchen« zu kümmern. Sie versuchte, ihnen einen Ort zu schaffen, an dem sie sich aussprechen und Hilfe finden können. Sie bat den Gemeindepfarrer, ihr und ihnen einen Raum zu überlassen. Er wies das Ansinnen entrüstet zurück. Inzwischen, schreibt sie Wochen später, haben zwei »meiner Mädchen« Suizidversuche gemacht. Wieder einige Wochen später: »Ein trauriger Zwischen-

bericht: heute vor einer Woche wurde eines meiner Mädchen, dreißig Jahre alt, ermordet. Die Kehle durchgeschnitten.«
In München tobt soeben (Februar 78) der Kampf um die Hurenhäuser, »Eros-Center« genannt, aber nicht etwa um das Problem selbst, das IST ja keins in der modernen Gesellschaft, es WAR nie eins, wird nie eins sein, so sagt man.
Ich lese August Bebel, ›Frau und Sozialismus‹, geschrieben vor HUNDERT Jahren. Das Kapitel über die Prostitution schriebe ich am liebsten hier Wort für Wort ab. Schärfste Kritik an der Männergesellschaft, am Staat, an den Thesen, Prostitution sei das Sicherheitsventil des Staates, sie schütze die Frauen vor der Untreue der Ehemänner (?), sie verhindere zu starken Geburtenzuwachs durch eheliche und außereheliche Kinder, die Ehe genüge dem Geschlechtstrieb des Mannes nicht, viele Ehefrauen befriedigen den Mann nicht ... Die Prostituierten müssen in eigenen Häusern und eigenen Straßen konzentriert werden, überwacht, und vom Staat BESTEUERT. (Der Staat, der größte Zuhälter mit dem ruhigsten Gewissen!)
Bebel sagt: Die Prostituierten unterstehen der gesundheitlichen Überwachung, aber wer überwacht die Männer, die krank zu ihnen kommen?
Woran Bebel noch nicht dachte: X., der jedes Wochenende nach Neapel fährt, sich dort eins der Boote mitsamt Fischerjungen mietet ... Und Y., der jeden Monat nach Bangkok fliegt, weil es dort die schönsten Strichjungen gibt ... Und die vielen Europäer, die als Geschäftsleute oder Touristen in Südkorea und Japan sich Kisengs und Geishas kaufen ... Und die koreanischen Bauernmädchen, die an der Grenze zu Nordkorea davon leben (mitsamt ihren armen Familien), was ihnen die Soldaten, die dort stationiert sind, die Amerikaner, die von der UNO, für die »Liebe« geben. Und wir alle denken: das IST eben so, daß muß wohl so sein.

Die integrierte Gemeinde. Was ist das? Ich hörte schon lange davon sprechen, meist ablehnend als über etwas Sektiererisches, Gefährliches sogar, gegen das ein Kardinal zu kämpfen hatte. Auch gab es dort, in der Münchner Originalgruppe, viel bösen Streit. Nun gut, die Sache konnte meinetwegen existieren, was gings mich an.
Nun aber dieser Brief von L., Theologe, namhaft, Professor an einer Universität, ein, wie mir immer schien, nüchterner, kritischer Kopf, allerdings einer, der noch nicht zu sich selber gekom-

men war, einer, bei dem unter der glatten Hülle das Chaos webte, wer weiß was. Und nun schreibt er, daß er sich dieser integrierten Gemeinde angeschlossen habe. Jetzt kann ich nicht mehr aus, jetzt muß ich mich mit der Sache befassen.
Er kommt zu mir, um mich zu informieren. Ich kenne den vordem so kühlen Mann kaum mehr, er ist aufgewacht, »erweckt« besser. Etwas hat ihn erfaßt, etwas reißt ihn hin, etwas macht ihn glücklich. Was ists? Er hat seine Professur so gut wie aufgegeben, er ist in eine dieser »Kommunen« gezogen, er lebt dort in einer Familie, die aus einem Dutzend Menschen besteht, vom Schicksal zusammengewürfelt, könnte man sagen, und es wäre nicht falsch: lauter Leute, die mit dem Leben nicht zu Rande kamen, Halbzerbrochene, verzweifelt Suchende. Menschen verschiedener Herkunft, Bildung, Altersstufe. Zwei Ehepaare, die andern ledig, einer priesterlicher Zölibatär. Zwischen dem intellektuellen, hochgebildeten L. und einer kleinen Schneiderin muß also der Familienbogen geschlagen werden. Diese Gruppe ist noch jung. Ich fühle die Spannungen geradezu qualvoll. Der Abend, zu dem die Initiatorin (der zweiten Generation, nachdem die erste Gruppe sich zerstritten hatte) kam, verläuft nicht gut. Ich will mich informieren und stelle notgedrungen Fragen, die zu beantworten die Leiterin müde ist, sie hat sich allzu oft verteidigen müssen, ich versteh das, kann aber nicht absehen davon, Fragen zu stellen, die unbequem sind. Die erste legt mir L. selbst in den Mund: er hat mir die Gemeinschaftswohnung gezeigt. Sie ist sehr hübsch, mit weißen Bücherregalen, Vasen mit blühenden Forsythienzweigen auf dem Boden, alle Farben schön abgestimmt, ein paar alte Bauernmöbel, jeder hat sein eigenes Zimmer, die Türen stehen immer offen, das ist symbolisch auch, und abgesehen von den offenen Türen, könnte ichs da auch aushalten, das sage ich zu L., der natürlich in seiner alten Universität jesuitisch karg und farblos gewohnt hat und dem das Schöne wohltut. Was habe ich nur dagegen? Er schaut mich an und sagt: »Nicht wahr, sehr bürgerlich?« Ja, das ists: sehr bürgerlich. Aber, sagte er, wir machen das alles allein, bis auf die paar alten Möbel, wir streichen und malen und zimmern, wir haben einen Innenarchitekten unter uns, wir haben alle möglichen Berufe in unsrer Gemeinde, das alles kostet ganz wenig. Ja, sage ich kleinlaut und denke an meine spanischen Nonnen und meine Arbeiterpriester in Italien, und wie die mitten unter ihren Leuten leben in abscheulichen Mietskasernen, um es nicht besser zu haben als alle. Aber, sagt L., wir wollen zeigen, daß Arbeiter nicht häßlich wohnen MÜSSEN, sondern mit ein wenig Geschmack und

ein wenig Geld sich eine schönere Welt aufbauen können. Ja, denke ich, wenn man in einem so neuen schönen Haus wohnt, dann, aber wenn man in Mietskasernen wohnt, so hellhörig, daß Ihnen, lieber L., das Arbeiten unmöglich wäre, zum Beispiel ... Und Franz von Assisi HIER? Aber wer und was gibt MIR das Recht, so zu denken? Wohne ICH etwa unter den Ärmsten, wie Don Lutte in Rom? Nun also. Außerdem: ich begreife, daß diese Menschen, die als Halbzerbrochene hier ankamen und so schnell nicht heil werden, erst einmal ein tröstendes Nest brauchen. Und das Schöne, warum soll man sich seiner nicht bedienen als Hilfe? Irgendwo und irgendwie muß man ja wohnen. Sind die scheußlichen Möbel, die »kleine Leute« sich kaufen, nicht teurer als diese selbstgemachten? Warum nicht die Menschen zum Schönen erziehen? Bin ich nicht eine alte Platonikerin, die daran glaubt, daß das Wahre und das Gute und das Schöne EINS sind und daß dort, wo sie es nicht sind, der Wille des Schöpfergeists korrumpiert ist? L. sagt: Die Wohnungen und Häuser machen wir ja nicht für uns so schön. Für wen denn? Für alle, die hier nach uns wohnen, man bleibt ja nie sehr lange an einem Ort, die benediktinische Stabilitas loci gibt es nicht, aber weniger aus Prinzip als praktischer Umstände wegen: man muß etwa ein Ehepaar aufnehmen, dem die Ehe zu zerbrechen droht, es bringt Kinder mit, der Platz reicht nicht, dann müssen eben ein paar andre aus- und umziehen. Auch die Möbel gehören einem nicht? Doch, schon, an jedem Stück ist der Name des Besitzers, man kann sie mitnehmen, man kann sie dalassen. So ist das also: man hängt nicht fest, man wandert, man zieht durch. Aber man findet dafür in einer andern Gruppe das gleiche Zuhause. Nomaden, Pilger, die überall ihr Zelt vorfinden. Das hat etwas für sich. Wenn das Schule machte, wenn das immer weitere Kreise zöge ...

Aber so schnell kann mich nichts überzeugen, ich stelle weiter unbequeme Fragen, etwa: Wie stehts mit dem Privateigentum an Geld hier, hat man eines, und wie, wenn man nicht hierbleiben will, bekommt mans dann wieder, und wenn nein, was dann, und wenn ja, wieviel und unter welchen Bedingungen, und wie geht hier Eheleben vor sich so in aller Öffentlichkeit, und überhaupt Eros und Sexus, wie macht man das hier so bei tatsächlich und gleichnishaft offenen Türen, und Kinder, zwei in der Gruppe, sind ja auch da. Ach, das, das ist überhaupt kein Problem: man ist hier so erfüllt von einer gemeinsamen Sache, einer Arbeit, einer IDEE, daß die privaten Probleme dieser Art einfach absterben. Mag sein. Aber auch in den Klöstern, so denke ich und sags nicht, herrschen

Gemeinsamkeiten und hohe Ideen, und dennoch ... Nun gut, die Sache hier ist so brandneu, da trägt sie einen noch sehr hoch und mächtig. Wenn Sie wüßten, sagt L. zu mir, aus welchen »Slums« unsre Leute kommen.
Ich gehe ein zweites Mal zu ihnen, das heißt diesmal zu einer andern Familie. L. ist wieder dabei. Die Gruppe ist schon eingespielt, es ist eine Spitzengruppe, die Leute sind meist Intellektuelle, Lehrer vor allem, eine Ärztin ist dabei. Die wohnen schön in einem alten Isartaler Landhaus, es gehört ihnen, schon gehören ihnen (der Gesamtgemeinde) viele Häuser, auch Grundstücke, auf denen sie nach und nach bauen wollen, auf einigen haben sie Erdbeerplantagen angelegt, im Allgäu gehört ihnen eine große Pumpenfabrik, sie liefern nach Nordafrika, sie haben jetzt auch eine Schule, ein musisches Gymnasium etwa so wie die Waldorfschulen Steiners, und eine eigene Bank haben sie auch, das ist schon eine Welt in der Welt. Ja, aber was solls, ist das nicht einfach ein Abklatsch der Industriegesellschaft mit kapitalistischen Zügen (eigene Bank!)? Nein, das eben gerade nicht, das begreife ich rasch. Hier wird gut gewirtschaftet, aber aller Gewinn fließt wieder den Betrieben zu. Privat-Eigentum gibt es zwar auch, aber wenig, doch ists wichtig, damit ein jeder Verantwortung hat für das Seine. Überflüssiges liefert man ab. Man schafft immer neue Arbeitsplätze, und (DAS ist wichtig) man nimmt dort auch zunächst unrentable Leute auf: anderswo Gescheiterte, Nicht-Vollwertige, Halbkranke, Drogenkinder auch, und man gliedert sie mit Geduld ein. Gewinn ist wichtig, aber nur zur Schaffung von Arbeit und menschenwürdiger Existenz. Was wirklich wichtig ist, das ist die neue Form des Zusammenlebens. Aber das klingt zu harmlos. Man will höher hinaus, schwindelig hoch: man will der Kern sein für eine ganz neue Gesellschaft. Ich sage: Also ein Modell?! Man fällt über mich her: Modell? Nein, kein Modell, das andre nachahmen könnten; alle, die sich von der Urgemeinde absplitterten, sind gescheitert, der Heilige Geist sucht sich immer nur bestimmte geistig gesellschaftliche Orte aus, wo er wirkt, alle andern Versuche scheitern zwangsläufig.
Das schockiert mich, das klingt nach Absolutheitsanspruch, das ist Hochmut, und ich sage das auch, ich sage: Aber dieser Exklusivitätscharakter, ist der nicht gewissermaßen häretisch? Mit meinen beiden Kritikworten »bürgerlich« und »exklusiv« habe ich eine Wunde berührt, ich fühle es, aber MUSS ich nicht sagen, was mir bedenklich scheint innerhalb all dessen, was mir so einleuchtend und als so großartig erscheint? Ich bin leider so oft ein Stein des

Anstoßes und bringe mit meinen bohrenden Fragen manches allzu Sichere ins Schwanken. Aber das macht nichts. Schon habe ich das Wesentliche, das tief Ernstzunehmende dieser Sache begriffen, es ist genau das, was die Gemeinde in den Verruf der Sekte, der Häresie gebracht hat: diese Menschen wollen (das ist ausdrücklich ihre Theologie) radikal Ernst machen mit dem Leben nach dem Evangelium, und zwar so, als gebe es keinen andern Himmel und keine andre Erde als diesen unsern Planeten, auf dem HIER UND JETZT das Reich Gottes verwirklicht werden muß. Sie haben das anfänglich so laut und deutlich gesagt, daß man ihnen eine ausdrückliche Häresie zuschrieb: sie leugneten die Unsterblichkeit und das Jenseits. Was heißt das aber? Sie haben doch nur gesagt, daß sie dieses »Jenseits« auf sich beruhen lassen und dafür das Diesseits verändern, menschenwürdig gestalten wollen. Jetzt lassen sie diese Frage klüglich auf sich beruhen. Mit Recht. Es ist schon genug versäumt worden im starren Hinblick auf den »Himmel«. Aber, so werde ich gefragt, sind sie denn dann nicht praktisch Marxisten? Was ist das? frage ich dagegen. Es ist jedenfalls eine der wenigen Alternativen zu Kapitalismus und Marxismus. Eine Art »Dritter Weg«. (»EINE Art«, das würden sie wieder nicht gelten lassen. DIE Alternative sagen sie. Nun gut. Es wird sich erweisen.) Aber wie stehen sie wirklich zum Christentum, vielmehr konkret zur Kirche, der sie sich zuordnen, der katholischen, ökumenisch orientierten? Sie sagen, sie seien keine Sekte. Aber Tischgebet und Sonntagspflicht gibts nicht. Das gehört zu ihrer (mir sehr leicht verständlichen) Theologie: es gibt keine Trennung von Sakralem und Profanem. Ihre Gottesdienste, einige im Jahr, sind die großen Gemeinschaftsfeiern. Aschermittwoch zum Beispiel, da haben sie einen Abendgottesdienst, der dauert viele Stunden, dazu werde ich nicht zugelassen, denn da ist die Gemeinde unter sich, und ein jeder sagt sein Schuldbekenntnis öffentlich, wie im Urchristentum. Sie geben mir ein dickes Buch mit, darin stehen ihre Gebete und Lieder (alles selbstverfaßt) und ihre Wirtschaftserfolge. Der Realitäts-Sinn ist bemerkenswert. Sie insistieren geradezu darauf, mit allen Fasern in dieser unsrer wirklichen irdischen Welt zu leben. Und doch scheint mir das Ganze in den Bereich der Utopien zu gehören. Das spricht jedoch eher FÜR sie.

Ich berichte R. davon. Ja ja, sagt er, alle Geistbewegungen, alle monastischen Lebensformen begannen mit ähnlichem Feuer. Ich räume ein, daß auch die katholische Kirche meinte, etwas Gottgefälliges zu tun, als sie gegen die Wucherzinsbanken Italiens den

Banco di Santo Spirito gründete ... Aber wir verbieten uns Vorurteile. R. hat die Sache der Gemeinde sogar theologisch schon verteidigt.

Der andere Weg. In der RAI-TV gesehen: eine Gruppe junger Leute, die zu einer römischen Pfarrei gehören. Sie erzählen, wie sie zur Gruppe wurden und was sie tun. Ja, wie kam das denn? Ein junger Geistlicher war unzufrieden mit dem, was sich da als »Kirche« ausgab. (»Kirche ist nicht nur ein Haus«, singen die jungen Leute.) Er wollte Kirche leben. Er fand ein paar junge Menschen, die ihn verstanden. Sie begannen mit andern Jugendlichen zu reden. Sie besuchten alte Leute, sie halfen, wo es nötig war, sie versammelten sich zu Gottesdiensten, in denen (so sagt der Geistliche) das Evangelium so ausgesagt wurde, daß es plötzlich neu und frisch schien, eine Botschaft für heute, ein gangbarer Weg, Neues aufzubauen inmitten einer müden, verzweifelten Welt. Nichts Besonderes also. Nichts als der Versuch, Liebe zu leben. Der Reporter fragt: Aber Sie sind ganz arm, sagt man; wie machen Sie es, daß Sie zum Beispiel nicht wie üblich Meßgelder nehmen und auch keine Gelder für Hochzeiten und ähnliche Feiern? Sie machen das alles unentgeltlich. Woher kommt Ihnen das Geld zu, das Sie doch brauchen für sich selber und für all das, was da für Ihre Pfarrkinder geleistet wird? Ach das, sagt der Geistliche heiter, das kommt eben. Jeder gibt, was er hat. Man teilt alles mit allen. Ein junges Paar erzählt: Wir haben vor kurzem geheiratet. Wir sind arm, wir sind arbeitslos. Die Gemeinde hat uns die Hochzeit gerichtet, auch das Hochzeitsmahl, und als wir auf die Hochzeitsreise gingen, da gehörte uns von allem, was wir bei uns trugen, nichts; den Koffer hat uns der Pfarrer geliehen, Kleider haben uns Freunde geschenkt, das Geld hatten sie gesammelt, und als wir in Österreich an unserm Reiseziel ankamen, fanden wir dort eine Gemeinde wie die unsre vor, wir waren ihre Gäste und brauchten keinen Heller zu bezahlen. (»Kirche ist nicht nur ein Haus«, singen dazwischen die Jugendlichen.) Hunderte solcher Gruppen gibt es in Italien, es gibt sie in Deutschland, in allen Ländern, es gibt sie mitten in Afrika. Was für eine Bewegung ist das? Ich kenne sie lang, sie hat ihr Zentrum in meiner Gemeinde, es heißt Mariapolis, die Bewegung ist die der ›Focolarini‹. Ich lernte sie kennen durch einen der Ihren, »Flecki« genannt, der einmal ein Schneider war, dann Theologie studierte und jetzt der Redakteur ihrer Zeitschrift ›Neue Stadt‹ ist. Flecki wollte während einer Buchmesse in Frankfurt ein Interview mit mir machen und schockierte mich mit der Eingangsfrage: »Haben Sie Jesus lieb?« So kann man einen doch nicht fragen. Und überhaupt: diese Naivität, diese schier mongoloide Heiterkeit und Zuversicht, und die Theologie, die da zum Vorschein kam, die war mir denn doch zu kindlich, und ihre Mariologie zumal, kurzum: das war nichts für mich. Es ist auch weiter nicht mein Weg, aber es ist ein wunderbarer Weg für viele. ›GEN‹ nennt sich die Bewegung, sofern sie sich auf die Jugendlichen bezieht. Man erkennt ihre Anhänger daran, daß sie Freude ausstrahlen. Wenn Nietzsche sie sähe, müßte er sein bitteres Wort zurücknehmen: »Wären die Christen Erlöste, müßten sie anders aussehen.« Diese Kinder aus Mariapolis verkünden mit ihrer Heiterkeit unentwegt die Osterbotschaft, und sie erreichen immer weitere Kreise. Wie machen sie das? Flecki erzählt: »In Schweden hatten wir noch kein Focolare. Da fuhren zwei von uns nach Stockholm. Sie wußten nicht, wie es weitergehen sollte, sie setzten sich auf eine Bank und warteten. Da kam eine Frau und begann ein Gespräch mit ihnen, auf Englisch, und sie interessierte sich für die beiden und nahm sie mit sich nach Hause, sie hatte eine überflüssig große Wohnung. Ein paar Wochen später gründeten sie ihr erstes schwedisches Focolare. »So geht das eben bei uns.« Ja, so geht das bei denen. So könnte es bei uns allen gehen. »Sucht zuerst das Reich Gottes, und alles übrige wird euch nachgeworfen werden.« Das ist nun der ganz andre Weg als jener der »Integrierten Gemeinde«. Aber warum sollten nicht beide richtig sein? Mein Verstand lobt die einen, mein Herz gehört den andern. Das aber ist eine Stilfrage.

Die Intellektuellen und der Terror. Man hat uns Intellektuellen im Herbst 77 vorgeworfen, wir hätten schwere Schuld auf uns geladen, indem wir nicht gegen den aufkeimenden Terror geredet haben. Als ob man auf uns gehört hätte! Als ob man uns nicht nach wie vor als überflüssiges Gesindel, als Erhards »Pinscher« ansähe, deren Wort in der Politik nichts gilt! Jetzt auf einmal sollen wir Verantwortung haben für das Unglück der Jugend, das offene und das verborgene? Als ob es nicht die Aufgabe der Eltern wäre, Kinder zur Gewaltlosigkeit zu erziehen! (Meine eigenen Kinder sind keine Terroristen geworden: ich habe sie geliebt, auch in ihren schwierigen Phasen.) Als ob die Gewaltverherrlichung in Film und Fernsehen nicht ganze Generationen verdorben hätte! Als ob jemand auf uns hörte, wenn wir ein striktes Verbot der Herstellung von Kriegsspielzeug verlangen! Als ob die versteckte Aufforderung ans Volk, Lynchjustiz zu üben an Terroristen und ihren Sympathisanten, nicht Aufruf zur nackten Gewalt wäre! Als ob die schlecht getarnte Verbrüderung mit faschistischen Diktatoren nicht das Bekenntnis zur Gewalt wäre! Als ob jemals den Propheten, den »Pazifisten« geglaubt worden wäre!

Und jetzt: wer hört denn jetzt auf uns, wenn wir vor der Gewalt gegen die Gewalt warnen?

Aber warum hatte ich vergessen, im heißen Herbst zu sagen, daß ich durchaus etwas getan habe, um den Terror zu verhindern? Schwarz auf weiß habe ichs: beim Aufräumen fand ich meinen Brief von 1968 an die Direktorin des Frankfurter Frauengefängnisses, Frau Dr. Einsele, in dem ich schrieb, daß ich mich um Gudrun Ensslin bemühen wolle, wenn sie ihre Strafe abgesessen habe; ich würde, schrieb ich, dafür sorgen, daß sie in Italien weiterstudieren und so sich wieder in die Gesellschaft integrieren könne. »Resozialisierung« nennt man das, und der Staat fordert dazu unsre Mitarbeit. Und als die beiden, Ensslin und Baader, bei mir waren am 4. Januar 1970, habe ich sie da vielleicht bestärkt in einem Gewaltvorhaben, das gar nicht in ihren Plänen stand damals? Sogar vor einem zu raschen Reformieren habe ich sie gewarnt: Überstürzte Aktionen gesellschaftlicher Art riefen im deutschen Bürgertum sofort Reaktionen auf.

Und meine Briefe an den hessischen und den bundesdeutschen Justizminister beim ersten Prozeß (nach dem Warenhausbrand in Frankfurt), in denen ich um Strafnachlaß bat, was waren sie anderes als Warnungen an den Staat, den Bogen nicht zu überspannen? Jahre später (ich hatte das schon vergessen) sagte mir Heinemann, unser damaliger Bundespräsident, er müsse immer an jenen Brief denken, den ich ihm 1969 geschrieben habe, als ich dachte, er sei zuständig für Begnadigungen. Ich habe geschrieben: Man lasse doch diese jungen Menschen frei, man lasse sie sozial-reformerische Arbeit tun, man halte sie so unter Kontrolle. Täte man das alles nicht, dränge man sie mit Notwendigkeit in den Untergrund. Ich schrieb (so berichtete Heinemann), daß »Schreckliches geschehen werde, brächte man es nicht fertig, diese jungen, schon halb verzweifelten Menschen ernst zu nehmen«.

Ob damals eine Resozialisierung noch möglich gewesen wäre, ist eine andre Frage. Ich weiß die Antwort nicht, doch glaube ich, es war zu spät. Gleichviel, hier gehts um die Beschuldigung, so

jemand wie ich habe rein nichts getan, um dem Terror entgegenzutreten.
Und wenn ich heute sage: Hört auf eure Jusos, auf eure Jungdemokraten, und auch auf die Besten unter denen der jungen Union, wer hört mich dann schreien? Keiner. Wieder haut man den Jungen aufs Maul. »Stört nicht die alte gute Parteidisziplin mit euern modernen Ideen.« Basta. Und in fünf oder drei oder zwei Jahren heißt es wieder: Ihr Intellektuellen habt nichts getan, um Gewalt zu verhindern. SO ist das.

Nachtrag: Und wie ist das, bitte, mit den Warnungen der bundesdeutschen Intellektuellen vor dem Rechtsrutsch? Wird sich da nicht auch wieder einmal die strenge Frage erheben: Was habt ihr getan, ihr bundesdeutschen Rechten, um den faschistischen Terror zu verhindern? Ist es nicht denkbar, daß eines Tages die Jugend unsres Landes an gewisse Herren der Rechten die Frage stellen wird: Warum habt ihr es so weit kommen lassen, daß wir wieder verfemt sind in der humanen Welt?
Wer von der Rechten liest das, wer fühlt sich betroffen?

Sofferto. Unsre italienische Freundin Dada sagt über ein Buch oder einen Film: »È sofferto« oder »è non sofferto«. Das ist ihr unfehlbarer Maßstab für die Qualität eines Kunstwerks. »Es ist erlitten« oder »nicht erlitten«. Nichts zählt, was nicht erlitten ist. Aber was ist das: erlitten?
Isang Yun erzählte mir, daß der oberste Beamte vom koreanischen Geheimdienst ihm nach der Verurteilung zu lebenslänglichem Gefängnis sagte: »Was für gute Musik werden Sie jetzt schreiben können.« Das war keine böse Ironie, das war ernst gemeint. Aber Isang war zornig noch jetzt, als er es mir erzählte, nach Jahren. »Ich bin doch kein Hase in der Blechkiste!« sagte er.
In Ostasien braucht man für eine bestimmte heilkräftige Medizin Hasen-Urin. Um ihn rasch und sicher zu bekommen, sperrt man einen Hasen in eine Kiste mit Blechdeckel und schlägt kräftig aufs Blech, dann erschrickt der Hase und läßt Wasser. Isang sagt: »Aber ich muß durchaus nicht leiden, damit man gute Musik von mir bekommt. Kunst ist doch unabhängig von privaten Leiden.« Ich wende ein: »Aber hatte der KCIA-Mann nicht recht? Du hast im Gefängnis doch eine komische Oper geschrieben und zwei Instrumentalstücke.« »Aber die waren vorher konzipiert, die habe ich im Gefängnis nur ausgearbeitet.«

Ja, schon. Aber ich rede nicht nur vom Gefängnis-Leiden, ich rede vom Leiden überhaupt. Hättest du nicht soviel gelitten in deinem Leben, wärst du nicht, der du bist, und schriebest nicht die Musik, die du schreibst. Leiden macht durchlässig für den Geist. Ist es nicht so?
Jedoch das italienische »sofferto« meint noch etwas anderes. Wir würden eher sagen: etwas läßt erkennen, daß der Autor dahintersteht oder nicht, das heißt: daß er mit seiner Person Zeuge ist für die Echtheit seiner Aussage.
Unsre Leser haben eine Antenne für dieses »sofferto«. Je weniger verbildet durch die offizielle Literatur sie sind, um so sicherer reagieren sie. Die Literaturkritiker haben andre Maßstäbe, weit weniger sichere. Wie oft, wie sehr haben sie sich schon geirrt. Ihre Urteile unterstehen der Mode.
Je älter ich werde, desto mehr zählt für mich die Meinung des lesenden »Volks«.
Der Interviewer in der Münchner Talkshow fragt mich, warum ich einmal, es ist lange her, aber unvergessen, für eine Frauenzeitschrift schrieb, regelmäßig, drei Jahre lang. Ob mir das nicht prestigemäßig geschadet habe? Ja, unter den Kollegen sicher, besonders unter den »Linken« von damals. Ihnen sagte ich: »Und warum sollte ich nicht für Frauen aus dem Volk schreiben, und so, daß sie es verstehen? Wer von euch nimmt sich ihrer an? Ihr seid nichts anderes als Kapitalisten des Intellekts: ihr hockt auf euerm Wissen und teilts nicht auf unter die Bedürftigen.«
Man KANN so schreiben, daß man, ohne sein eigenes Niveau zu verlassen, von vielen, von allen verstanden wird. Darin, freilich nur darin, ist Brecht mir Meister. Seine höchst stilisierte Kunst überschritt die Grenze des Künstlichen, und wurde wieder natürlich und verständlich.

Seoul, Frankfurt. Ein Wiedersehen: die beiden Südkoreaner, die mich 1975 eines Abends im Hotel in Seoul abholten, Unbekannte, die mich telefonisch auf Englisch einluden, mit ihnen zu einem gemeinsamen Freund zu fahren, den ich, wie sie gehört hatten, gern besuchen würde. Unbekannte waren es, und ihr Anruf war unklar, das Ganze konnte eine Falle des koreanischen Geheimdienstes sein. Was tun? Wer nichts wagt, erfährt nichts in einer Diktatur. Ich sagte: Ich komme. In der Hotelhalle wartet ein Paar, vor der Tür steht ihr Auto. Mit einem so kleinen Auto fährt niemand vom Geheimdienst, denke ich, und steige ein. Aber

wohin fahren wir? Zu Ahn Byung-Mu, sagen sie. Ja, dahin möchte ich, aber werden wir auch wirklich hinfahren? Wer sind die beiden? Wir fahren und fahren, Seoul ist riesig, es nimmt kein Ende, wir kommen in eine der zerfransten, armseligen Vorstädte, wir biegen von der Hauptstraße ab, wir fahren auf einer ungepflasterten löcherigen Straße weiter, und schließlich ist auch sie zu Ende, wir müssen aussteigen und zu Fuß gehen, die beiden Unbekannten nehmen mich zwischen sich und geleiten mich durch die fremde Finsternis. Ich überlasse mich meinem Schicksal. Plötzlich bin ich allein. Die beiden haben sich aufgelöst im Dunkeln. Vor mir ein Tor. Die beiden haben offenbar, ehe sie verschwanden, geklingelt, denn jetzt höre ich eine Stimme aus dem Innenhof, auf Koreanisch, ich antworte auf Englisch, ich höre Schritte, das Tor geht auf, ich werde hineingezogen, schweigend, ich bin erwartet, ich stehe vor Ahn. Welche Freude! Aber warum sind meine Begleiter nicht mitgekommen? Es sind zwei evangelische Theologen, die nach Europa möchten; sie müssen äußerst vorsichtig sein, sonst erhalten sie die Erlaubnis nicht. (Sie bekamen sie, sie sind hier in Deutschland.)
In welchem Kreise finde ich mich, in welcher Zeit lebe ich? Dies hier ist Urchristentum, Katakombenzeit. Keiner im Kreis, der nicht schon im Gefängnis gesessen hätte. Widerstandskämpfer, Opfer einer scharfen Diktatur. Lauter Intellektuelle, Universitätsprofessoren, ihres Amtes enthoben, fristlos, pensionslos entlassen, ins wirtschaftliche und gesellschaftliche Nichts gestoßen. Vogelfreie. Sie können jederzeit wieder abgeholt werden. Und sie wurden inzwischen wieder abgeholt: beim Gebetsgottesdienst am 1. März 1976 wurden sie verhaftet und eingesperrt, neun Monate lang, soviel ich höre. Unter denen, die ich an diesem Abend treffe, ist einer, den gesehen zu haben mir viele Koreaner neiden: Hahm Sok-Han. Sie nennen ihn den Gandhi Koreas. Weißhaarig, weißbärtig, als einziger in Tracht: im silbergrauen gegürteten Mantel mit weißem Kragen. Schön ist er anzusehen, und verehrungswürdig ist er. Daß er noch lebt, ist ein Wunder. Nordkoreaner von Geburt, Historiker, nach dem Zweiten Weltkrieg Erziehungsminister im Norden, bald von den Russen verhaftet, zum Tod verurteilt, begnadigt, nach Südkorea geflüchtet, wieder verhaftet, freigelassen, wieder eingesperrt und so fort. Er schrieb ein Buch: ›Hiob, die Geschichte Koreas aus biblischer Sicht‹. Er gibt eine Untergrundzeitschrift heraus, er führt eine scharfe Feder, man siehts ihm nicht an, wie er so dasitzt, gelassen, schweigsam, geprüft. Er kämpft für die Befreiung Südkoreas und die Wieder-

vereinigung der beiden Korea, aber er lehnt jede Gewalt ab. Zu seinen Methoden des Widerstands gehört das gemeinsame Gebet. Als Bischof Chi Hak-Sun und der Dichter Kim Chi-ha verhaftet wurden, begann er die Donnerstags-Gebetsstunden. Zuerst nahmen ein Dutzend Leute teil, später wurden es Hunderte. Während die christlichen Kirchen nur für ihre gefangenen Mitglieder beten, wird bei Hahm Sok-Han ausdrücklich auch für die andern gebetet, die Nichtchristen, ja für die Mitgleider der streng verbotenen ›People's Revolutionary Party‹, die als kommunistenfreundlich gilt. Das ist kühn. Der KCIA bricht auch oft genug ein in diese Feiern und holt sich Opfer. Aber die Versammlungen finden weiter statt. »Obwohl«, sagt Hahm Sok-Han, »Väter und Söhne der Anwesenden zum Tod verurteilt worden waren und man zuerst viele weinen hörte, sind unsre Gottesdienste wie Feiern des Lebens, denn wir alle sind verbunden durch Vertrauen und Liebe.«

Das Thema des Abends war, wie könnte es anders sein, die Frage der Revolution, die große Gewissensfrage aller Christen, aller Menschen im Angesicht der Dritten Welt. Die an diesem Abend Versammelten glauben nicht an Gewaltlösungen, sondern an die geduldige Umbildung des Bewußtseins. Sie leben aus der »Utopie Hoffnung«. Wovon aber leben sie praktisch? Sie verdienen nichts mehr, sie haben keine Unterstützung, außer jener durch Freunde. Sie helfen einander so gut sie können. Als Ahns Frau hernach ein Abendessen auf den Tisch bringt, ein wahrhaft festliches, mit köstlichen Speisen, bleibt mir jeder Bissen im Halse stecken. Aber ich verstehe: diese Menschen haben ihr Leben einzig auf die Liebe gestellt. Besitz und Nichtbesitz, Sicherheit und Gefährdung, beides zählt nicht mehr.

Gegen elf Uhr bringen mich alle auf die Hauptstraße, wo hin und wieder ein Taxi kommt. Um Mitternacht ist Sperrstunde. Wer da noch auf der Straße ist, wird eingesperrt.

Seit diesem Abend weiß ich, woran der Westen krankt: er hat keine Idee mehr, für die zu leben sich lohnte.

Gestern sah ich an der Straße nach Anzio einen Baum auf der Erde liegen, einen Mimosenbaum in voller Blüte. Ich dachte, der Südsturm der letzten Tage habe ihn gefällt, aber dann sehe ich: er ist mit einer einzigen Wurzel noch dem Boden verhaftet. Die andern ragen vertrocknet in die Luft. Die eine aber hält ihn am Leben, und er blüht.

Nächtlicher Unterricht. Wo treibt meine Seele sich nachts herum? Am Morgen kommt sie zu mir zurück und bringt einen Satz mit, den sie irgendwo aufgeschnappt hat. Heute hörte ich sie im Aufwachen sagen: »Was bekümmerst du dich um den Abbau deiner Physis? Siehst du nicht, daß in gleichem Maße deine Psyche sich aufbaut?«
Vor einigen Tagen hörte ich sie sagen: »Diese Deutschen! Da sitzt er (er: vielleicht meinte sie den deutschen Michel) mit hängenden Schultern und gesenktem Kopf, als sei er bucklig. Eine subalterne Figur. Wenn er den Kopf hebt, sieht man, daß er das Gesicht Schillers hat.«
Wo hört sie derlei? Sicher geht sie nachts zur Schule, oder sie mischt sich unter die Weisen, die auf einer himmlischen Agora umhergehen und laut denken. Das ist eine sonderbare Erfahrung, die sich komisch und literarisch liest, aber ich versichere, daß ich wahrhaftig diese Morgenstimme höre.

Anklage. Wenn ich, was selten ist, nach Rom komme, gehe ich in die kleine Kirche an der Piazza San Silvestro. Ich habe sie gern. Sie ist, wie eine katholische Kirche sein soll: sie riecht nach Weihrauch, Wachskerzen, altem Gemäuer, welkenden Blumen und Menschen. Immer sind Beter da, junge, alte. Und über dem Altar ist die Monstranz mit der weißen Hostie im Strahlenkranz. Alte Frauen, alte Männer beugen schwerfällig ihre arthritischen Knie bis zum Boden, und das Aufstehen fällt ihnen schwer. (In solchen Augenblicken liebe ich die Menschen so sehr, daß mir das Herz weh tut. Wie sie sich durchs Leben hinschleppen. Cui bono?)
Gestern traf sichs, daß ich gerade recht zur Abendmesse kam. Das freute mich. Aber dann die Predigt! Ein noch junger Geistlicher, intelligenten, aber harten Gesichts, sagt: »Die Kirche war immer auf der Seite der Armen, Schwachen, Entrechteten.« Ich habe Mühe, nicht zu schreien: »Ist ja nicht wahr! Und Sie, Sie wissen es genau! Sie haben Kirchengeschichte studiert, Papstgeschichte, Sie wissen, daß es immer um Macht ging und daß die Kirche sich immer verbündete mit den Mächten dieser Erde!«
Ich schweige. Hier gilt es auch noch für verboten, bei der Kommunion, statt die Zunge herauszustrecken (wie häßlich das ist!), die Hände hinzuhalten, um das Brot zu empfangen. Um derlei kümmert man sich. Aber wer kontrolliert die törichten Predigten solcher Geistlicher?

Frage: Unter den Betern sind sichtlich Arme. Warum schweigen SIE? Wie sind wir doch eingeschläfert.
Am Tag danach: J. B. Metz schickt mir sein Buch ›Glaube in Geschichte und Gesellschaft‹, Kapitel-Überschriften: ›Politische Theologie des Subjekts als theologische Kritik der bürgerlichen Religion‹, ›Privatisierung‹, ›Traditionskrise‹, ›Autoritätskrise‹, ›Zur Dialektik des Fortschritts‹, ›Gott als eschatologisches Subjekt der Geschichte?‹, ›Leidensgeschichte als Schuldgeschichte und der Entschuldigungsmechanismus einer abstrakt-totalen Emanzipation‹, ›Leidensgeschichte als Geschichte der Besiegten‹, ›Vision einer Weltkirche als Kirche des neuen Volks‹, ›Plädoyer für ein narrativ-praktisches Christentum‹ ... und so fort. Was ich bis jetzt las, ist ungeheuer aufregend. Neben Rudolf Bahros ›Alternative‹ und Maos Schriften die aufregendste Lektüre, die ich in den letzten Jahren hatte.
Die deutschen Bischöfe aber werfen den fortschrittlichen Theologen wieder einmal Prügel in den Weg: sie verfemen jede »politische Theologie«, jede »Theologie der Befreiung« als prokommunistisch. Sind wir wieder einmal bei Pius XII. angekommen, der die (italienischen!!) Kommunisten exkommunizierte!? Indem die deutschen Bischöfe jeden Versuch der theologischen Bewältigung der sozialen Probleme der Dritten Welt als prokommunistisch bezeichnen, arbeiten sie den Militärdiktaturen in die Hände und machen ihnen ein reines gutes Gewissen, wenn sie Revolutionäre, das heißt fürs arme Volk kämpfende Priester foltern, einsperren, umbringen. Diese Kirche, die deutsche vor allem, ist schwer zu ertragen. Manchmal möcht ich sagen: »Ach, lassen wir doch die Toten die Toten begraben ...« Macht sich ein Mensch nicht mitschuldig, wenn er eine solche Kirche unterstützt? Das ist eine Frage, die mich bisweilen leiden macht. Aber selbst den deutschen Bischöfen wird es nicht gelingen, das Rad rückwärts zu drehen, sie können es nur eine Weile aufhalten. Gescheite, aber systembefangene Männer ohne Vertrauen in Christus, den Herrn des Fortschritts.

Ich drehe das Radio an, und, per Zufall (Zufall?) höre ich gerade den Anfang des letzten Satzes der Neunten von Beethoven. Ich mag den Chor gar nicht, schon will ich abdrehen, da höre ich doch noch das Solo: »Brüder, überm Sternenzelt muß ein lieber Vater wohnen ...«, und der Chor antwortet: »... MUSS ein lieber Vater wohnen ...« Ich sehe die Volksmassen stehen und zum

Himmel aufblicken, wo dieser »liebe Vater wohnt«. Unendlich rührend ist dieser Chor. Und dann das Quartett »Freude...« Plötzlicher Einfall: wenn wir Menschen aufhören könnten, uns Gott als »lieben Vater« vorzustellen, wäre das große Problem gelöst, wie denn dieser liebe Vater das Leid zulasse auf unsrer Erde. Ist Gott gut, ist er böse, ist er gütig, ist er grausam? Nicht das eine, nicht das andre. Nichts von allem, was wir ihm zuschreiben, trifft zu, als das eine: ER IST, DER ER IST.
Geborgenheit in Gott gibt es nur so: Man wirft sich in den Strom und läßt sich tragen. Er trägt! Ist der Strom gut, ist er böse? Genug: er IST, und er TRÄGT.
Und das Böse auf Erden? Das tun WIR. Und das Leiden? Das verursachen WIR.
Wann werden wir endlich mündig? Ja aber, warum, warum können wir schuldig werden? Warum? Weil wir frei sind. Aber MÜSSEN wir schuldig werden? Wir werden es eben. Wir werden schuldig dann, wenn wir den Gott in uns nicht wirken lassen.
»Brüder, UNTERM Sternenzelt müssen viele liebe Väter, viele gute Mütter wohnen.«

Utopia. Viel Vorarbeit für den Berliner Vortrag über ›Hermann Hesse und die fernöstliche Philosophie‹. Was mich selbst am stärksten dabei interessiert: das Utopische an sich. Hesse WAR in Indien, 1911. Er floh dorthin. Er floh aus einem geographischen Raum in einen andern. Er hoffte, aus einem kulturellen Raum in einen andern, bessern zu gelangen. Indem er nach OSTEN reiste, hoffte er einem neuen Sonnenaufgang entgegenzureisen, einem neuen Morgen, einer Morgenfrische, einem Neubeginn. Seine Reise war eine Zeit-Reise: aus der unerträglichen Gegenwart in eine schönere Zukunft.
Was er in Indien fand, war nichts. Man hätte ihn vor seiner Abfahrt warnen sollen. Freilich: welcher Indienfahrer glaubte an die Irrealität seines Unterfangens? Unausrottbar ist doch in allen das Mißverständnis, Indien sei durch Reisen erreichbar. Indien, das ist doch nur eine Chiffre für eine innere Erfahrung. Aber eben um das zu erkennen, mußte Hesse wirklich mit einem wirklichen Schiff ins geographische wirkliche Land Indien reisen. Zehn Jahre nach seiner Heimkehr kam er in der Schweiz in Indien an. Indien, das ist eine Provinz der eigenen Seele. Indien ist ein Arche-Typos. Das war es schon vor zweitausend Jahren, als es noch lange nicht das Land der Sehnsucht westlicher Gottsucher war und einfach ein

Wunderland mit Bergen aus Gold, und Palästen aus Smaragd, und Bäumen, aus denen schöne Frauen sprachen, ein Land voll sinnlicher Freuden, voll ungeheuerlich genießender Götter: die unverfälschte zauberische Hindu-Welt, in der die Dinge noch unmittelbar zum Menschen sprachen. Was anderes war dieses Indien als das Paradies? Alexander suchte es, wenigstens steht es so in dem berühmten Alexander-Roman. Hinein durfte Alexander nicht. Niemand darf je hinein. Aber das glaubt keiner. Immer wieder macht sich einer auf und meint, er, gerade er werde das verlorene Himmelreich finden. Jeder junge Mensch hegt zutiefst verborgen den Glauben, er sei Parzival und fände den Gral, wie immer er das Ersehnte auch nennt. Und die ganze Menschheit, was sucht sie denn, wofür lebt sie, strengt sich an, was hofft sie? Das verlorne Paradies. Irgendwo muß es doch sein, irgendwann muß es sich zeigen und öffnen. Jesus, der Christus selbst, hat er nicht auch von der neuen Erde und dem neuen Himmel gesprochen? Oder sollten ihn seine Jünger bis auf den heutigen Tag mißverstanden haben? Wo ist das Himmelreich, wenn nicht IN EUCH? Aber wir wollen es nicht glauben, daß Indien in unserm eigenen Seelenhaus liegt, und der christliche Himmel hier und jetzt zu finden ist. Nein, wir wollten Utopia finden, auf der geographischen Weltkarte. Da wirs auf der Erde bis jetzt nicht fanden, suchen wir es auf dem Himmelsglobus. Im Raumschiff ins Paradies reisen ...
Ich habe einmal gelesen, daß an Papst Alexander III. ein Brief gelangte, geschrieben von einem »Priesterkönig Johannes«, der sich als »Herrscher der drei Indien« bezeichnete, als der Größte aller Könige, und sein Reich sei das Nonplusultra: es enthält den Fluß, der alles Unreine reinigt, es enthält den Brunnen, der ewige Jugend spendet, es enthält den Palast, in dem »die Armen« (die es offenbar doch gibt in diesem Paradies) satt werden allein vom Duft der Speisen, in dem es keine bösen Geister, keine Besessenen gibt. Der Brief ist verschollen, aber die Antwort des Papstes ist erhalten. Eine zurückhaltende, aber respektvolle Antwort. Man konnte ja nicht wissen, ob nicht hinter all den Übertreibungen doch etwas Wahres stand: ein sehr mächtiger asiatischer Potentat, mit dem mans nicht verderben darf ... Ernst Bloch, bei dem ich einmal etwas darüber las, meint dazu, den Brief habe ein ganz Gescheiter geschrieben, der den Papst zwischen den Fabelzeilen auf gewisse schlechte Zustände im Westen hinweisen wollte. Bloch meint, der Brief deute auf eine politische Utopie. Ja, den Juden in Ägypten wurde Kanaan versprochen, und das floß dann auch nicht einfach

so über von Milch und Honig und Freude und Frieden. Und die marxistische Utopie...
Und was ist mit dem christlichen Himmel?
Aber wohin führt mich Hesses ›Indienfahrt‹!

Zum Thema Utopie ein Satz der Simone Weil:
»Odysseus, den Seeleute während des Schlafes fortgebracht hatten, erwachte in einem unbekannten Land und sehnte sich mit solchem Verlangen nach Ithaka, daß es ihm die Seele zerriß. Plötzlich öffnete Athene ihm die Augen, und er erkannte, daß er auf Ithaka war.«

Aus einem Schülerbrief, einem von Hunderten, die mich erreichen: »Was soll ich von einem Geschichtslehrer halten, der sagt: Immerhin waren die Zuchthäuser unter Hitler in Ordnung. Der gleiche Lehrer sagt auch: Leute wie dieser Sexualmörder Bartsch gehören umgelegt, Rübe ab, basta, schon wegen der Sexualhygiene (?). Die sollen halt ihren Geschlechtstrieb im Zaum halten, wir andern können das auch, im übrigen gibts genug Bordelle. Er sagte auch: Brandt ist ein Säufer, was erwarten Sie von so einem?« Als diese Schülerin widersprach, fiel sie in Ungnade, und bei der nächsten Klassenarbeit erhielt sie unmotiviert statt der üblichen Eins oder Zwei eine Vier.
Ein andrer schreibt: »Unser Deutschlehrer hat eine besondre Form der Repression: er macht diejenigen unter uns, die nicht kuschen, lächerlich, indem er ihre Sprachfehler und Sprecheigenheiten nachahmt. Damit erntet er bei der Meute immer Beifall.«
Eine Primanerin, vor der Prüfung, schreibt: »Als ich neulich meinem Lieblingslehrer klagte, daß ich diesen Streß nicht mehr aushielte, sagte er: Ach was, Mädchen, nur nicht klagen, das macht man mit, das ist eben so, man paßt sich an, sonst ist man bald kaputt.« Die Primanerin schreibt dazu: »Ich bin aber unfähig, mich anzupassen. Mir bleibt wohl nichts anderes als der Selbstmord. Nur bin ich feige, und da ist ja auch die Sache mit Gott, die mich vorläufig hindert, mich umzubringen. Aber sagen Sie selbst: lohnt es zu leben in einer Welt wie der unsern?«
Ein andrer: »Ich wehre und wehre mich, in den ›Schoß der Gesellschaft‹ integriert zu werden. Aber schon werde ich müde. Es ist mühsam und gefährlich, gegen die Mehrheit sich zu stemmen. Es erscheint mir schon als sinnloses Opfer.«
Eine Siebzehnjährige: »Ich beginne zu glauben, was sie alle sagen,

nämlich ich sei eine blöde Idealistin, eine Querulantin, eine Weltverbesserin, und das ist ja das Dümmste, was man sein kann, es ist eine Art Verrücktheit. Alle Idealisten sind verrückt, weil ganz unrealistisch.«
Eine Schülerin der 13. Klasse: »Dieses Jahr ist das schlimmste ... Jeder denkt nur an sich und seine Punkte. Man fühlt Schadenfreude, wenns ein andrer nicht schafft, und man zeigt das auch schon. Man verroht ganz unmerklich, man wird brutal, ohne daß man schlägt. Man wird es innerlich. Man wird sich ungeheuer fremd und feindlich in diesem Wettkampf. Das Schlimme ist, daß man sich dem kaum mehr entziehen kann.« Das sind einige Beispiele. Ich könnte Handfestes zitieren, mit Namen der Schulen und Lehrer, aber – so weit sind wir schon – ich muß mit Recht fürchten, daß man die Schüler, von denen bekannt wird, sie schrieben mir, denunziert und bestraft und hinauswirft. Diese Schülerbriefe sind aber keine Denunzierungen ihrer Lehrer, es sind Verzweiflungsschreie unserer Jugend, mit der die Gesellschaft nicht umgehen kann. Integrieren oder einsperren, das ist die Alternative. Frage: Was wird aus einem Volk von Verdummten, Verängstigten, Subalternen? Wie helfen wir unsrer Jugend? Wie verhindern wir, daß sie entweder dumme Masse wird oder aber zu den Terroristen stößt? Wie erziehen wir MENSCHEN? Wie werden wir bald am eigenen Leib büßen müssen dafür, daß wir unsere Jugend verrohen ließen nach unserm Beispiel! Dagegen hilft dann keine Papstrede mehr und kein CDU/CSU-Beschluß, und die Gefängnisse werden die Masse der Rebellen nicht mehr fassen, sie werden das Land überziehen wie die Bauern im Dreißigjährigen Krieg. Wir säen Wind, die Ernte ist Sturm, und das wird bald sein.

Lesung im Gefängnis. Unter den »Lebenslänglichen«, um die ich mich kümmere, ist einer, Felix Kamphausen, der nicht nur selber dichtet und zeichnet und auch schon publizierte, sondern im Gefängnis eine regelrechte kleine literarische Arbeitsgruppe auf die Beine stellte. Nun sitzen die Leute vor mir, junge Männer, etwa zwanzig oder mehr. Lauter Gewalttäter. »Mörder«, sagt das Volk, nicht unterscheidend zwischen Mord und Totschlag, zwischen fahrlässiger Tötung, vorsätzlichem und überlegtem Mord und Totschlag im Affekt. (Die Juristen unterscheiden noch subtiler.) Ich schaue mir die Gesichter an. Sehen Mörder so aus? Sind das »Verbrecher«, denen man die Menschenwürde absprechen will? »Rübe ab«, sagen die braven christlichen Bürger. Das 5. Gebot gilt für sie nicht. Das Liebesgebot schon gar nicht. Und begriffen haben sie überhaupt nichts, nämlich davon, daß Jesus als ersten Erlösten einen aus der Gesellschaft Gefallenen, einen Mörder mitnahm, den »Schächer« am Kreuz, weil ein Sünder allemal nicht ein Grund-Böser ist, sondern ein Opfer böser Herkunft, böser Erfahrung mit dem Mitmenschen, mit der Gesellschaft, und überdies Teil der notwendigen Schattenseite der Schöpfung. Aber wie macht man das den unberufenen Verurteilern aus dem braven Bürgertum klar? Gar nicht, nie, und das ist zum Verzweifeln. NIE begreifen die, daß ALLE Menschen zusammengehören, im Guten wie im Bösen, und daß die Rollen auch vertauscht werden könnten vom »Schicksal«. Ist es denn unser Verdienst allein, wenn wir andern NICHT straffällig wurden? Und führen die Mörder nicht aus, was wir planen? »Rübe ab«, das sagten sich auch die Mörder, als Antwort auf böse Behandlung durch die Gesellschaft, durch die Eltern, durch den Staat, durch das Gesamtschicksal. Ich schaue mir die Gesichter immer wieder an, während ich lese und diskutiere. Hätte ich Angst, mit ihnen oder mit einem von ihnen allein zusammenzusein? Nein. Einer ist darunter, der ist finster verstockt, aber daß er kam, zeigt, daß er so verstockt doch nicht ist. Vielleicht ist gerade er es, der durch ein Wort der Liebe aufgefangen werden könnte.

Gescheite, wache, gute Gesichter sind das. Ich weiß, es ist die Elite, die kam. Aber eben das ists ja, was so bestürzend ist: da sitzt echte Intelligenz, da sitzen schöpferische Kräfte, die nie geweckt, nie gefördert worden waren und die sich die falschen Kanäle suchten, um etwas zu tun, etwas zu verändern. Es sind keine Terroristen, keine sogenannten politischen Verbrecher, aber es sind politische Menschen, die nie Gelegenheit hatten, zu Wort und Tat zu kommen, da sie in ihrer Jugend schon der Repression zum Opfer fielen.

Wenn nun solche junge Intelligenzen und Talente beginnen, von sich aus (weils niemand andrer tut!), ihr Schicksal in die eigene Hand zu nehmen und etwas zu machen mit ihren Kräften und ihrer Zeit (die ihnen bleibt zwischen schlechtest bezahlter Handarbeit, man benutzt in unsrer Gesellschaft die Gefangenen als billige Arbeitskräfte, genau wie unter Hitler, wo ich in der Brotfabrik Leimer in Traunstein arbeitete, um einen Hungerlohn, den zum größten Teil das Gefängnis einbehielt, so daß wir Gefangenen auch noch unser Gefangensein bezahlen mußten!), wenn nun also solche Menschen ihre »Resozialisierung« selber beginnen, müßten da die »Justizvollzugsbeamten« (was für ein Wort!) nicht heilfroh und dankbar sein, und müßten sie solche Arbeit nicht unterstützen? Aber nein, man erschwert sie auf alle mögliche Art. Die Remscheider haben sich ihre eigene Rettungsaktion erkämpfen können, der Direktor hat, so weit ers kann, dafür Verständnis. In vielen Gefängnissen unterdrückt man bewußt die Förderung der selbständigen Intelligenz. Warum denn? Weil intelligente Gefangene eben kritisch sind und sich nicht alles gefallen lassen. Weil es für die »Justizvollzugsbeamten« viel bequemer ist, dumme Gefangene zu behandeln als gescheite. Und weil in diesen Köpfen die Vorstellung hockt, Gefangene seien Untermenschen und müßten als solche behandelt werden. Draußen, in der Politik, redet man von der großen Aufgabe der Resozialisierung. Drinnen praktiziert man das Gegenteil. Man unterdrückt das Menschliche, man schafft durch Druck Gegendruck, man weckt durch Verachtung Haß, man bereitet die Rückfälligkeit systematisch vor. Ich sage systematisch, weil es zum Repressions-System gehört. Geschlagene Hunde beißen zurück. Gebissene schlagen den Hund. Der Hund beißt... Ich rede in der Diskussion mit den Remscheidern auch über Gewaltlosigkeit. Ich sehe, wie sich ihre Gesichter verhärten. Ich traf den wunden Punkt, den zentralen. Sie sagen es nicht, weil wir nicht allein sind, aber sie lassen es mich fühlen. »Wie sollen wir denn wünschen können, uns in diese Gesellschaft zu reintegrieren, wenn die uns hassen und verabscheuen? Und wer hat uns denn in die Straffälligkeit getrieben? Unsre Mütter und Väter, die vor allem, und die Schule, und der Staat...« Tatsächlich sind fast alle Gewalttäter uneheliche oder unerwünschte, in Heime abgeschobene, geprügelte Kinder. Liebe haben sie nie erfahren, nur Haß und Verneinung ihrer Existenz. Dafür müßten jene bestraft werden, die ihnen das Lebensrecht absprachen und die Liebe versagten. So ist das. Und diese jungen gescheiten Menschen vor mir, die wissen das, und sie sind ohnmächtig. Ist es ein Wunder, wenn sie denken: »Wartet nur, wenn ich frei bin, dann werde ichs euch heimzahlen.« Gewalt erzeugt Gewalt, und so geht das fort. Wie lange? Warum lehrt man in Gefängnissen die jungen Menschen nicht, daß sie keine Ausgestoßenen sind, sondern nur Verirrte, die, so wie sie sind, zur Gesellschaft gehören und jede Chance haben, Positives zu tun? LIEBE soll man sie lehren!

Das allererste, was zu tun ist im Strafvollzug: die »Justizvollzugsbeamten« umzuerziehen, so daß sie ihren Beruf als etwas Aufbauendes sehen können. Lehrer müssen es sein. Jeder Wärter muß

erst seine eigenen Aggressionen abbauen, ehe er Wärter wird. Die Milliarden, die ein Staat für Rüstung ausgibt und auch für die Polizei, die muß er anwenden für die gründliche Schulung derjenigen, die es in der Hand haben, ob junge Gefangene rückfällig werden oder sich resozialisieren.
Ich denke mir: wenn ich jetzt diese Gefangenen mit mir hinausnehmen dürfte und wenn wir eine Insel irgendwo zur Verfügung gestellt bekämen, keine »Teufelsinsel«, sondern ein Land, auf dem etwas wächst, aus dem etwas zu machen ist, ein Agrarland, und wenn wir staatliche Mittel bekämen, dort anzufangen etwas aufzubauen, für uns, ein neues Modell zu leben, natürlich auch Frauen müßten mitkommen und ältere weise Menschen, – ich würde es wagen mitzugehen. Aber solche Ideen werden belächelt. Warum eigentlich? Die brave Gesellschaft müßte froh sein, ihre Störenfriede loszusein, und den Gefangenen wäre es Rettung. Und was sie erarbeiten, wirtschaftlich und geistig, käme wiederum der Gesellschaft zugute.
Gesetzt den Fall, ich legte das Projekt in Bonn vor ...
(Wie wars denn eigentlich mit den ersten Ansiedlern in Nordamerika? Hat da nicht auch die gute europäische Gesellschaft ihre ungezogenen Kinder hingeschickt? Dazu ließe sich freilich einiges sagen, was GEGEN mein Projekt spräche ...)

Heinz Riedt, alter Freund, genialer Übersetzer aus dem Italienischen, erzählt mir eine Geschichte, vielmehr: er möchte, daß ich aus einer wahren geschichtlichen Begebenheit eine Geschichte mache. Ein großartiger Stoff. Ich versuche, ihn zu gestalten. Ich kann es nicht. Es liegt nicht außerhalb meiner Fähigkeit, aber es liegt außerhalb der künstlerischen Ökonomie: besser, als die Sache selbst ist, kann keine Erzählung über sie sein. Der Sache entspricht nichts anderes als die Sache selbst. Ihre Wirkung liegt in der historischen Faktizität. Sie ist diese:
Ein junger Sizilianer legt 1932 dem Physiker Fermi von der Universität Rom eine Formel vor, die er eben gefunden hat. Er hat sie auf seine Zigarettenschachtel notiert. Es ist die Grundformel für die Atombombe. Er verbietet dem Professor, darüber zu reden. Er wirft die Zigarettenschachtel mit der Formel weg. Sie bleibt verschwunden. Fermi besitzt sie nicht, aber er erinnert sich ihrer. Er benützt sie nicht. Der junge Sizilianer wird später Professor für Physik an der Universität Neapel, er hat die Stelle widerstrebend angenommen, er hat sie nicht lange inne. Am 25. März 1938

schreibt er einen Abschiedsbrief, in dem er seinen Selbstmord ankündigt. Seine Leiche wird nie gefunden, seine Arbeiten hat er alle vernichtet. Er heißt Ettore Majorana.
Vor einigen Jahren starb in einem sizilianischen Jesuitenkloster ein Mann, von dem man annimmt, er sei Ettore Majorana gewesen.
»Die Konstruktion der Atombombe ist der ungeheuerlichste Irrtum, den die Menschheit begehen konnte.« Einstein.
Die Menschheit hat sie gebaut? WER hat sie gebaut? Einige Wissenschaftler haben sie erfunden, viele Techniker sie gebaut. Ist das »DIE MENSCHHEIT«? Sie IST es. Wir sind alle mittendrin, unentrinnbar. Schuldige, Mitschuldige. ALLE.

Heute morgen, wie so oft im Aufwachen, hatte ich eine Erkenntnis. Ich schlage mich seit Jahren herum mit der Verschiedenheit der Zeit-Vorstellung in der westlich-christlichen und der östlichen Philosophie. Der Westen denkt sich die Zeit als Gerade, die irgendeinmal anfing und dann »ins Unendliche« (was ist das?) weiterführt. Der Osten sieht die Zeit als Kreislinie, die nie anfängt und nie aufhört und damit keine »Zeit« mehr ist. Eine Verschiedenheit, die entscheidend wichtig ist für die Vorstellung vom Werden und Vergehen der Schöpfung, von Ankunft und Wiederkunft des Christus und vom Schicksal des einzelnen Menschen, der, nach westlicher Vorstellung, einmal beginnt und dann, als unsterbliche Seele, immer da ist. Aber woher diese Seele kommt, das bleibt ungeklärt. Wenn die Geschichte der Menschheit und die des einzelnen an einem Punkt beginnt, woher hat sie die potentielle »Ewigkeit«? Und was fängt sie dann mit ihr an? Jene Leute haben ganz recht, die da naiv sagen: Aber im Himmel ist es doch langweilig, da ist immer dasselbe, da ist man so schrecklich »angekommen«. Und wenn Gott ein Gott der Lebenden ist, und wenn Leben Bewegung ist, was ist dann mit den in der Ewigkeit und Unsterblichkeit für immer Angekommenen? (Ich sage das alles sehr verkürzt, denn ich will ja etwas sagen über die Erkenntnis, die ich heute im Aufwachen hatte.) Also: ich sah eine Linie, eine Gerade, das war die Zeit. Aber da sah ich, daß es gar keine Gerade war, sondern sie krümmte sich, ganz langsam, und nach und nach wurde ein Kreis daraus.
Es gibt nämlich keine »Gerade«, es gibt nur Gekrümmtes, denn alle Geraden streben nach Vereinigung, so wie alle Parallelen, das habe ich im Mathematikunterricht einmal mit großem Entzücken

gelernt, sich im Unendlichen treffen. Die Zeit ist eine Gerade, die sich zum Kreis schließt. Der Westen hat recht und der Osten auch. Aber der Osten hat die längere und tiefere Erfahrung. Warum denkt der Westen nicht stärker daran, daß der Christus sagte, er komme wieder und schaffe einen neuen Himmel und eine neue Erde? Das tut Shiva auch, der indische Gott. Er schafft, und er zerstört. Im Zerstören schafft er das Neue. Ist es nicht ein Fluch für den Westen, daß er sich Gott STATISCH denkt? Kommt von daher nicht der falsche »Ordnungsbegriff«, die Angst vor Veränderung, die Verweigerung der eigenen und der gesellschaftlichen Wandlung? Und auch die Lebensunlust, die Lebensangst, die Todesangst? Bin ich auf einer Geraden, Zeit genannt (und also auch Raum), so muß ich die Begrenzung und das Ende fürchten. Bin ich auf einer Kreislinie, habe ich nichts zu fürchten, ich bin im ewigen »Kreislauf«, ich bin zugleich in Zeit und Ewigkeit, in jedem Augenblick habe ich ALLES. Meine und alle Ewigkeit ist jetzt und hier und liegt doch immer auch VOR mir. »Ich bin bei euch alle Tage«, sagt der Christus. Er konnte auch sagen: Ich, der Immer-Seiende und Kommende zugleich, ich bin in jedem Augenblick und an jedem Punkt bei euch, und ihr seid hic et nunc in mir.
Dies wirklich zu begreifen, bringt Rettung vor der Weltangst. Jeder Punkt der Kreislinie ist HEIMAT.
Dies denkend, brauchen wir auch keine Angst zu haben vor dem »Ende des Fortschritts«. Es gibt kein Ende. Im Vergehen von etwas entsteht Neues.
Ja, aber was? Ist das Neue nicht doch immer nur neu Unbefriedigendes? Was haben wir denn zu erhoffen?
Das ist doch unser aller Kardinal-Problem: wir, enttäuscht von den Früchten des Glaubens an den unendlichen Fortschritt der Naturwissenschaft, stehen jetzt im Leeren. So meinen wir. Kosmische Angst überfällt uns. Warum aber? Wir Menschen kommen von weit her. Milliarden Jahre liegt unsere »Ankunft« zurück. Wir wurden etwas aus etwas. Wieso sollten wir aus dem, was wir jetzt sind, nicht etwas Weiteres werden, etwas Größeres? Wer wars, der sagte: Ihr seid Götter? Der heilige Paulus. Lohnt es sich nicht zu leben für eine solche Zukunft, die in jedem von uns schon begonnen hat?
Dante schrieb übers Höllentor! »Wer hier eintritt, lasse alle Hoffnung fahren.« Anders herum ists: »Wer die Hoffnung fahrenläßt, ist in der Hölle.« Und wer hofft, der hat den Himmel in und vor sich.

Bitte umblättern:

auf den nächsten Seiten informieren wir Sie über weitere interessante Fischer Taschenbücher.